LE ROMAN HISTORIQUE

à travers les siècles

YVON ALLARD

LE ROMAN HISTORIQUE

à travers les siècles

2009

Coordination de l'édition	Robert Chiasson
Lecture professionnelle	Robert Chiasson Thérèse Forray André Roux Norbert Spehner
Supervision technique	Denis Beauchemin
Graphisme du livre et couverture	Normand Bastien
Imprimeur	Transcontinental

Catalogage avant publication de Bibliothèque et Archives nationales du Québec et Bibliothèque et Archives Canada

Allard, Yvon.
Le Roman historique à travers les siècles. – Montréal : Éditions ASTED, 2009. – 344 p.

Comprend des réf. bibliogr. et un index.

ISBN 978-2-923563-08-4

1. Roman historique – Histoire et critique. 2. Roman historique – Bibliographie. I. Titre.

PN3441.A44 2009 809.3'81 C2009-940040-5

Dépôt légal - 1er trimestre 2009
Bibliothèque et Archives nationales du Québec
Bibliothèques et Archives Canada

Les Éditions ASTED inc.
3414, avenue du Parc, Bureau 202
Montréal (Québec) H2X 2H5

Téléphone	514 281-5012
Télécopieur	514 281-9219
Courriel	info@asted.org

Les Éditions ASTED inc. remercient la Société de développement des entreprises culturelles (SODEC) de son soutien financier. Les références bibliographiques citées dans cet ouvrage ont été vérifiées avec les bases de données *ChoixMédia* et *Repère*, de Services documentaires multimédia (SDM).

À mon amical petit-cousin
François Trottier
quoiqu'il préfère l'Histoire
aux histoires.

TABLE DES MATIÈRES

INTRODUCTION

> « *On peut considérer le roman historique comme marginal à l'Histoire ; n'oublions pas cependant de le tenir aussi pour marginal au roman. C'est seulement saisie et exploitée dans son* imaginaire *que l'Histoire peut entrer dans l'univers romanesque. [...] Bonne occasion de noter que le secret est l'heureux privilège revendiqué par le romancier : se glisser dans les* silences *de l'Histoire* .»
>
> André Brincourt, *Vive les mouches*. – Paris : Grasset, 1999.

C'est à travers un corpus monumental que nous livrent les versions originales ou les traductions de romans historiques que nous allons tenter un parcours chronologique, plus descriptif que critique, en vue de permettre aux lecteurs et aux lectrices éventuels de se retrouver à travers toutes ces histoires.

Le premier état de notre recherche bibliographique sur le roman historique a été publié en 1974, sous forme de fiches bibliographiques dans le *Bulletin de bibliographie*[1] (vol. 3, n°s 5-6) de la Centrale des bibliothèques de Montréal. Une deuxième version, revue et augmentée, constituait la cinquième partie de notre ouvrage *Paralittératures* publié au même endroit en 1979. Une troisième refonte reprenait les travaux antérieurs et a été publiée aux Éditions du Préambule en 1987.

L'ouvrage a été complètement revu et augmenté du triple par l'auteur pour cette nouvelle édition, grâce à l'initiative de Denis Beauchemin, bibliographe chez SDM, qui a réalisé la première mise en pages et les index. Notre guide contient plus de 2000 titres, en comparaison des 700 contenus dans l'édition de 1987.

---

[1] La Centrale des bibliothèques a changé de nom en 1988 pour Services documentaires multimédia.

Le roman historique est un des genres littéraires les plus déconsidéré en littérature, parce qu'il pose à l'histoire d'une façon concrète et souvent médiocre le problème de savoir si elle est une science ou un art. Réussi, il s'attire les foudres des historiens qui dénoncent sa fiction ; raté, il soulève l'ironie de ces mêmes critiques qui applaudissent à ses élucubrations.

Ce type de roman qui date de loin, en excluant la légende et l'épopée qui participent du mythe, ne semble avoir fait son entrée officielle qu'en 1814 lors de la parution de *Waverley* de Sir Walter Scott. Il s'épanouit durant toute l'époque romantique avec des fortunes diverses et sembla bientôt s'éclipser pour laisser place à d'innombrables reconstitutions décoratives prétendument historiques vers la fin du XIXe siècle. Depuis cette époque, il a périclité malgré quelques œuvres marquantes jusque vers les années 80 où il a de nouveau envahi le marché, prenant l'une des premières places parmi les best-sellers et renouant ainsi avec les beaux jours du roman-feuilleton.

Le drame historique a eu et a encore plus de succès, que ce soit par l'opéra ou le film. Sa tâche est plus facile puisqu'il se concentre sur un moment critique et, par l'impact vivant des dialogues et la fascination scénique due aux décors et aux costumes, entraîne d'emblée le spectateur. Il n'en sera pas question ici, non plus que de la nouvelle qui obéit aux mêmes lois.

Le romancier qui s'attelle à un roman historique s'engage dans une tâche autrement difficultueuse et complexe puisqu'il doit, à partir d'une époque, d'un personnage ou d'un exploit, reconstituer à même le matériau de l'historien un récit plausible et vraisemblable.

On pourrait avancer qu'il y a deux sortes de romans historiques : les « sérieux » dont fait état Georges Lukacs dans son étude célèbre et unique, et les autres qui se placent dans le sillage du grand bonhomme que fut Alexandre Dumas à qui l'on prête ce mot prégnant : « On peut violer l'histoire à condition de lui faire de beaux enfants ». Henri Clouard et, plus récemment, Claude Schopp et Daniel Zimmerman ont écrit d'excellentes biographies et apportent d'indiscutables constats positifs en faveur d'un genre au second degré, ou plutôt d'une formule qui frise l'authentiquement faux tout en nous donnant d'excellents récits populaires et toujours lus.

N'en déplaise à personne, il faut bien distinguer la valeur des arguments de Lukacs par rapport à ceux de Clouard, comme on fait la différence entre Stendhal et Dumas ou, de nos jours, entre Yourcenar et Druon. Somme toute, un certain snobisme tranche entre la littérature sous la caution universitaire et le paralittéraire défendu par quelques originaux populistes de mauvais goût. Ne nous adressant pas aux historiens mais plutôt à des lecteurs avides d'histoires, laissons ces querelles et ne méjugeons pas trop Dumas et beaucoup de ses épigones qui avaient la verve et qui tiennent le coup depuis plus d'un siècle. Souvenons-nous que Montherlant avoue avoir « attrapé » sa romanité qui donne un ton altitudinal à beaucoup de ses œuvres dans un roman quelconque qui a nom *Quo vadis*, qu'Emmanuel Leroy Ladurie a trouvé sa vocation d'historien chez Walter Scott et qu'Alain Decaux et plusieurs autres ont découvert leur voie à travers les romans d'Alexandre Dumas.

On pourrait distinguer trois formes de romans historiques. D'abord, le « réaliste » qui se veut le plus près possible des faits rapportés par les historiens et qui met en vedette un ou des personnages véridiques ayant leur nom dans le dictionnaire. Cette formule est la plus difficile : discutée, discutable déjà dans la biographie romancée style Zweig ou Maurois, elle produit dans le récit fictif des interprétations défigurantes et invente des situations improbables dans le sens d'improuvables quand elle ne chute pas dans l'anachronisme évident. Si nous prenons l'exemple de Napoléon, il est clair que Bainville, Ludwig, Castelot et Guillemin n'adoptent pas le même point de vue, si bien que la boutade d'un historien affirmant que le Napoléon le plus vrai est celui, épisodique, qu'on aperçoit dans *Guerre et paix* de Tolstoï sonne assez juste.

Ce qui nous amène à la deuxième forme de roman historique, la forme « lyrique » dans laquelle le ou les personnages dominants sont des héros inventés ou copiés sur de multiples modèles, l'époque et les grands personnages ne servant que de décor et n'apparaissant qu'en silhouette. C'est la solution de Walter Scott et de Dumas, qui peut se discuter en tant qu'Histoire, mais pas en tant qu'histoire, piège que n'a pas évité Vigny dans *Cinq-Mars* en voulant être trop réaliste, reproche qu'on peut également faire à Druon dès qu'intervient un personnage véridique dans sa série *Les rois maudits*.

Une troisième manière se dessine sur la trace du roman social : elle pourrait se rapprocher de la chronique puisqu'elle traite de sujets contemporains mais sous une forme imaginaire. On lui a donné le nom de « politique-fiction ». Ce genre arborescent domine dans les récits inspirés des deux guerres mondiales du XXe siècle, dans le roman d'espionnage ou même dans une certaine science-fiction lorsqu'elle se situe dans l'avenir immédiat.

Que le nouveau succès du roman historique soit dû à un engouement pour la mode rétro, à la nostalgie du héros et des valeurs-refuges, à la peur ou à l'incapacité face è l'avenir, il y a surtout recherche d'évasion, de divertissement et de dépaysement. Qu'il y ait de plus en plus, après les expériences de laboratoires du « nouveau roman » où le lecteur servait de cobaye, un retour au récit, autrement dit un retour à l'histoire impliquant des personnages vraisemblables dans des situations qui ne le sont pas moins, il y a surtout recherche d'événements ou de caractères auxquels s'identifier ou dans lesquels se projeter. Enfin, qu'on y trouve en plus ce désir d'évasion et même d'invasion qui motive toute lecture sérieuse ou non, un goût de l'information facile et d'un savoir à acquérir par procuration, subsiste surtout une reconnaissance qui, sans didactisme, procure une impression de véracité ou un sentiment d'authenticité.

Ces trois constatations peuvent expliquer la grande vogue du roman historique chez le lecteur, alors que pour l'auteur il y a avantage aux deux niveaux, tant de l'imaginaire que du factuel : l'imagination est en effet jumelée et exaltée par une histoire fournie par l'Histoire qui livre des éléments de l'intrigue, du décor et même des personnages, qui suggère le style et la manière ; la narration des faits est à la fois facilitée et éloignée par une distance temporelle et souvent géographique qui peut devenir un lieu privilégié pour parler du présent. Le reflet de l'actualité dans un fait passé fonctionne comme une utopie à l'envers, puisque sur fond historique fidèlement reconstitué s'animent des personnages fictifs représentatifs de la société et des problèmes d'une époque.

Terminons avec l'avis de l'historien Alain Decaux :

« Le roman historique joue un rôle positif en littérature et son utilité est incontestable. Beaucoup de lecteurs redoutent d'aborder directement un livre d'histoire. Ils ne s'estiment pas assez cultivés, craignent de s'ennuyer. En revanche, le récit historique, d'accès facile, de lecture agréable, les retient et les séduit. Ils risquent, après avoir lu plusieurs romans historiques, de s'attacher à l'Histoire. Dans une seconde étape, ils voudront savoir si tout cela était vrai. Ils aborderont un véritable livre d'histoire. Le roman historique apparaît comme un genre littéraire parfaitement estimable. Ce qui reste haïssable, c'est l'histoire romancée, une histoire délibérément trahie. Le roman historique, lui, situe des héros imaginaires dans un cadre réel. L'histoire romancée prête à des personnages réels, dans un cadre réel, des propos, des actions qui sortent de la seule imagination de l'auteur. »

Ce à quoi rétorquerait Jacques Isorni :

« Que le roman historique ou l'histoire romancée “fausse” l'Histoire, cela ne me gêne guère si la forgerie n'est pas trop grosse. Je préfère cent fois le roman qui fausse l'Histoire à l'Histoire qui fait d'elle un roman. »

On ne s'étonnera pas outre mesure que nous laissions dans l'ombre certaines séries dues à des auteurs contemporains et qui appartiennent plutôt au roman d'aventures sentimentales tout en empruntant un cadre historique. C'est le cas, notamment de Juliette Benzoni : « Marianne » (5 vol.) et « Catherine » (7 vol.) ; Colette Davenat : « Deborah » (5 vol.) ; Raymond Dumay : « Fanny » (6 vol.) ; Robert Gaillard : « Marie des Isles » (7 vol.) ; Marcel Gobineau : « Stéphanie » (4 vol.) et « Aymeline » (3 vol.) ; Anne et Serge Golon : « Angélique » (12 vol.) ; Gérard Néry : « Julie Crèvecoeur » (6 vol.) ; et Cecil Saint-Laurent : « Caroline » (4 vol.) et « Hortense » (4 vol.).

Le corpus documentaire que nous présentons est divisé par périodes, de la Préhistoire au XXe siècle, jusqu'à la fin de l'entre-deux-guerres, à l'aube de la Deuxième Guerre mondiale. Pour ne pas surcharger le texte d'indications bibliographiques, celles-ci ont été placées dans l'index des auteurs. On ne mentionne, dans le corpus, que les titres des romans historiques et leurs auteurs. On retrouve dans cet index l'année de naissance de chaque auteur, et de mort si elle est connue, ce qui permet de situer l'époque où l'ouvrage a été rédigé. Sous chaque auteur, les titres sont présentés dans un ordre chronologique séquentiel, de la date de parution du titre le plus récent à celle du titre le plus ancien. Chaque titre de roman historique est suivi de l'année de publication, du nom de l'éditeur et du renvoi à la page du corpus où il est mentionné. L'index des titres et l'index des sujets ne font référence qu'à la page du corpus où il en est question.
La bibliographie, que nous appelons *Orientation bibliographique* comprend plusieurs rubriques. La première recense les études historiques et critiques sur cette littérature populaire, avec un résumé analytique, souvent critique, pour chaque titre. La deuxième inventorie quelques numéros spéciaux de périodiques qui ont consacré un numéro sur la question, avec, la plupart du temps, un dépouillement par article. La troisième rubrique est consacrée à des extraits de livres qui traitent du sujet. La quatrième présente des articles et des préfaces. La dernière livre des livres, articles et préfaces sur un auteur en particulier ; les auteurs y sont présentés dans l'ordre alphabétique.

Toute production bibliographique, pour ne pas être dépassée par les nouveautés sur le marché, doit offrir régulièrement une mise à jour de son contenu. Pour cette raison, l'éditeur produira des mises à jour qui seront disponibles sur son site : www.asted.org

LA PRÉHISTOIRE

Un précurseur visionnaire : J. H. Rosny, aîné

Quand on parle de « roman préhistorique », on pense à Rosny, auteur français d'origine belge qui en écrivit cinq dont le plus célèbre fut sans doute *La guerre du feu* illustré au cinéma par Jean-Jacques Annaud. On se souviendra des exploits de Naoh apportant à son clan « la chaude bête rouge », se méritant ainsi le rôle de chef et l'amour de Gammla à la longue chevelure. Le même Naoh est aussi celui qui poursuit *Le félin géant*, où les hommes apprivoisent patiemment les animaux féroces dont celui du titre. Deux autres « récits des âges farouches », *Vamireh* et *Eyrimah*, traitent respectivement des armes-outils primitifs et des cités lacustres, lieux des premiers rapprochements avec des races étranges et étrangères. Enfin, un cinquième roman, *Helgvor du fleuve bleu*, complète cette épopée écrite en une langue rugueuse et pittoresque et bâtie sur des arguments scientifiques valables en leur époque.

Ces livres, bien que publiés entre 1892 et 1931, n'ont rien perdu de leur attrait dont le moindre demeure l'intense curiosité qu'ils suscitent encore chez le lecteur contemporain.

Deux cycles et demi...

Une entreprise semblable a débuté en 1980 avec *Les enfants de la terre* en six volets : *Ayla, l'enfant de la terre, La vallée des chevaux, Les chasseurs de mammouths, Le grand voyage, Le retour d'Ayla* et *Les refuges de pierre.* Leur auteur, Jean M. Auel, y raconte l'émergence des humains et leur supériorité grandissante sur les éléments et les animaux. Ayla, jeune fille du clan de l'Ours, groupe évolué du Cro-Magnon, est au centre de cette vaste fresque où l'on assiste au choc de la rencontre avec des individus du Néanderthal. Vertigineuse et émouvante exploration de notre humanité d'il y a trente-cinq mille ans. Sur la même vague, épique et tellurique, quelque cinq mille ans auparavant surgit *Aô, l'homme ancien* dans un roman de Marc Klapczinski. Du même auteur, et à la même époque, on retrouve *Le pouvoir d'Ik-tia.*

Dans cette même veine, les deux romans de l'anthropologue américaine Elisabeth Marshall Thomas sont évocateurs : *La lune des rennes*, situé dans la Sibérie d'il y a 20 000 ans, est narré par l'esprit de la jeune fille qui porte le nom du titre tandis que *La femme sauvage* constitue un étrange roman d'amour où se découvrent, sous des appellations primitives, ce que les savants reconnaîtraient en tant que le couple Pit et Canthrope.

En 1997, un romancier de science-fiction, accompagné par un scientifique, publie une tétralogie qui se passe moins récemment que les précédents romans ; soit environ un million sept cent mille ans avant notre ère. *Sous le vent du monde* comporte à ce jour cinq tomes : *Qui regarde la montagne au loin, Le nom perdu du soleil, Debout dans le ventre blanc du silence, Avant la fin du ciel* et *Ceux qui parlent au bord de la terre.* Ses auteurs ? Pierre Pelot et le paléontologue Yves Coppens. Le même Pierre Pelot entame le « cycle de Ahorn » avec *Le jour de l'enfant-tueur* et *L'ombre de la louve.*

Un autre écrivain de science-fiction, Stephen Baxter, écrit en conclusion de son roman *Évolution* : « J'ai essayé de romancer la grande histoire de l'évolution humaine [...] essentiellement basée sur les reconstitutions hypothétiques des experts... et partiellement sur mes propres spéculations échevelées. » (p. 729)

N'oublions pas *Ma mère la terre, mon père le ciel, Ma sœur la lune* et *Mon frère le vent* aux titres si évocateurs de l'espace des temps premiers, trilogie racontant l'Alaska d'il y a dix mille ans par Sue Harrison. Même époque, de l'Auvergne à la Scandinavie, les hommes d'alors courent *Le renne blanc* (Claude Caillat).

Quelques explorateurs hardis

Dans le même climat, on retiendra aussi *La fille des grandes plaines* de Michel Peyramaure, inspirée par la tête en ivoire de la petite Vénus de Dordogne et republiée sous le titre *La caverne magique, le roman de Lascaux* qui fait amplement allusion aux méthodes des peintures rupestres. « Il y a dix mille ans, il y eut des hommes aussi remarquables que ceux dont la période historique nous a légué les noms », sentence inscrite en exergue de *Les grandes falaises* du même auteur.

Cautionné par une préhistorienne sérieuse, *Daah, le premier homme*, roman de 1914 injustement oublié, irait plus loin, selon sa préface, que les récits de Rosny qui ne seraient que légendes par rapport à ce récit singulièrement mythique. L'auteur, célèbre par son poème « Partir, c'est mourir un peu », en est Edmond Haraucourt.

Quelques titres aussi anciens et peu faciles à retrouver sont à signaler : *Le pèlerin du soleil* (Pierre Goemaere) où les hommes de la Plaine finiront par s'unir à ceux du Fleuve ; *La dame à la capuche* (Paul Perrève), une histoire à la fois tendre et violente d'il y a vingt-cinq siècles ; *La marche au soleil* (Adam Saint-Moore) avec dédicace à Rosny et postface scientifique ; *Les bisons d'argile* (Max Begouen) et *Les formiciens* (Raymond de Rienzi).

Il faut ici tenir compte de *Hû Gadarn, le premier Gaulois* selon une tradition celte millénaire de l'Écosse aux pays d'Orient. Ce roman de Paul Bouchet a été patronné par Philéas Lebesgue. De ces temps éloignés surgissent *Maïna* de Dominique Demers, *Le trouveur de feu* grâce à Henri Gougaud, *Le chamane du bout du monde* par l'entremise de Jean Courtin et *Il y a dix mille ans : le roman de Wala, fils de l'ours* redécouvert par Claude Vermorel : *Era, ou la vie d'une femme à l'aube du néolithique* d'Yves Najean.

Quant à *La grande déesse* d'Henri Kubnick dont sont disponibles *Le clan de Krah* et *Dji, la magicienne*, c'est une longue « protohistoire » qui tente (voir le titre) d'alimenter, par la fiction, l'hypothèse d'une civilisation matriarcale qui aurait sévi soixante-dix siècles après la guerre du feu et dont la déesse serait issue. Même propos à travers *Elles* de David Haziot, qui décrit l'apogée et la fin du matriarcat méditerranéen.

Un Prix Nobel : William Golding

Le plus dépouillé et le plus vraisemblable des romans décrivant cette époque aussi incertaine que lointaine serait, à notre avis, *Les héritiers* de William Golding dont Arthur Koestler fit grand cas lors de sa parution en 1955. Il s'agit, dans la ligne des romans de Rosny, d'un récit d'aventures poétiques et métaphysiques où se discute avec vigueur le problème du mal tout en conservant une force d'évocation hallucinante.

En écho à cet ouvrage, porté par la célébrité de son auteur, *Le don de la pierre*, publié en 1988 par un autre écrivain anglais, Jim Crace, a été qualifié « densely visionary novel » à rapprocher du roman de Golding. Jean Guilaine, spécialiste du Néolithique et professeur au Collège de France signe *Pourquoi j'ai construit une maison carrée*, itinéraire abouti du nomadisme au sédentarisme.

Il y a sept mille ans, du côté du Tigre et de l'Euphrate, donc dans l'entre-deux-fleuves que signifie *Mesopotamia*, débute sous ce titre une vaste trilogie d'Armand Herscovici dont la deuxième partie s'intitule *Le secret de Razin* et la dernière, *Les étoiles de Tupsar*.

Les fleuves de Babylone de Michel Peyramaure coulent au centre des événements autour d'Hammourabi qui règne au XVIIe siècle avant notre ère.

Quelques curiosités

Signalons, sous cette rubrique, une fiction de Jack London, *Avant Adam* dont Francis Lacassin indique qu'elle est à la fois une illustration de la doctrine darwinienne et un défi à la Bible.

Les innommables dont l'auteur, Claude Klotz, a dit que c'était « un roman écrit préhistoriquement » et qui déroule une fabulation poétique et barbare à travers des chapitres sobrement titrés : « Boue », « Feu », « Glace », « Soleil », « Arbres », etc.

Pourquoi j'ai mangé mon père, une confession rétrospective de Roy Lewis, est aussi ironique et idolâtrique que son titre au second degré. *Le roi des champs*, qui est une fable épique décrivant une Pologne primitive au moment où surgit ce qu'on appelle civilisation avec ses formes larvées de fascisme, de racisme ou de communisme. L'auteur de ce roman anticipatoire est un autre Prix Nobel, Isaac Bashevis Singer.

Un demi-siècle avant notre ère, au fin fond de la Sibérie, Bernard Clavel fait galoper *Le cavalier de Baïkal*, célébrant la sauvagerie des temps primitifs en l'opposant à la barbarie des peuples civilisés.

Concluons avec deux fantaisies, l'une de Gérard Bessette, peuplée par *Les Anthropoïdes*, horde primitive qui lutte contre les mauvais génies ancestraux, l'autre intitulée *Demain la veille* par Jean-Marie Laclavetine. Pour les amateurs de ces époques reculées, il y a beaucoup à glaner en ce roman qu'on n'oserait dire « préhistorique » mais quand même... Ce qui le différencie des reconstitutions et des évocations citées tout en en gardant de subtiles et instructives descriptions, ce sont les rêves du protagoniste principal, rêves qui en font un de nos contemporains puisqu'ils se passent à notre époque.

L'ANTIQUITÉ

Assez curieusement, la Bible semble avoir moins tenté les romanciers que la Préhistoire. Toutes proportions gardées, on pouvait concevoir que les épisodes historiques et certains personnages à caractère déjà romanesque fourniraient d'excellentes intrigues ou d'édifiants prétextes à des constructions familières. En tenant compte des traductions et des limites de notre recherche, le bilan est mince par rapport aux autres civilisations représentées dans ce chapitre.

Pour ce qui est de l'Égypte surtout, de la Grèce un peu moins et de Rome, la matière est abondante et célèbre pour des raisons souvent plus populaires qu'esthétiques.

1. La Bible

Quatre ensembles inachevés s'offrent à nous. L'un, d'origine américaine, en dix-huit tomes dont seuls les deux premiers sont traduits, *Le fils du lion* et *Les rois bergers* de Peter Danielson, constitue une saga démarquée de l'Ancien Testament, violente et passionnée, qui n'est pas toujours une histoire sainte. L'autre, française, comprend déjà deux tomes et vise surtout le VIe siècle, au moment de l'exil, après les prophéties de Jérémie. Signés Marc Flament, *L'exilée de Babylone* et *La courtisane de Thèbes* offrent une reconstitution documentaire habile qui se veut « flamboyante », si l'on se fie à l'épithète qui caractérise la collection où elle paraît. Un troisième ensemble débute par *Abraham ! Abraham !* élaboré par Marc-Alain Ouaknin et Dory Rotnemer. Enfin, selon l'éditeur, en note liminaire, « *La Montée à Jérusalem*, signé Philippe De Cathelineau, est une œuvre romanesque qui mêle fiction et récits bibliques. Le lecteur pourra se reporter aux Livres de Samuel, aux Livres des Rois et aux Livres des Chroniques, pour faire la part entre le rêve et la réalité. Les prières de David sont authentiques et pour la plupart extraites du Livre des Psaumes. » Cette tétralogie comprend, pour notre propos : *La montée à Jérusalem* (vers l'an 1000 av. J.-C.) et *L'adieu à Jérusalem* (à l'époque du Christ).

Portraits de famille

Après ces panoramas plutôt conventionnels, peu de vignettes élaborées, sinon *Le navigateur du déluge*, mettant en vedette Noé, par Mario Brelich et une lecture humaniste d'*Abraham et Isaac* du Hongrois Laszlo Bito. La destinée de *Moïse* apparaît dans la grande biographie de Scholem Asch et chez *Le prince d'Égypte* de Dorothy Clark Wilson, assez éloigné de la tradition biblique. Tout ce que nous pouvons savoir de Moïse, tant par la Bible que par l'égyptologie et les doctrines antiques de l'initiation et de l'ésotérisme, se retrouve dans *L'enfant du Nil* du savant hébraïsant, cabaliste et égyptologue Enel et qui se veut « la vie secrète de Moïse ». C'est l'Exode vu de l'intérieur par un scribe qui va tout quitter à la suite des Hébreux pour joindre la Terre promise.

Gerald Messadié avoue enfin, après ses exégèses plutôt farfelues, présenter un « roman » avec son *Moïse* dont sont publiés *Un prince sans couronne* et *Le prophète fondateur*.

Selon Bernard Simonay, Moïse aurait pu être le petit-fils de Ramsès le Grand et donc régner deux ans avant de s'enfuir à Madian. C'est pourquoi il intitule son roman : *Moïse, le pharaon rebelle*. Quant à Gilles Rozier, il fournit une confession que le grand conducteur de peuple aurait dictée à l'âge de 120 ans face au pays de Canaan où il est interdit de séjour : *Moïse, fiction*.

Antérieurement, selon le livre de la Genèse, en plus intéressant, quoique méritant bien l'étiquette d'exégèse romanesque, deux ouvrages se présentent. D'abord *L'étreinte sacrée* de l'Italien Mario Brelich qui s'inspire de la tradition rabbinique pour faire se rencontrer, par le titre, Abraham et Sarah, ainsi que le livre de Michel Léturmy *Abraham a vu mon jour*, récit rempli d'humour et de finesse. Le même auteur a publié ensuite *Les tribulations de Jacob* dans la même veine drue et empreinte d'une certaine modernité et Messadié : *Jacob, l'homme qui se battit avec Dieu*.

Un roman américain récent d'Anita Diamant, publié successivement sous les titres *La tente rouge* et *La fille de Jacob*, introduit au monde féminin d'alors en suivant la destinée de Dina, sœur de Joseph et ses frères.

Pour ce qui est du rôle des femmes à l'époque biblique, Marek Halter écrit : « Un jour, je me suis demandé si l'absence de regard féminin sur la Bible n'était pas à l'origine de tous les malentendus qui suscitent tant d'interrogations et de débats parmi les hommes. Aussi ai-je essayé de relire la Bible à travers les femmes. Brusquement tout changeait. Les événements historiques retrouvaient leur place, les invraisemblances disparaissaient. »

Il en est résulté une trilogie : *Sarah*, *Tsippora* et *Lilah*, respectivement l'épouse d'Abraham et mère d'Isaac, celle de Moïse et celle d'Esdras, qui fit cesser l'exil de Babylone.

Un grand roman lyrique

Chronologiquement apparaît ici la tétralogie de Thomas Mann, *Joseph et ses frères (Les histoires de Jacob*, *Le jeune Joseph*, *Joseph en Égypte*, *Joseph le nourricier*), de lecture assez ardue qui, à l'occasion d'une destinée hors pair, trace le tableau pastoral des anciens patriarches, les avènements de leur mission prophétique et les événements sourciers qu'ils vivent.

Pierre Montlaur, auteur de deux autres romans (égyptiens) a esquissé une paraphrase somptueuse du même épisode qu'anime *Iosseph, le Juif du Nil*, devenu premier ministre du pharaon.

Citons ici un curieux feuilleton, quand même assez sérieux, considérant l'éditeur, qui raconte l'Exode de quarante ans que subirent les Juifs fuyant l'Égypte en souhaitant sans cesse *Demain, le Jourdain*, titre de ce récit d'Alojz Rebula, auteur slovène dont c'est le premier livre traduit.

Il détestait les miracles, *Prophète* et *Après l'enfance* de Shulamitz Hareven décrivent en trois épisodes : « Soif : la trilogie du désert. »

La figure de David

Par ailleurs, c'est un livre merveilleux que Carlo Coccioli a réalisé avec *Les mémoires du roi David*. S'attachant à une destinée considérable avec un bonheur de ton et une admirable loyauté envers le texte sacré, l'auteur réussit un très beau portrait de l'un des grands personnages de l'Antiquité. Mieux informé quant à l'histoire, mais moins inspiré quant au ton, *Le roi David* de Guy Rachet est l'occasion de ressusciter l'époque sur un mode épique.

Reprenant le procédé de Coccioli et affublé du même titre par le traducteur, l'historien britannique Allan Massie réussit une excellente (fausse) autobiographie réaliste et attachante qui rejoint l'autre : *Les mémoires du roi David*.

Une interprétation tout à fait divergente, dans laquelle David est vu comme un tyran peu aimable, se dessine dans le roman *Chronique du roi David* de l'Allemand Stefan Heym.

Citons également *David roi* où Gerald Messadié poursuit ses « recherches bibliques ».

Une vision oblique et une évocation magique du même personnage se dégagent du roman d'une rare qualité que Torgny Lindgren a consacré à son épouse *Bethsabée.*

D'eux naquit *Salomon le roi des femmes* qui, selon Claude Rappe, rencontra la fameuse reine de Saba qu'on aperçoit dans quatre romans d'Annette Colin-Simard (*Au nom de la Reine de Saba*), de Jakoub Adol Mar (*Makéda ou la fabuleuse histoire de la reine de Saba*), de Michèle Kahn (*Moi, reine de Saba*) et de Jacqueline Dauxois au titre homonyme.

Constructeur du Temple, Salomon sera secondé par un architecte, favori de Pharaon, *Hiram, le bâtisseur de Dieu* (Bernard Lenteric).

Épisodes et périodes

Quelques romans dispersés ayant trait au Livre par excellence sauront intéresser les lecteurs férus d'atmosphères historiques lointaines.

Sur la tour de Babel et l'exil à Babylone en 587 av. J.-C., un roman touffu, complexe et fortement documenté de Patrick Banon, *Etemenanki*, suivi de *La prophétesse oubliée.*

Un récit à la Flaubert, *La Sulamite* d'Alexandre Kouprine, brodant sur le Cantique des Cantiques, alors que *Les dieux s'affrontent* de l'Américain Frank Slaughter est une transposition de l'histoire de Ruth et que Michèle Kahn rapporte celle d'Esther par *La pourpre et le jasmin.*

La lettre de Jérémie de Bruno Lagrange présente avec passion ce prophète douloureux et fait revivre les temps moroses de la chute de Juda en 586. Un peu auparavant, un autre prophète, Amos, avait été chassé, alors considéré comme *L'homme de feu* (Jacqueline Saveria Huré). Sans oublier *Isaïe, prophète d'Israël* de Scholem Asch.

Citons encore le livre d'Andrée Chédid, *La femme de Job*, celle qui a dit à son époux de maudire Dieu et de mourir.

Un sujet inspirant, c'est celui de *Samson et Dalila* que Claude Rappe a exploité dans son roman homonyme. Et que dire de *Jézabel*, la princesse phénicienne qui défia les prophètes d'Israël et n'était pas si cruelle, selon Alan Gold.

À une époque voisine culminent *Les Perses*, fresque de Bernard Hébert Khorram Rashedi, qui débute avec *Darius, roi des rois* pour se poursuivre avec *Le couronnement d'Esther*.

Concluons par l'ouvrage épique d'Howard Fast *Mes glorieux frères* qui exalte le courage et les aventures des cinq frères Maccabées.

2. L'Égypte

Les gigantesques pyramides, le Sphinx de Giseh, les hiéroglyphes déchiffrés par Champollion, les bas-reliefs et les nombreux monuments où se profilent rois et serfs, ou plutôt pharaons et fellahs, font de l'Égypte une foisonnante époque à explorer. Les romanciers ne s'en sont point privés, surtout à propos du légendaire Aménophis IV, « le roi ivre de Dieu », mieux connu sous le nom d'Akhénaton, époux de Néfertiti, dont le destin se tisse durant la seconde moitié du XVIe siècle avant Jésus-Christ, ou du grand Ramsès II, sans oublier la divine Cléopâtre dont la forme du nez aurait changé le cours de l'histoire selon Pascal.

Un panorama...

Pour une vue d'ensemble, s'offre à nous en une débauche de personnages et d'épisodes une longue période de l'histoire, depuis les débuts rustiques le long du Nil jusqu'à l'an 1085 avant Jésus-Christ : *Nuits des temps* de l'Américain Norman Mailer. Énorme ouvrage de reconstitution documentaire qui n'est pas sans lourdeurs ni complaisances, surtout pour les mœurs supposées peu austères des pharaons, probablement un reflet multiplié des préoccupations de l'auteur.

... et des grands cycles

Ils et elles sont égyptologues ou, du moins, archéologues et, depuis une quinzaine d'années, produisent des séries de romans qui s'échelonnent sur les trente siècles de l'empire. Les trois dames se nomment Pauline Gedge, Danièle Calvo Platero et Violaine Vanoyeke ; et les quatre messieurs Guy Rachet, Christian Jacq, Bernard Simonay et Pierre Montlaur.

Recensons chronologiquement leurs ouvrages et ceux d'autres romanciers dont les récits s'insèrent.

Quand Napoléon s'écria devant ses troupes « Du haut de ces pyramides, quarante siècles vous contemplent », il aurait pu en citer cinquante car c'est il y a trente siècles avant notre ère que *Le fils d'Horus*, *Le Pharaon ailé* ou *Le roi scorpion* crée l'Ancien Empire en réunissant la Haute et la Basse Égyptes. Dans l'ordre des titres, Danièle Calvo Platero, Joan Grant et Florence Braunstein racontent l'événement et donc l'avènement qui permet au pays de sortir des âges obscurs, de s'édifier comme nation en devenant le pays phare du Moyen Orient.

Environ trois siècles plus tard, le jeune pharaon et son architecte construisent, vers l'an 2680, *La première pyramide* dont Bernard Simonay nous a livré le récit en trois étapes : *La jeunesse de Djoser*, *La cité sacrée d'Imhotep* et *La lumière d'Horus*. Ce même *Imhotep, le mage du Nil*, qui fut aussi un grand inventeur (momification, irrigation, taille du granit) est également célébré dans une œuvre antérieure de Pierre Montlaur.

Guy Rachet a entrepris le *Roman des pyramides* dont cinq volets ont paru : *Khéops et la pyramide du soleil*, *Le rêve de pierre de Khéops*, *La pyramide inachevée*, *Khefren et la pyramide du sphinx* et *Mykerinos et la pyramide divine*. Dans une œuvre de jeunesse (1939), le grand romancier égyptien Naguib Mahfouz, prix Nobel de littérature, avait interrogé le même pharaon dans *La malédiction de Râ* de même que le fait dans un roman récent le célèbre auteur albanais Ismaïl Kadaré. Son récit, intitulé simplement *La pyramide*, est aussi une forte allégorie des régimes totalitaires et une magistrale fable politique ainsi qu'en témoigne ce court extrait : « Obnubilation des foules, constriction de l'esprit, amollissement de la volonté, monotonie et déperdition. Elle est, mon pharaon, ta garde la plus sûre. Ta police secrète. Armée. Flotte. Harem. Plus elle sera haute, plus ton sujet paraîtra minuscule à son ombre. Et plus ton sujet est petit, mieux tu te dresses, Majesté, dans toute ta grandeur. »

Toujours au temps de l'Ancien Empire, l'égyptologue Paule Langlois-Maire nous raconte la vie politique et sociale sous les Ve et VIe dynasties en observant *Le cobra et le vautour* et dresse un excellent portrait de la reine Nitocrit qui fit beaucoup pour l'unité de son pays dans *Le crépuscule des dieux du Nil*. La même figure vengeresse se retrouve évidemment en tant que *Nitocris, la dame de Memphis* (Pierre Montlaur) et *Nitocris, reine d'Égypte* (*La fille aux cheveux d'or*, *La pyramide rouge*) de Christian Chaix.

Le Moyen Empire

À la période du Moyen Empire, se posent d'autres problèmes d'unification, quand la reine des Hautes-Terres affronte les Hyksos qui occupent le Delta, par *Le pharaon des sables* (Danièle Calvo Platero), épisode repris dans un somptueux récit de l'habile romancier Wilbur Smith évoquant *Le dieu fleuve*, où l'on trouvera *Le septième papyrus* pour *Les fils du Nil*, épisode repris et amplement orchestré dans une trilogie de Pauline Gedge, *Seigneurs des deux terres*, dont les premiers tomes s'intitulent *Les chevaux du fleuve*, *L'oasis* et *La route d'Horus*.

Le destin du pharaon Sésostris III de la XIIe dynastie (1878-1843 av. J.-C.) est raconté par Christian Jacq dans la tétralogie *Les mystères d'Osiris* (1. *L'arbre de vie* ; 2. *La conspiration du mal* ; 3. *Le chemin de feu* ; 4. *Le grand secret*) et Guy Rachet dans *Les larmes d'Isis* : *Le seigneur des serpents*, *les rois pasteurs* et *Le triomphe d'Horus*.

L'unique pharaonne qui régna seize siècles avant Cléopâtre, Hatchepsout, a été biographiée d'abord par Pauline Gedge dans *La dame du Nil* puis par Violaine Vanoyeke en ses cinq trilogies : *La pharaonne* qui comprend *La princesse de Thèbes*, *Le Pschent royal* et *Le voyage d'éternité* ; *Thoutmosis*, où l'on retrouve *Le rival d'Hatchep-Sout*, *L'Ibis indomptable* et *Au royaume du sublime* ; *Amenophis*, dont les trois volets sont *Le prince de lumière*, *Le breuvage d'amertume* et *Vénérable Tiyi*. *Aÿ pharaon* qui décrit les meurtriers de *Toutankhamon*, *La disparition de la reine* et *l'ennemi du Nil* et enfin, *Horemheb, roi d'Égypte* qui exalte *Les complots*, *Le justicier* et *La vengeance*. Par ailleurs, *La scribe*, par Jocelyne Godard, contemporaine d'Hatchepsout, prélude à une série la concernant sous le titre *Les Thébaines* (1. *La couronne insolente* ; 2. *De roche et d'argile* ; 3. *Vents et parfums* ; 4. *L'ombre du prince* ; 5. *La seconde épouse* ; 6. *Les dieux indélicats* ; 7. *Le chant de la Terre* ; 8. *La vallée des artisans* ; 9. *À l'Est, le port* ; 10. *L'impossible soleil, 11. L'héritage des Thébaines*).

Le lieutenant de police de la pharaonne se nommait Bak et Lauren Haney nous raconte ses enquêtes dans : *La main droite d'Amon*, *Le visage de Maât*, *Le ventre d'Apopis*, *Sous l'œil d'Horus*, *Le souffle de Seth*, *Le sang de Toth*, *L'ombre d'Hathor*.

Le juge en chef de Thèbes, quand la pharaonne devint veuve, se nommait Amerotke et figure *Sous le masque de Ré*, *Meurtres au nom d'Horus*, *La malédiction d'Anubis* et *Les meutriers de Seth* (Paul Doherty).

À la même époque, les tribulations d'Amhosis, le premier pharaon de la XVIIIe dynastie, face aux invasions asiatiques sont narrées avec sérieux dans le roman *Pharaon* (Francis Fèvre), alors que Claire Lalouette publie les *Mémoires de Thoutmosis III*, autobiographie supposée du beau-fils d'Hatchepsout et du plus grand conquérant de l'histoire de l'Égypte.

Pour un effet de distanciation, on parcourra l'aventure d'un orphelin crétois au service du pharaon que nous raconte Olivier Laurent dans *L'encre et le calame*, récit pittoresque situé au XVIe siècle avant notre ère et, au XVe, on retrouve le pharaon Aménophis (1450-1425) dont John Petrie décrit le destin en quatre étapes : *Le scribe : la colère d'Anubis*, *Le temple des terreurs*, *Le fils du désert* et *Le secret d'Abydos* et dont un épisode crucial, la recherche de textes sacrés contenant le secret de l'immortalité, est raconté tant par Serge Forand sur *Les chemins de Pharaon* que par Danièle Calvo Platero face à *La pyramide interdite.*

Le Nouvel Empire

À l'orée du Nouvel Empire, au quatorzième siècle avant notre ère, apparaît *Akhénaton*, l'artisan mystique d'une révolution religieuse qui impose le monothéisme solaire à ses sujets. Gilbert Sinoué en trace la destinée, alors que Pauline Gedge, déjà rencontrée, en rapporte la chronique en son roman *Les enfants du soleil*, que Martine Le Coz couvre sa biographie sacrale en le désignant comme *Le pharaon qui n'avait pas d'ombre* et que le grand écrivain égyptien Naguib Mahfouz, dans une enquête à la « Citizen Kane », le désigne *Akhénaton le renégat.*

Un autre point de vue se fait jour aussi chez Alain Darne qui fait le portrait d'*Akhénaton l'hérétique.* Rappelons que le premier tome de la trilogie *Le Messie*, de l'écrivain visionnaire russe Dmitri Merejkovski, s'intitule *La naissance des dieux*, *Akhénaton* et le deuxième, *Toutankhamon.*

Violaine Vanoyeke inaugure une autre trilogie de trilogies avec *Néfertiti et Akhenaton* (comprenant *La belle est venue*, *L'horizon d'Aton* et *Le faucon d'or*), en un deuxième temps *Toutankhamon* (en trois parties : *L'héritier*, *La fille de Néfertiti* et *Le pharaon assassiné*). Quant à Pascal Vernus, il nous révèle *Le papyrus secret* qui renfermerait la correspondance privée entre le pharaon et Néfertiti.

Néfertiti la légendaire

Son épouse, la belle Néfertiti dont le buste polychrome du Musée de Berlin-Est a popularisé les traits, a inspiré différemment quatre auteurs. Andrée Chédid, dans *Néfertiti et le rêve d'Akhénaton*, élabore, en un style admirable, un dialogue nostalgique entre la reine devenue veuve et un scribe intelligent. Nicole Vidal, quant à elle, s'est contentée de paraphraser et de fortement romancer cette vie (*Néfertiti*). Sous le même titre nominatif, Jacqueline Dauxois fait témoigner son ancien chef des gardes, alors que Guy Rachet dessine un portrait fidèle qui étoile une fresque brillante, *Néfertiti, reine du Nil.*

Enfin, en tant qu'Égyptien de naissance et Cairote durant 19 ans, Gerald Messadié apporte son tribut à la reine dans les trois volets d'*Orages sur le Nil* : *L'œil de Néfertiti*, *Les masques de Toutankhamon* et *Le triomphe de Seth*.

On sait désormais, qu'elle est disparue à la veille de l'inauguration de Thèbes, la nouvelle capitale. L'auteur anglais, Nick Drake, explicite cette énigme dans *Néfertiti la parfaite* : *le livre des morts*.

De la même époque, le même auteur nous livre, avec *Le prêtre d'Amon*, une autre vision de la tradition religieuse alors que le successeur d'Akhénaton, le plus connu des pharaons grâce aux découvertes de la Vallée des Rois en 1922, Toutankhamon, nous est présenté de façon oblique tant par son épouse *La Reine Soleil* (Christian Jacq) que par son peintre officiel dans *Le pharaon maudit* de Danièle Calvo Platero.

De Finlande, une révélation

« Je n'ai rien lu d'aussi extraordinaire depuis longtemps. Il n'y a pas une seule erreur, pas un seul anachronisme... » s'exclame le célèbre égyptologue français Pierre Chaumel à propos de *Sinouhé l'Égyptien* du Finlandais Mika Waltari. Traduit en vingt-cinq langues et adapté au cinéma, ce best-seller de 1945 restitue « Les mémoires d'un médecin vers l'an 1350 avant Jésus-Christ », ainsi que l'indique le sous-titre. Sans longueurs malgré sa longueur, c'est une évocation très sensible où le héros, plus philosophe que médecin, semble doté d'une conscience contemporaine, ce qui permet au lecteur d'établir de fructueuses comparaisons entre cette époque et la nôtre. Mariant l'intrigue amoureuse à l'aventure guerrière, mélangeant l'histoire réelle et la mythologie, décrivant avec bonheur la vie des humbles et celle des nobles, ce roman à succès est l'un des plus importants en ce qui concerne la renaissance contemporaine de la formule du roman historique.

Le grand Ramsès

Ce qui nous amène à Ramsès, le deuxième du nom, dont Christian Jacq s'est fait le biographe-romancier. Cinq tomes se succèdent : *Le fils de la lumière* raconte son éducation initiatique par son père, *Le temple des millions d'années* voit le départ des Hébreux sous la conduite de Moïse, *La bataille de Kadesh* où le pharaon affronte victorieusement les Hittites, *La dame d'Abou-Simbel* désigne son épouse, pour laquelle il a fait construire le temple éponyme, et enfin *Sous l'acacia d'Occident* couvre les dernières années de son long règne de plus de soixante ans.

Sous son exclusive autorité s'est organisée une confrérie d'artisans qui travaillent dans le secret d'une cité interdite où ne pénètrent qu'initiés et artistes de haut niveau en vue de participer à l'immortalité du pharaon. *La pierre de lumière*, tétralogie de Christian Jacq, raconte cette aventure spirituelle et esthétique : 1. *Nefer le silencieux* ; 2. *La femme sage* ; 3. *Paneb l'ardent* ; 4. *La place de vérité.*

Citons ici les *Mémoires de Ramsès le Grand* transmises par Claire Lalouette, sérieux ouvrage d'une ancienne collaboratrice de l'Institut français d'archéologie orientale du Caire devenue professeur à la Sorbonne, et *Le scribe de Ramsès II* qu'évoque Odette Renaud Vernet.

Une conjuration contre ce pharaon est minutieusement reconstituée par Christian Jacq dans une trilogie intitulée *Le juge d'Égypte* qui comprend trois volets : *La pyramide assassinée*, *La loi du désert* et *La justice du vizir.*

Guy Rachet, quant à lui, raconte la fin de la dynastie des Ramsès dans l'anarchie intérieure alors que pèse la menace barbare des « peuples de la mer » : *Les vergers d'Osiris* mènent-ils *Vers le bel Occident* ?

Entretemps, le fils de Ramsès II tente de trouver l'immortalité dans *Le tombeau de Saqqarah* selon Pauline Gedge qui enchaîne avec un étrange médecin, plus d'un siècle plus tard, qui fournira une favorite au *Scorpion du Nil*, surnom prêté à Ramsès III avec une suite terrible près de vingt ans après dans *La vengeance du scorpion.* Le même épisode se retrouve dans *Complot sur le Nil* (Marie-Ange Faugérolas) et à *La mort de pharaon* (Simone Lacouture).

Maltraitant un peu la réalité historique en une parabole sur le thème du progrès inéluctable, le Polonais Boleslaw Prus a quand même réussi, avec *Pharaon*, un excellent roman dont la vraisemblance du propos éclate à l'occasion d'une éclipse de soleil dont un pseudo-Ramsès XIII se sert comme d'un miracle personnel. Un très beau film de son compatriote Jerzy Kavalerowicz a illustré ce conflit de l'individu et de la société en 1966.

Un classique oublié

Publié presque cent ans auparavant, *Le roman de la momie* écrit au fil de la plume par ce « sultan de l'épithète » qu'était Théophile Gautier, même s'il n'est pas toujours archéologiquement en accord avec l'histoire officielle, n'en demeure pas moins un récit brillant et captivant.

Cinq siècles après Ramsès, loin de la puissance passée, l'empire connaît, vers le milieu du huitième siècle avant notre ère, *Le pharaon noir*, Piankhy le Nubien, dont Christian Jacq se fait l'historiographe.

Le phare d'Alexandrie que nous décrit Gillian Bradshaw présente une reconstitution assez réussie du climat politique, social et culturel du IVe siècle avant Jésus-Christ en laquelle se raconte la destinée sentimentale et professionnelle d'une médecin de l'époque, tandis que le premier géographe fait mesurer la longueur du Nil par *Les cheveux de Bérénice* (Denis Guedj) et que *Le bibliothécaire* d'Alexandrie, au moment du calcul du méridien terrestre par Érathosthène, rêve de collecter tout le savoir de l'univers dans un récit de Jean Romain.

Alors que *La reine de Dionysos* de l'Allemand Gerhard Herm n'est autre qu'Arsinoé II à la destinée étrange qui fut divinisée par les Grecs en tant que « déesse qui aime son frère » (Ptolémée II).

Ici s'insèrent, au IIIe siècle, les enquêtes du jeune Grec Alexandros qu'a imaginé Violaine Vanoyeke, l'égyptologue déjà citée. Sous le titre *Le secret du pharaon*, trois épisodes ont déjà été publiés : *Le secret du pharaon*, *Une mystérieuse Égyptienne* et *Le trésor de la reine Cobra*.

Cléopâtre

Plus près de nous, la figure de Cléopâtre devait inspirer l'écrivain Makhali-Phâl dans une autobiographie imaginaire intitulée *L'Égyptienne : Moi, Cléopâtre reine* qu'avait précédée Michel Peyramaure avec *Divine Cléopâtre* reprise sous le titre *Cléopâtre, reine du Nil*.

Ces dernières années ont vu paraître plusieurs livres concernant cette héritière de la dynastie des Ptolémée et ses relations avec Jules César et Marc-Antoine. Qu'elle soit surnommée *L'inimitable* par Irène Frain, ou *La putain des dieux* par Michel Cazenave, ou encore *Cléopâtre la fatale* par Hortense Dufour, c'est toujours *Le roman de Cléopâtre* (Jean-Michel Thibaux) que viennent enjoliver l'énorme feuilleton *Les mémoires de Cléopâtre* de Margaret George (plus de mille pages) que l'éditeur français à découpé en trois volumes : *La fille d'Isis*, *Sous le signe d'Aphrodite* et *La morsure du serpent*.

Pour une rencontre plus intime et nuancée, approchons *Charmium, suivante de Cléopâtre*, aperçue par Edith Flamarion, et demeurant fidèle au couple *César et Cléopâtre* tel que dépeint par Colleen McCullough ou celui que forment *Antoine-Cléopâtre : les amants du Nil*, d'après Paul-Jean Franceschini.

En plus sobre et très documenté, *Cléopâtre, le crépuscule d'une reine*, le travail de Guy Rachet, et celui de Jacqueline Dauxois (*Cléopâtre*), qui tente de gommer la légende frivolisante, font contraste avec la pochade qu'a signée Françoise Xénakis sous le titre irrévérencieux *Mouche-toi, Cléopâtre...*

... et des enquêtes

N'oublions pas le roman policier d'Agatha Christie, *La mort n'est pas une fin*, qui se déroule deux mille ans avant Jésus-Christ et reconstitue assez bien l'époque, preuve que « la reine du crime », accompagnant son mari archéologue, conservait intact son sens de l'observation.

Deux séries ayant pris pour cadre le XIVe siècle avant notre ère en terre égyptienne apportent des éléments divertissants quoique soigneusement étayés par les connaissances de leurs auteurs, tous deux britanniques. Anton Gill raconte les aventures du scribe Huy, en disgrâce auprès de son maître Akhénaton. Six romans ont paru dont l'intitulé commence toujours par *La cité* : *... de l'horizon*, *... des rêves*, *... des morts*, *... des mensonges*, *... du désir*, *... de la mer*.

Quant à Lynda S. Robinson, elle décrit son héros, le seigneur Meren, comme « les yeux et les oreilles du pharaon » (Touthankamon) qui figure dans six romans : *La place d'Anubis*, *L'agent de pharaon*, *Le retour d'Akhénaton*, *Le prince des Hittites*, *L'étrange mort de Néfertiti* et *Meren et la reine morte*.

De son côté, Patrick Weber prête la vedette à Apollonios, bibliothécaire de Cléopâtre, dans trois enquêtes : *Des ombres sur Alexandrie*, *Les dîners de Cléopâtre* et *Les sept papyrus*.

Pour terminer ce tour d'horizon, citons un apologue métaphysique de Michel Larneuil : *Le Dieu assassiné* où l'on rencontre un scribe qui rompt avec les croyances ancestrales pour retrouver la vérité en un monde mortuaire.

Et si les Égyptiens, en 1500 avant J.-C., suivant un jeune prince du Double Royaume ayant deviné que la Terre n'était pas plate, avaient découvert l'Amérique à cette époque ? C'est ce qu'insinue Bernard Simonay avec *Antilia ou la découverte de l'Amérique antique*.

3. La Grèce

Aux confins de la légende

Des îles grecques à l'Égypte, l'étrange destin d'une jeune princesse crétoise qui devient l'héroïne d'un des plus vieux mythes de l'humanité. Tel est le sujet que narre *Les amants d'Atlantis* de Danièle Calvo Platero.

La Crète, berceau de la civilisation hellénistique, est le cadre véritablement reconstruit de ce curieux roman de Daniel Kircher, *La colère des dieux*, qui a épaté plusieurs spécialistes tant par sa valeur réelle au point de vue documentaire que par sa consistance en tant que récit.

Un ensemble de romans a été réuni par Claude Aziza dans une substantielle anthologie : *La Crète, les romans du labyrinthe*, dans la collection *Omnibus*. On y retrouve *Au temps du Minotaure* de Thomas Burnett Swann où mythologie et merveilleux font bon ménage, *Dans le palais de Minos* du crétois Nikos Kazantzaki, *La danse du taureau* par Mary Renault que nous rencontrerons plus loin, et *Fatum*, le roman de Thésée (Poul Anderson), moins brutal que dans celui de Kircher.

Du côté d'Homère

En plus d'une biographie romancée du grand aède, *Carènes* de Jean-Louis Backès est un lyrique récit d'apprentissage et peut-être une des meilleures initiations au monde d'alors, en tenant compte de la transcription des tablettes d'argile que l'aveugle poète aurait dictées sous le titre que nous présente Bruno Maurer : *Le dernier voyage d'Ulysse*. La belle Hélène a été portraiturée tant par Sophie Chauveau qui a publié *Les mémoires d'Hélène* que par Xavier de Laval sur *Les rivages de Troie*. Citons ici brièvement ces hommes du nord, les Thraces, que Michel Guay fait revivre en six épisodes sous le titre *Thrax*.

Philosophes et aventuriers

Évoquant avec beaucoup d'érudition et d'humour la vie de Sparte au VIe siècle avant Jésus-Christ, l'Américain John Gardner relate, dans *Le naufrage d'Agathon*, les mémoires de ce vieux philosophe incarcéré par le tyran Lycurgue. En un style riche et dense, revit l'un des moments critiques de l'Antiquité. *Les murailles de feu* de Steven Pressfield apparaissent comme un reportage fidèle de la célèbre bataille des Thermopyles où Léonidas et ses trois cents Spartiates bloquèrent le défilé aux Perses.

L'initié de Samos de Jean-Claude Frère est une vie romancée du grand philosophe et mathématicien déjà présent dans l'ouvrage de Michèle Négri sous le titre *Le roman de Pythagore* et plus encore dans *L'énigme de Pythagore* d'Henriette Chardak.

C'est dans *Le jardin d'Hérodote* (Simone Jacquemard) que Périclès, aidé par Protagoras, élabore l'idée de reconstruire la ville de Sybaris, dévastée en l'an 510 av. J-.C.

Aristocrate athénien, militaire actif, ami de Socrate et de Platon en plus d'être un écrivain admiré par Cicéron, Machiavel et Montaigne, tel se présente *Le roman de Xénophon* dû à Takÿ Théodoropoulos.

Crésus, roi de Lydie, a suscité trois récits biographiques où l'argent et le bonheur ne se confondent pas ; Giovanni Mariotti et Paul-Jean Franceschini en sont témoins.

Si « les inflexions romanesques servent à combler les lacunes de notre savoir historique », comme l'écrit Edgar Faure en préface au *Crésus* de Claude Kevers-Pascalis, le phénomène s'applique aussi bien à la vie du sculpteur *Euryclès d'Athènes* (Jean Romain), qu'à celles du sage d'*Une journée chez Épicure* du même auteur et de l'intraitable Pyrrhon, le philosophe sans écrit dont Patrick Carré nous raconte l'itinéraire philosophique et les errances en Asie avec l'armée d'Alexandre le Grand dans *Yavana*. Ou encore au roman de Platon tel que raconté par Vintila Horia dans *La septième lettre* dans lequel on retrouve le jeune philosophe à treize ans (415 avant Jésus-Christ) que l'on accompagne jusqu'à sa mort. Entre-temps, choqué par la condamnation de Socrate, le philosophe s'était réfugié à Mégare sous le prétexte qu'invoque Claude Pujade-Renaud en son récit très érudit, *Platon était malade*.

Lesbos aurait été le site d'un début de matriarchie pour l'éducation des filles, aussi ambitieuse que celle des garçons, c'est ce que raconte *Dika, élève de Sappho* selon Sandra Boehringer.

Cette poétesse et une femme fatale qui rencontrera Socrate et sera un modèle pour Phidias nous sont évoquées grâce à Danièle Calvo Platero successivement comme *Sappho ou la soif de pureté* et en tant qu'*Aspasie*. Sans oublier *L'Illyrienne*, la reine Theuta qui fut reine de cette province grecque vers 231 avant notre ère d'après Flora Dosen. Célébré par Platon, Thucydide et Plutarque, un homme d'état et général d'armée est pour sa part raconté en ses enfances homoérotiques et ses souvenirs esthétiques dans : *Le songe d'Alcibiade* d'Éric Jourdan.

Pour saisir cependant la mentalité de cette époque dans les replis des âmes simples, suivons *L'enfant de Samothrace* (Jacques Doyon) dans ses périples tant extérieurs qu'intérieurs.

Enfin, pour rencontrer toutes ces célébrités, guidés par des lettres d'Aspasie, l'épouse de Périclès, regardons du côté de *L'œil de Cybèle*, une chronique de la vie quotidienne antique par Daniel Chavarria.

Des reconstitutions solides

Depuis une cinquantaine d'années, grâce à une dizaine de romans situés dans la Grèce antique, l'Anglaise Mary Renault est devenue, pour ainsi dire, la spécialiste de cette époque en ce qui concerne la formule que nous inventorions. Les traductions françaises nous permettent donc de lire son premier roman de 1956, *Lysis et Alexias*, qui relate le mythe de Thésée et prend place durant la troisième guerre du Péloponèse (406 avant Jésus-Christ), ainsi que *Le masque d'Apollon* qui décrit les heurs et malheurs d'un acteur à Syracuse en conflit avec le philosophe Dion à l'époque du Tyran Denys l'Ancien, lequel l'était aussi pour ses trois filles à qui il impose des maris dans *Le jardin forteresse* de Claude Pujade-Renaud. Par ailleurs, *Le Tyran de Syracuse* de Valerio Manfredi esquisse avec ferveur le portrait de ce chef de guerre qui fut aussi dramaturge et poète et ne croyait pas à la démocratie, d'où son surnom.

William Golding, déjà mentionné, a laissé un roman posthume, *Arieka*, qui raconte la Pythie de Delphes.

Alexandre le Grand

Poursuivons avec Mary Renault, romancière qui a élaboré une trilogie sur Alexandre le Grand dont le premier tome s'intitule *Le feu du ciel* et se poursuit dans *L'enfant perse* et *Les jeux funéraires*. Sur les antécédents de ce héros phénoménal, on retrouve son père Philippe, *Le lion de Macédoine*, en deux épisodes : *L'enfant maudit* et *La mort des nations*, récit frontalier de la mythologie concocté par David Gemmel.

Ce personnage légendaire a également attiré l'attention de deux écrivains français contemporains. Maurice Druon a publié une version romancée des expéditions du conquérant en un récit élégant et pittoresque (*Alexandre le Grand*), tandis que Roger Peyrefitte a construit un monument en trois tomes (*La jeunesse d'Alexandre*, *Les conquêtes d'Alexandre*, *Alexandre le Grand*). Malgré son érudition considérable, comme en témoignent les cartes, la bibliographie, la chronologie et l'index du dernier tome, cette version romancée traitant du grand homme de la Grèce antique est méthodiquement biaisée par la vision quasi exclusivement homosexuelle qui demeure chez l'auteur une véritable « obsexion ». D'autant plus que le conquérant fréquentait aussi les femmes si l'on en juge par *Portrait de la concubine* (Anne-Marie Lugan Darvigna) et *Alexandre et Alestria* de la chinoise Shan Sa.

Par ailleurs, Frédéric Bluche vient de nous révéler les *Mémoires secrets d'Alexandre.*

Deux écrivains allemands s'y sont aussi intéressés, Jakob Wassermann avec *Alexandre à Babylone* et Klaus Mann dans son *Roman der Utopie* de 1929 traduit tout simplement par *Alexandre.* Enfin, Valerio Massimo Manfredi, un professionnel italien de l'Antiquité, a terminé un triptyque, *Alexandre le Grand*, dont les épisodes s'intitulent *Le fils du songe, Les sabres d'Amon* et *Les confins du monde.* Ajoutons que l'infatigable Danièle Calvo Platero justifie que le jeune conquérant tenait de sa mère dans *Olympias, mère d'Alexandre.* Enfin, *Roxane l'éblouissante,* qui fut l'épouse du conquérant et le suivit dans ses campagnes, a été racontée par Joséphine Dedet. Le médecin d'Alexandre, Télamon, son ami de jeunesse est présent auprès de son maître dans *La mort sans visage, L'homme sans Dieu*, et *Le manuscrit de Pythias* (selon Paul Doherty).

Six « curiosa »

Pour terminer ce trop court chapitre, citons : la peinture des jeux panhelléniques à l'époque du fameux athlète Milon de Crotone (Ve siècle avant Jésus-Christ) que trace Maurice Genevoix dans *Vaincre à Olympie ;* quatre enquêtes policières très élaborées, en 322, où c'est *Aristote détective* qui est le héros, de même que dans *Aristote et l'oracle de Delphes. Aristote et les secrets de la vie* et *Aristote et les belles Athéniennes* (Margaret Doody) auxquelles on peut en ajouter une autre, *Meurtres sur l'agora* (Claude Mossé) ; un roman parnassien prisé par Valéry et qui, au-delà d'un érotisme fané, demeure un excellent récit : *Aphrodite, mœurs antiques* de Pierre Louÿs ; une méditation qui rend bien l'atmosphère mentale et morale de cette époque, *L'Olympien* de Jacques de Bourbon-Busset qui n'est autre que Périclès frappé par la peste et s'interrogeant sur son destin ; et enfin, en une Grèce inédite mais tellement bien décrite par Gene Wolfe, *Soldat des brumes* et *Soldat d'Aretê.*

4. Rome avant Jésus-Christ

Plus que la Grèce, Rome, tant antique que séculaire, a été et est encore le sujet de nombreux romans historiques. Les grands titres relayés par le cinéma, surtout des Américains (ceux-ci ne se comportent-ils pas comme les « cives romani » d'aujourd'hui ?), ont sûrement encouragé les tentatives.

Nous divisons en deux parties cet inventaire des récits romains : la Rome antique proprement dite, c'est à dire avant Jésus-Christ, et la période qui s'étend des origines du christianisme à la chute de la ville et de l'empire en 476 après Jésus-Christ.

Entre les deux, nous inclurons les récits touchant le Nouveau Testament dans la Bible.

Les origines

Le premier roman qui concerne les lointaines origines de Rome raconte la longue quête qu'entreprend un héros immortel à travers la Grèce pour revenir parmi les siens, ancêtres des Romains. Il s'agit de *L'Étrusque* de Mika Waltari, l'auteur de *Sinouhé l'Égyptien*. La recette est toujours réussie et tout y est : épisodes guerriers, pauses amoureuses, réflexions anticipatoires assaisonnées d'un lyrisme épique et d'une érudition légère.

L'amour d'une reine de David Lockie transpose somptueusement la plupart des « chants » de « L'Énéide » de Virgile à propos de la grande figure de Didon qui est aussi *Elissa, la reine vagabonde*, cette princesse de Tyr qui se retira à Carthage et que raconte généreusement Fawzi Mellah.

Une longue série

Célèbre grâce à un gros roman sentimental que la télévision a adopté et adapté là « où les oiseaux se cachent pour mourir », la romancière Colleen McCullough a entrepris de raconter *Les maîtres de Rome* en huit volets : *L'amour et le pouvoir*, *La couronne d'herbes*, *Le favori des dieux*, *La colère de Spartacus*, le cinquième en deux parties (*Jules César, la violence et la passion* et *Jules César, le glaive et la soie*), puis *César, imperator*, enfin *La conquête gauloise*, qui concernent tous la période que nous présentons depuis l'an 110 jusqu'à 58 avant l'ère chrétienne. Cette immense « histoire » de plus de 3000 pages astreint le lecteur à de rudes efforts de mémoire malgré les cartes et les glossaires. D'aucuns lui préfèrent la série de Conn Iggulden *Imperator* dont sont parus en traduction *Les portes de Rome* et

Le Roi des esclaves ou encore, du fécond Max Gallo, *Les Romains. 1. Spartacus, la révolte des esclaves. 2. Néron, le règne de l'Antéchrist. 3. Titus, le martyre des juifs. 4. Marc Aurèle, le martyre des chrétiens. 5. Constantin le Grand, l'Empire du Christ.*

Une grande figure de l'époque *Caton l'Ancien* nous est présentée, en 36 épisodes et 200 scènes par le romancier italien Eugenio Corti.

« *Delenda est Carthago* »

Dans l'orbe romaine, signalons le classique de Gustave Flaubert, *Salammbô*, reconstitution célèbre par ses descriptions et baignée de cette « magie de l'histoire » dont parle Huxley et qui nous plonge dans les temps lointains de cette Carthage du IIIe siècle avant Jésus-Christ en nous faisant vivre avec des personnages qui sont plus historiques que nature, grâce à l'habileté artistique patiente du grand écrivain. Malgré des aspects décoratifs trop évidents, le roman publié en 1863 supporte encore très bien la lecture et demeure l'une des plus grandes résurrections de l'Antiquité.

Rappelons que le sujet de ce roman est la première guerre punique, alors que la seconde (211-203) est racontée dans *Retour à Carthage* de Daniel Kircher. *Julia* d'Henry Noullet, un militaire passionné d'archéologie, évoque une province romaine au nord de l'Afrique, située sur le territoire de l'actuelle Algérie.

Autour d'Hannibal se rencontrent aussi Thanubra, *La Carthaginoise*, et *Massinissa la Berbère*, portraits signés Michel Cyprien et Marie-France Briselance. Un panorama de cette rivalité guerrière est exposé dans *Le roman de Carthage* que Patrick Girard présente en trois tomes : *Hamilcar, le lion des sables*, *Hannibal sous les remparts de Rome* et *Hasdrubal, les bûchers de Mégara*. Sur le même thème, il faut ajouter l'ouvrage de Giovanni Brizzi intulé *Moi, Hannibal : mémoires de guerre d'un homme de guerre hors du commun.*

Signalons que Claude Aziza a publié un gros « Omnibus » intitulé *Carthage, le rêve en flammes* qui offre, en plus du Flaubert et du Mellah, trois autres romans touchant cette entreprise guerrière : *Les mercenaires* où Léon Cahun narre l'épopée de ces hommes qui lièrent leur fortune au général punique ; *Les vierges de Syracuse*, que présente Jean Bertheroy, contrariées par la guerre ; et *Le sang du dragon* de Frank G. Slaughter qui joue sur les périples phéniciens.

On retrouve un autre ennemi des Romains, Jugurtha, roi de Numidie, dans *Le seigneur des chacals* d'Olivier Laurent.

Révolutions

Revenons au monde romain proprement dit avec un roman qui narre l'épopée des deux frères Tibérius et Caius, devenus des emblèmes incarnés de la liberté par la révolution, ce qui fournit un récit solide et bien documenté : *Le temps des Gracques* d'Alban Vistel. Un autre très beau titre récent, *Les lauriers de cendre* de Norbert Rouland, historien et juriste, propose une singulière réflexion située dans les années 115-72. Cette histoire qu'on croirait traduite du latin figure parmi les meilleurs textes de fiction qu'ait inspirés cette haute époque. En contraste, les *Mémoires d'Horace* d'Alexandre Dumas, un feuilleton agité où le poète raconte sa vie et décrit les hommes et les événements qui ont marqué cette époque.

Très pénétré de philosophie et se voulant un récit allusif à nos contemporaines idéologies, le *Spartacus* d'Arthur Koestler est un roman vivace et violent, assez juste quant à l'épisode qu'il évoque, la révolte organisée en 71-73 avant notre ère contre l'Empire et sa tragique issue. D'une veine moins riche mais méritant plus qu'une mention, le *Spartacus* d'Howard Fast appuie sur l'aspect politique, tout en fournissant un récit généreux empli de scènes extraordinaires et parfois insoutenables. Alors que d'autres moutures du même épisode se retrouve en *Spartacus et la révolte des gladiateurs* sous la plume de Joël Schmidt ou dans les deux titres déjà mentionnés de Conn Iqqulden et de Max Gallo.

Conspirations

De la révolution à la conjuration, une haute figure que nous ont fait connaître Cicéron et Salluste a inspiré une narration objective, très près des faits mais sans éclat : *Catilina ou la gloire dérobée* d'Yves Guéna. Notons ici que l'historien français Pierre Grimal, spécialiste de cette époque, a publié en 1976 les *Mémoires de T. Pomponius Atticus*, vieil ami de Cicéron, qui sont imaginaires et ressortissent donc à cette formule du roman historique. *L'affaire Milon*, sous-titré « meurtre sur la voie Appienne », reconstitue une affaire dont s'occupa Cicéron comme en témoigne son « Pro Milone » par l'entremise de Florence Dupont. Autre ennemi de Cicéron, le gouvernement de Sicile qui transforna l'île en état criminel (déjà la mafia !). Que biographie fort bien Gérard Pacaud dans : *Verrès, les perversions du pouvoir*. Par ailleurs, les débuts dans la carrière des honneurs de Cicéron sont fidèlement racontés par Robert Harris dans *Imperium*.

Ici s'intercale la série de récits criminels qui mettent en vedette Gordien l'enquêteur qui devient l'ami de Cicéron en l'aidant pour ses plaidoyers. Le titre générique de cette série est « Roma sub rosa » et son auteur, Steven Saylor. Elle comporte huit romans : *Du sang sur Rome, L'étreinte de*

Némésis, *L'énigme de Catilina*, *Un Égyptien dans la ville*, *Meurtre sur la voie Appia*, *Rubicon*, *Le rocher du sacrifice*, *La dernière prophétie* et *Le jugement de César*, dont la critique est unanime à reconnaître la valeur documentaire historique et l'intérêt de sa lecture.

Une autre série de dix romans de John Maddox Roberts se passe à la même époque. Sous le sigle *S.P.Q.R.*, il a pour protagoniste principal un autre fin limier qui a nom Decius Cecilus Metelus. Cinq sont disponibles en français : *La République en péril*, *Échec au sénat*, *Sacrilège à Rome*, *Le Temple des muses*, sans oublier, se situant à la même époque, *Saturnalia*, même époque, et *Attentat à Aguae Sextiae* de Jean d'Aillon.

Enfin, rappelons pour mémoire les trois romans publiés par Frédéric Hoë : *Gare aux flèches, Caius* !, *L'idylle de l'édile* et *Défends-toi, Calliclès* ! de la défunte collection « Le Gibet » et *L'enquête de Lucius Valérius Priscus* de Christian Goudineau.

Une autre tragédie, l'assassinat de César en l'an 44 avant notre ère, est le sujet du roman de Thornton Wilder, *Les ides de mars*, qui rapporte en un style vif et quasi journalistique les événements entourant cette mort. Au petit matin de ce jour fatidique, le dictateur de cinquante ans fait son examen de conscience dans *Moi, César* de Jacques de Bourbon-Busset. La fin de la République romaine en 27 est évoquée avec talent par le romancier populaire américain Taylor Caldwell qui lui dresse *Une colonne d'airain.*

On trouvera, outre les tomes de *Les maîtres de Rome*, cités plus haut, et consacrés à cet empereur, la trilogie *Jules César* esquissée par Roger Caratini : *Rome, ville à vendre*, *La symphonie gauloise* et *Le crépuscule du dieu*, qu'il fait suivre d'un *Auguste* (1. *L'héritier* ; 2. *L'imperator*). Sans oublier la biographie dynamique esquissée par Max Gallo en son *César Imperator*.

Citons ici la tentative de « rétablissement de la vérité » qu'opère Bertolt Brecht avec *Les affaires de monsieur Jules César*.

La guerre des Gaules est bien évoquée, avec beaucoup de fougue romanesque, par Georges Bordonove dans *Deux cents chevaux dorés*, avec une savante pénétration par Jean Tétreau en son *Journal de marche d'un officier romain* et avec ampleur dans *La conquête gauloise*, huitième partie du grand ensemble de Colleen McCullough.

Méditations

Plus profond et beaucoup plus difficile à la lecture demeure le grand roman d'Hermann Broch, *La mort de Virgile*, tout imprégné par la poésie et dépassant les limites du genre qui lui sert de support en une vaste méditation lyrique sur la vie et ses résonnances internes et extérieures sur l'histoire, facture qui rappelle Proust et Joyce à la fois.

Dans un registre relativement plus facile mais comportant d'évidentes qualités de reconstitution, se présente *Dieu est né en exil* de Vintila Horia qui raconte les dernières années d'un autre poète contemporain, Ovide, exilé en 43 en Roumanie, patrie de l'auteur, épisode somptueusement traité par Christoph Ransmayr dans *Le dernier des mondes*, superbe transposition de la mythologie ovidienne.

On retrouvera d'ailleurs le frère d'Ovide, Properce, et Tibulle chez *La patricienne* de l'universitaire Flore-Hélène Vauldane qui a écrit là un roman féministe où se transfigure la mythique matrone romaine.

Un voyageur architecte désigne Vitruve, dont Roger Magini s'est fait le romancier-biographe.

Signalons, au tournant de l'ère, sous forme de mémoires dans un style de qualité idoine à la période où vécut le poète Sextus Properce : *L'huile et le sel de la lampe* d'Hubert Duron que le préfacier n'hésite pas à comparer à l'œuvre de Marguerite Yourcenar. Cet autre contemporain de Virgile dont il célébra par intuition la gloire future raconte avec piété et inquiétude la terre natale, le passé proche et l'amour malheureux qu'il voue à la belle Cynthie.

Enfin, souvenons-nous qu'*Aux pleines lunes tranquilles*, autobiographie imaginaire de Lucrèce par Luca Canali, celui-ci se donna la mort après avoir achevé son traité « De natura rerum ».

Au tournant du millénaire

Sous forme de fragments autobiographiques transcrits par un romancier (en attendant la version originale latine annotée depuis sa découverte en 1984, ainsi qu'en témoignent deux préfaces trop évidentes pour être honnêtes), voici une reconstitution digne de Graves ou de Yourcenar. La destinée à la fois exaltante et triste de ce prince depuis l'assassinat de César en 44 avant Jésus-Christ jusqu'à sa propre mort, en l'an 14 de notre ère. Ainsi se présente *Auguste, mémoires d'un empereur* du journaliste-romancier anglais Allan Massie.

Les mystères de Rome de l'historien Pierre Lunel ainsi que *Le sang des Césars* de François Fontaine nous restituent eux aussi la figure du divin empereur qui régna cinquante ans, alors qu'on trouvera quelques interprétations hautement originales et non conventionnelles dans cet *Auguste fulminant* qu'a vigoureusement écrit Alain Nadaud.

5. Au lointain Orient

Le disque de jade scelle une immense trilogie qui évoque, avec *Les chevaux célestes*, *Poisson d'or* et *Les îles immortelles*, l'épopée de la fusion des grands royaumes qui formeront l'Empire chinois au troisième siècle avant notre ère selon José Frèches. *Laozi* de Shu'an Yang est la reconstitution romancée mais authentique de la vie du fondateur du Taoisme, Lao Tseu qui vécut au VIe siècle.

Nous savons que les Chinois ont inventé le papier, la pyrotechnie et le chop-suey bien avant l'ère chrétienne. Les deux romans de Jean Lévi, éminent sinologue, évoquent d'autres inventions car *Le grand empereur et ses automates* (il se nommait Ch'in Shih-huang et régna de 221 à 207 av. J.-C.) est aussi le maître d'œuvre de la grande muraille de Chine tel qu'il appert dans *Le rêve de Confucius*, lequel a été éruditement biographié par un grand récit en deux tomes, *Confucius, l'envol du phénix* et *Le maître de lumière*, de Philippe Franchini. Deux gros récits instructifs et remplis de chinoiseries comme cet autre roman au titre fabuleux, *Ces singes qui embrassent un arbre en gémissant au neuvième jour de l'automne* de Dominique-Marie Boulard.

Enfin, toujours en ce troisième siècle, une fable politique et allégorique de Takeshi Kaïkô, *La muraille de Chine, récit d'un fugitif*.

6. Autour de l'Évangile

La vie de Jésus a tenté plusieurs écrivains (Renan, Papini, Mauriac), mais on peut dire qu'ils ont essayé d'échapper à la biographie romancée et que leur propos a été de témoigner selon leur croyance à la suite des Évangiles.

Cependant, quelques auteurs ont voulu suivre les traces du Christ et fournir des détails apocryphes mais vraisemblables, ce qui prête à la contestation.

Deux cas flagrants : *L'homme de Nazareth* d'Anthony Burgess et *La dernière tentation* de l'écrivain grec Nikos Kazantzaki. Dans le premier, Jésus aborde sa vie publique après être devenu veuf et avoir perdu un enfant ; dans le second, le Christ est vu comme un jeune homme névrosé en proie à la lutte de l'esprit et de la chair.

Il est curieux de noter que ces deux romans ont été littéralement censurés quand on a voulu les transposer à l'écran. Le roman de Burgess est issu d'un scénario construit pour la série télévisée de Zeffirelli qui l'a refusé en partie. Quant à celui de Kazantzaki, le réalisateur américain Martin Scorsese a dû faire plusieurs démarches avant de pouvoir financer son film qui a soulevé certaines discussions.

D'autres tentatives à tendances apocryphes avaient déjà été rédigées tant par George Moore (*La solitude de Kerith*), par Scholem Asch (*Le Nazaréen*), que par Robert Graves (*King Jesus*). Quoique ce dernier, dans un commentaire historique (p. 561-569), affirme ne pas désirer offenser les catholiques orthodoxes, son exégèse romanesque nourrie par les apocryphes et les gnostiques a de quoi décontenancer le lecteur, plus fortement encore que Rushdie ne l'a fait à l'égard des musulmans.

Passons rapidement sur *L'homme qui était mort* de D. H. Lawrence qui imagine la vie sexuelle du Christ ressuscité. Le Portugais José Saramago a fait scandale en 1992 avec *L'Évangile selon Jésus-Christ* où celui-ci est un agitateur social qui meurt en criant « Hommes, pardonnez-lui car Il ne sait ce qu'Il fait ».

Beaucoup plus orthodoxes, le roman redécouvert d'Aaron Abraham Kabak, *Sur un sentier étroit, Jésus*, magnifique évocation spirituelle, comme apparaît aussi *L'ombre du Galiléen* du professeur allemand Gerd Theissen ; ou encore *Douze années dans l'enfance du monde* qui raconte l'enfance du Christ selon Philippe Le Guillou.

Citons, du fils d'un pasteur suédois, Goran Tunstrom, *La parole du désert*, un scénario magnifiquement « humain » de l'aventure du Messie, mise en scène, dans un roman de formation, épique et lyrique, de deux figures « dissemblables et complémentaires » : Jean le Baptiste et Jésus. Et aussi l'essai de retracer de l'intérieur la vie de Jésus par Alain Coelho qui intitule son roman *Je de Nazareth ou La lettre de l'ombre.*

Signalons ici l'étonnant récit à la fois noir et lumineux qui raconte la *Quarantaine* que passa Jésus au désert en proie aux tentations que met en scène Jim Crace.

Récemment, deux écrivains connus ont été requis par ce sujet toujours actuel. Bernard Clavel a simplement raconté la vie « humaine » de *Jésus, le fils du charpentier*, alors que l'Américain Norman Mailer a surpris par sa sagesse et sa fidélité au texte en publiant une autobiographie, *L'Évangile selon le Fils*.

Pour sa part, Roger Caratini, encyclopédiste connu, a livré un *Jésus, de Bethléem au Golgotha* en spécifiant que : « L'ambition de ce livre est modeste. Elle n'est ni théologique, ni mythifiante, ni sarcastique. Elle est de reconstituer le roman tragique que fut la vie du Fils de l'Homme en la replaçant dans le cadre politique, social et, à certains égards, cruel dans lequel elle s'est déroulée. » L'auteur, ayant ainsi précisé ses intentions, invente deux personnages : l'un, chevalier romain et païen rationaliste, l'autre, marchand phénicien converti au judaïsme. Ces témoins vont commenter les événements tels que transmis plus tard par les Évangiles.

Par ailleurs, *Le secret de Joseph* de Jean-François Mongibeaux, en plus de plusieurs hypothèses assez extravagantes concernant la naissance du Christ, émet celle que le père putatif de Jésus serait le même personnage que Joseph d'Arimathie.

Des témoignages circonspects

Cependant, quelques romanciers ont pris le Christ comme sujet, mais perçu par ses contemporains ou par son entourage.

Le fécond Mika Waltari, à travers *Le secret du royaume* (en deux tomes), nous fait entrevoir les principaux épisodes de la vie de Jésus par le regard d'un noble Romain, *Minutus*, et celui de *Myrina*, une danseuse grecque.

Mais le champion toutes catégories demeure *Ben-Hur* du colonel américain Lewis Wallace. Publié en 1880, ce gros roman obtint un succès fracassant répercuté par la suite en deux films célèbres. Traduit en plusieurs langues et patronné par le Vatican, ce récit à tendance apologétique montre le Christ de loin à travers les regards contemporains et singulièrement du prince Juda Ben-Hur qui, énervé par les occupants romains, voit en lui beaucoup plus le messie guerrier annoncé par les prophètes que le messie souffrant. Vision naïve ? Mélange de fiction et d'évangile ? Effets faciles et larmoyants ? Malgré un indubitable vieillissement, ce roman bien construit mérite encore lecture. Une plaisante suite, *Le fils de Ben-Hur* de Roger Bourgeon, prolonge cet épisode inventé mais vraisemblable comme l'est d'ailleurs le centurion romain de *La tunique* de Lloyd Douglas, autre best-seller.

Par ailleurs, *Le temps du miracle* de l'écrivain serbo-croate Borislav Pekic consiste en une exégèse erratique et hérétique de ces « événements » dans la vie du Christ.

Les témoins directs

Pour ce qui est des personnages qui ont réellement approché ou rencontré le Christ, certains écrivains s'en sont servis comme de témoins privilégiés et ont exprimé ainsi leur foi ou leur opinion à propos du Seigneur avec des bonheurs divers.

Ainsi en est-il de *Gaspard, Melchior et Balthazar*, les rois mages que présente Michel Tournier en un joli apologue où se joue l'humour de l'écrivain.

Thierry Leroy se fait le rédacteur du « roman de saint Jean-Baptiste », sous-titre à son récit *Le baptiseur*, qui vit dans un doute déchirant.

Personnage déjà romanesque, Marie Madeleine apparaît dans *La plus belle histoire d'amour* de Louis Artus et devient *La femme innombrable : le roman de Marie-Madeleine* grâce à Jean-Yves Leloup qui fait se conjuguer histoire et fiction, poésie et théologie ; alors que Luisa Rinser transcrit ses mémoires dix ans après la mort de Jésus dans *Myriam*. *La Magdaléenne* de Frank G. Slaughter et *Une femme nue devant Dieu* de Viorica Stavila (livre couronné par l'Académie française) en sont des versions historico-ornementales. Quant à *L'affaire Marie Madeleine*, elle est menée avec la distortion habituelle de Gerald Messadié. *L'adieu à Jérusalem : Maryam et ses sœurs*, le deuxième volet de *Les enfants d'Israël* de Philippe de Cathelineau, est plus conforme à la tradition.

On vient de rééditer un roman paru en 1954 et qui eut un franc succès à l'époque. Il s'agit de *Celle qui aima Jésus* de Simone Chevallier qui respecte la tradition en y ajoutant beaucoup de poésie.

Déconcertant, surgit *Lazare ou le grand sommeil* d'Alain Absire qui reproche à Jésus de l'avoir ressuscité pour continuer une vie de cadavre ambulant.

Celui qui vint la nuit de Jan Dobraczynski raconte Nicodème et *Un amour divin*, c'est ce que ressent Joseph d'Arimathie, selon Alexandra Ripley.

Enfin, rappelons ce curieux ouvrage d'un exégète, Denis McBride, qui a bridé son imagination au possible tout en laissant témoigner quinze contemporains : un voisin, un enfant, un ex-disciple quand ce n'est pas Marie de Magdala ou Simon le pharisien ou les Protagonistes de la Passion. Cela donne, comme le dit la préface, « un évangile à quinze voix » dont le titre est *Jésus, portrait insolite*.

Autour de la Passion

Autour de la Passion, Judas, Barrabas, Pilate et le bon larron ont inspiré plusieurs romanciers. Judas a été, très souvent, exonéré de sa réputation de traître. En autant qu'on le considère comme un roman, le *Judas* de Lanza del Vasto et cet autre récit au même titre, vaste méditation sur l'ambiguïté de la trahison, qu'élabore Igal Mossinsohn dans l'hypothèse où Judas, ayant renoncé au suicide, est crucifié dix ans plus tard. Pour ce qui est du *Saint Judas* de Jean Ferniot, le titre éclaire la thèse. *Judas Iscariote,* en policier du Temple, dans le roman de Dominique Reznikoff, n'est pas coupable, non plus que dans ce que raconte *L'Évangile de Judas* de Roberto Pazzi, ou que peut se justifier *Le baiser de Judas* d'après Hubert Prolongeau. *Un homme trahi : le roman de Judas* par un théologien bien documenté, Jean-Yves Leloup et *Judas, le bien aimé* par l'inévitable Gérard Messadié qui s'inspire des dernières découvertes archéologiques. Quarante ans après la crucifixion de Jésus, Judas, son ami d'enfance, raconte lui-même sa version des faits dans *Mon nom était Judas* (Christian Karlson Stead). Mais le meilleur récit demeure *L'œuvre de trahison* de Mario Brelich qui consiste en un magnifique jeu littéraire et théologique à la Borges. C'est au détective Dupin, célèbre personnage d'Edgar Poe, que Brelich confie le soin de résoudre « l'affaire Judas ». Pour irrespectueuse qu'elle soit parfois, cette enquête sur les mobiles du crime de Judas n'en est pas moins passionnante. Un exercice de fin lettré, admirablement mené. On trouve une autre hypothétique interprétation de la part de Jacques Duquesne dans *Judas, le deuxième jour.*

Le *Barrabas* de Pär Lagerkvist est énigmatique et bien près de reconnaître Dieu dans Jésus, alors que Pilate demeure divisé tant dans le beau roman de Werner Koch, le *Journal de Pilate*, que dans les *Mémoires de Ponce Pilate* selon Anne Bernet. Très élaboré, *L'Évangile selon Pilate* du dramaturge Eric Emmanuel Schmitt, après une partie discutable où il fait parler le Christ en son for intérieur, fournit vingt-cinq missives du procurateur à son frère Titus, demeuré à Rome, au sujet de ce Galiléen qu'il a livré aux Juifs. Quant au *Ponce Pilate* de Roger Caillois, c'est une méditation astucieuse sur la nécessité contre le hasard car le christianisme n'eût pas existé sans la condamnation du Christ. Claudia, l'épouse de Ponce-Pilate est, selon Antoinette May, *Celle qui voulut sauver Jésus.* Vingt ans plus tard, *La veuve de Pilate* (par Elena Bono) raconte à Sénèque tout ce qui s'est passé, tant ce jour de la Passion à Jérusalem qu'après, lorsque son mari pris de remords s'est suicidé...

Jim Bishop offre un reportage journalistique, heure par heure, du *Jour où le Christ mourut.* Ici se placent deux épisodes : d'abord *L'Évangile selon Véronique,* dont le voile imprima la face sanglante du Christ et qui se révèle être la femme hémorroïse miraculée auparavant (Françoise d'Eaubonne) ; il existe aussi une *Véronique* de Frank G. Slaughter ; ensuite *La partie de dés*, le récit du centurion qui s'écria malgré lui : « Vraiment cet homme était le Fils de Dieu ! ». Joseph Majault a raconté rétrospectivement ce fait dans un petit récit vraisemblable.

À ce moment fatidique, intervient *Le voleur de Dieu* que Claude-Henry Leconte introduit comme le personnage inconnu que la tradition chrétienne a appelé le bon larron. Par ailleurs, ce même individu figure *Le larron* de Pasquale Festa Campanile, qui est une imaginaire biographie picaresque d'un certain Caleb qui suit de loin Jésus et qui voudrait bien saisir le truc des miracles grâce à son amie Marie-Madeleine.

Après la mort de l'homme de Michel Breitman nous fait retrouver Simon le Cyrénéen qui sortira bouleversé de son expérience inattendue.

L'imagination romanesque étant ce qu'elle est, on ne s'étonnera pas que l'on prête une aventure de jeunesse à Jésus dans *La fiancée du roi*, que Danielle Pinault traite cependant avec beaucoup de délicatesse. On n'en peut dire autant de *Moi Salomé, épouse de Jésus* de Guy Trévoux. Les Évangiles étant de purs romans mythologiques, selon l'auteur, ce dernier s'inspire des apocryphes, de Rudolf Steiner, de Graves, d'Ambelain pour concocter une histoire qui relève de ce que les Anglais nomment « if-fiction ». Si Jésus, homme ordinaire, était devenu réellement roi des Juifs, alors...

C'est une autre version, inattendue, que fournit *Notre agent en Judée* (prix Scerbanenco 2000) de l'Italien Franco Mimmi : Jésus, 37 ans, fils du révolutionnaire Joseph, crucifié par les Romains, prêche la paix et la fraternité, et guérit grâce à des secrets herboristes. Pilate, Hérode et Caïphe décident de s'en servir dans le sens du titre. Étrange récit à travers une interprétation oblique, scalène et « intraditionnelle ». Claude-Henri Rocquet nous procure les confidences d'un roi assez banal malgré l'allure monstrueuse qu'on lui prête : *Hérode*.

Qu'il soit présenté en tant que rival du Christ, *Simon le magicien* (Claude Pasteur) ou *Simon le mage* (Jean-Claude Carrière) provoque la « simonie », l'érotisme mystique et la foi même de Jésus. Personnage exécré des Pères de l'Église, il ne pouvait qu'attirer la curiosité romancière.

Pour ajouter aux évangiles apocryphes, l'Italien Carlo Monterosso feint de retrouver dans *Le sel de la terre* des versions évangéliques de Jean-Baptiste, de Thomas et de Judas, ce qui donne lieu à de curieux regroupements, étant donné que chaque version est racontée dans l'optique du témoin.

Enfin, la mère de Jésus est présentée sous le titre *Marie* par Elisabeth Bourgois dans son récit très fidèle qui comble les interstices de l'Évangile marial, de même que dans un autre récit quasi ethnographique, *Quand Marie s'appelait Myriam*, de Jean-Claude Libourel. Sans oublier la vision respectueuse de Marek Halter qui fait de *Marie*, une femme active, volontaire, séduisante mais discrète, beaucoup plus présente dans la vie de Jésus.

Les commencements de la chrétienté

Dans le sillage des Actes des Apôtres qui poursuivent l'histoire du christianisme naissant, rappelons *La route de Bythinie* de Frank G. Slaughter, une vision sympathique des débuts de l'Église, tout comme *Les va-nu-pieds de Dieu* du Hongrois Miklos Batori qui suit l'apôtre Marc et ses disciples depuis le Jeudi-Saint jusqu'à la destruction du Temple de Jérusalem en 70. Le romancier Roger Curel a eu la pertinente idée de faire assister à la naissance du christianisme *Maxence de Tyr, espion de Rome*, fonctionnaire responsable comme chef de réseau qui informe les autorités romaines des faits et gestes des disciples de Jésus.

Sur le siège de la ville sainte par Titus, existe un étrange récit du Suédois Sven Delblanc, *La nuit de Jérusalem*, servant de conclusion à *La dernière nuit sur le monde* du très documenté Norbert Hugedé. En l'an 71, sous Vespasien, c'est *Le triomphe* romain sur le peuple juif : les récits de Flavius Josèphe, de Titus et de l'empereur, en présence de Bérénice, de Domitien et de Pline, colorent le roman virtuose et évocateur de Lennart Hagerfors.

Événement dont on retrouve l'écho tragique dans *Massada* d'Ernest Gann et, en plus sérieux, chez Guy Rachet avec *Massada, les guerriers de Dieu*, republié sous le titre *Pleure, Jérusalem*.

Rappelons que *Une étoile sur Antioche* est une vie romancée de saint Paul due à la plume fertile de la romancière américaine Taylor Caldwell et, comme transition, mentionnons le curieux roman de Thomas B. Costain, *Le calice d'argent*, célébré par le cinéma, où l'on trouve Vasil, jeune sculpteur grec qui devra orner la coupe dans laquelle but le Christ à la dernière Cène d'un support où doivent être représentés les douze apôtres ; à cette fin, il les recherche tant à Jérusalem qu'à Éphèse ou à Rome, ce qui permet un panorama de l'époque précédant la destruction de Jérusalem.

Saint Paul est omniprésent par le *Testament de saint Luc* (Thierry Leroy), qui l'accompagne dans ses périples jusqu'à sa mort à Rome, et par *Le signe du poisson*, du Colombien German Espinosa, qui l'incarne d'une façon inédite. Autant que François Vouga qui nous procure son journal autobiographique édité par Timothée : *Moi, Paul*.

Ici s'insère un récit très documenté mais aussi fortement marqué par les idées de son auteur, Guy Hocquenghem : *La colère de l'Agneau*. Il s'agit d'une « vie » de l'apôtre saint Jean dont le propos se situe surtout après la mort du Christ, dans le sillage de l'Église naissante jusqu'à la fin du premier siècle, en ces temps de malheur que scande l'Apocalypse. Certaines outrances, en particulier en ce qui concerne l'antagonisme supposé du disciple bien-aimé envers saint Paul qui devient pour lui l'Anti-Christ, participent des moins heureuses recettes du roman historique.

Transitant entre les Actes des Apôtres et l'apparition du christianisme dans l'empire romain au début de notre ère, il faut signaler ici deux romans dont les intrigues partent des livres saints pour aboutir en pleines persécutions un ou deux siècles après.

Anthony Burgess, dans *Le royaume des mécréants*, continue les interprétations iconoclastes de son *Homme de Nazareth* en remettant en cause sa résurrection et en réadaptant les figures traditionnelles des apôtres, en particulier de Pierre et de Paul. Écrit pour une série télévisée, ce récit a été repris par Kirk Mitchell dans *A.D. Anno Domino*, du chemin d'Emmaüs à l'incendie de Rome par Néron.

Signalons ici la trilogie *Josephus* intégralement traduite en français (*La guerre de Judée*, 1932 ; *Le fils*, 1935 ; et *Le jour viendra*, 1942) de l'écrivain juif allemand Lion Feuchtwanger que Georges Lukács, dans son essai, analyse avec efficacité. C'est l'histoire du grand historien Flavius Josèphe, déchiré entre sa position dans Rome (à partir de l'an 64) et ses convictions religieuses juives, interprète de Titus en l'année terrible 70, protégé par Vespasien et terminant « Les Antiquités judaïques » sous Domitien.

7. Rome après Jésus-Christ

C'est une période faste pour le roman historique, tant par les empereurs (Tibère, Caligula, Néron) que par les premiers martyrs chrétiens.

Citons d'abord ce gros roman (800 pages) de Jeanne Champion, *La maison Germanicus*, récit-annales qui renouvelle les Atrides et tient la sanguinaire chronique de cinq empereurs, d'Auguste à Néron, et de leurs séides déjà maffieux. De la naissance de Germanicus en l'an 15 av. J.-C. à la mort de son petit-fils Néron en 68 après J.-C., le récit se scinde en trois modes alternatifs : le journal du titulaire en 75 extraits, autant de textes-commentaires des grands événements, 54 scènes présentées avec les didascalies théâtrales, un ensemble monumental mêlant l'érudition documentaire à la fiction, érigeant un vibrant roman historique scandé par une chronologie fatale.

Portraits dans leurs cadres

La mémoire du tyran : treize miroirs pour l'empereur Tibère du cinéaste Pierre Kast offre un texte plus imaginaire que scientifique, quoique appuyé sur des sources authentiques perpétuant l'image libertine de ce potentat coincé entre Auguste et Caligula. Alors que, sous affabulation autobiographique, *Les mémoires de Tibère*, qu'Allan Massie nous restitue, sembleraient atténuer sa réputation de cruauté. Dans la double tendance de réhabiliter certains personnages historiques soi-disant calomniés et surtout de transcrire leurs mémoires imaginaires, Cristina Rodriguez, bien documentée (avec notes et annexes), a réussi un portrait vraisemblable de cet empereur romain qui régna à peine quatre ans (37-41 ap. J.-C.) à travers les *Mémoires de Caligula*, qu'elle a repris, reconté par un serviteur, comme *Le César aux pieds nus* (en collaboration avec Domenico Carro). Autres versions romanesques par Paul-Jean Franceschini et Pierre Lunel : *Caligula* et Maria Grazia Siliato par *Le rêve de Caligula.*

Le mystère du jardin romain qui éclôt sous son règne relève à la fois du roman historique très réussi en un style raffiné et du roman policier plutôt prévisible. Il est révélé par Jean Pierre Néraudau.

Moi, Claude, empereur, la trilogie de Graves qui a fait l'objet d'une excellente série télévisée, constitue une autobiographie fortement documentée et dotée d'une surprenante plausibilité. On connaît le point de départ : Claude, le bègue, qui est un réel érudit, un historien né, essaie de passer inaperçu en jouant l'imbécile en cette cour où la mort, l'exil et la torture sont monnaie courante et trébuchante. Un étrange hasard fera qu'il devienne empereur. Il faut noter ici l'humour avec lequel nous sont racontés les principaux événements et l'étonnant relief que prennent les personnages vus par ce pauvre hère, et donc par l'auteur qui connaît son sujet à la perfection.

En marge un patricien de haute lignée, portant la toge du sénateur, Publius Aurelius Statius se retrouve au centre d'énigmes et de problèmes critiques qu'il résout avec l'habileté d'un Sherlock Holmes de l'époque. Six de ses enquêtes par Danila Comastri Montanari ont été traduites : *Cave canem, Morituri te salutant, Parce Sepulto, Cui prodest, In corpore sano* et *Spes ultima dea.*

Matrones et madones

Avant d'aborder son trop célèbre successeur, Néron, allons rencontrer les grandes dames de l'époque.

Que ce soit Messaline, l'épouse de Claude, Agrippine, la mère de Néron, Poppée, qui ne lui survécut pas parce qu'il interrompit sa grossesse d'un coup de pied, ces dames sont surnommées *Les louves du Capitole* par Violaine Vanoyeke et se présentent comme *Les louves du Palatin* dictant leurs « mémoires » à Jean-Pierre Néraudau. L'on se doit de récidiver avec Paul-Jean Franceschini et Pierre Lunel qui nous font retrouver *Les dames du Palatin* par *Le poison et la volupté.*

Messaline la tumultueuse, qui a laissé une réputation de débauchée, revit en trois portraits esquissés par Jacqueline Dauxois, Guy Rachet et Violaine Vanoyeke. L'historien Pierre Grimal, par le biais d'une savante description de l'Empire, de Tibère à Néron, nous livre les *Mémoires d'Agrippine* dont Roger Vercel avait écrit *Le roman (d'Agrippine).*

Inventant une matrone romaine, fille d'architecte et tenant salon, Jean Diwo nous décrit *Les dîners de Calpurnia* où se rencontrent Martial, Juvénal, Pline et Tacite. Belle occasion de tisser une chronique de l'époque de Néron à Hadrien. Quant à *Antonia* (Brenda Jagger), c'est une jeune héritière que convoitent les seigneurs après la mort de Néron.

Deux fresques et demie

Revenons sur nos pas pour raconter Néron. Un professeur d'histoire qui écrivait des romans policiers pour arrondir ses fins de mois a publié à l'été 1984 un immense bouquin de 738 pages intitulé *Néropolis, roman des temps néroniens.* L'auteur, Hubert Monteilhet, propose au lecteur un tableau encyclopédique de cette époque, un portrait revu et corrigé de l'empereur et surtout un gros roman érudit que l'ironie caustique et l'esprit voltairien de l'écrivain font passer comme un feuilleton.

C'en est un véritable que ce roman de jeunesse d'Alexandre Dumas, *Acté*, rare incursion du fécond écrivain dans l'Antiquité. On y retrouve, schématisées, les grandes lignes de la vie de Néron selon Tacite, enveloppées dans la verve déjà agitée du romancier. Mineur si on le compare aux chefs-d'œuvre ultérieurs, ce roman possède cependant des qualités certaines. Le sous-titre « Roman des temps néroniens » de *Néropolis* était emprunté au célèbre *Quo vadis ?* du Polonais Henryk Sienkiewicz. Ce dernier exploite la figure mythique d'un Néron despotique et pervers, faux poète, mégalomane et médiocre, massacreur de chrétiens, entouré de sa luxurieuse maîtresse Poppée et de son âme damnée, le préfet Tigellin. Notons que ce récit brillant a conservé la faveur du public tant par le film populaire qui en fut tiré que par les constantes rééditions.

Autoportrait réussi, le *Journal de Néron* transcrit par Alain Darne paraît historiquement solide et se lit avec aisance. Ainsi en est-il de *Moi, Néron* d'Hortense Dufour, qui semble une réhabilitation, et du truculent *Maman, je ne veux pas être empereur* de Françoise Xénakis, sans oublier les confidences de son protégé qu'il épousa, *Moi Sporus, prêtre et putain*, que narre Cristina Rodriguez.

La bande à Néron se côtoie, s'amuse et se trahit quand *Ce soir on soupe chez Pétrone*, organisé par Pierre Combescot.

Un exploit malheureux de l'an 64 : *L'incendie de Rome* (Jean-François Nahmias) où l'empereur s'offrit un beau spectacle au détriment des chrétiens qu'il accusa de son forfait.

Allusions contemporaines

Par ailleurs, *Le faux Néron*, (édité aussi sous le titre *Néron l'imposteur*) de Lion Feuchtwanger fait allusion à un fait réel, l'apparition d'un faux Néron après la mort du vrai en l'an 68. Il en profite pour caricaturer Hitler (1936).

A la même époque, le meilleur ami de Sénèque, stoïcien sévère, est tenté par la foi des chrétiens dont il pressent l'avenir. Cette prise de conscience est narrée avec beaucoup de pénétration par Bernard Sichère dans *Le rire des dieux*.

Catastrophe

Nous conclurons ce premier siècle avec cet événement de l'an 79 qui vit *Les derniers jours de Pompéi*. Cette vaste reconstitution de l'Anglais Sir Edward Bulwer Lytton, qui s'est documenté sur place, offre une description minutieuse, un véritable diaporama de la vie de ces condamnés sans le savoir, alors que le suspense est maintenu par le Vésuve surplombant la cité à la veille de l'une des plus grandes catastrophes de l'Antiquité.

Dans la même optique, l'écrivain italien Nino Marino a repris cet événement qu'il a surnommé *Le rouge de Pompéi* (avec, en épilogue, deux lettres de Pline le Jeune à Tacite). De même l'écrivain suédois Maja Lundgren, qui décrit la vie quotidienne à *Pompéi* et l'Anglais Robert Harris sous le même intitulé.

Un recueil (publié dans la collection Omnibus) intitulé « Pompéi, le rêve sous les ruines », procure, en plus du Bulwer-Lytton, un vieux roman de Jean Bertheroy, *La danseuse de Pompéi* et *Les derniers jours d'Herculanum* de l'Anglais Richard Llewelynn.

Sous Vespasien, un agent secret, Marcus Didius Falco, dont on a dit qu'il était un « Colombo » en toge, est à ce jour le héros de quatorze romans de Lindsay Davis. Les sept premiers sont traduits sous les titres *Les cochons d'argent, Une veuve romaine, À l'ombre des conspirateurs, Voyage en Germanie, L'or du Poséidon, Dernier acte à Palmyre, Le temps des adieux* et *Crépuscule à Cordoue*. Sous le même règne, un autre avocat natif de l'Orient, Helkias, mène cinq enquêtes : *Le masque de l'Atellane, Le cheval d'octobre, Le meurtre d'Adonis, L'épée de cendres* et *La porte d'ivoire*. Maria Visconti, qui les enregistre, ne dit pas que ces deux « détectives » de l'Antiquité se soient rencontrés.

Pendant ce temps, à Rome, l'empereur Titus, héros éponyme de la trilogie de Jean-François Nahmias *Titus* (1. *La prophétie de Jérusalem* ; 2. *Le voile de Bérénice*), habite parmi *Les fauves* selon Roger Mauge, « un univers impitoyable » plein de contradictions où la force prime sans vaincre. Dans *La pourpre de Judée*, on peut entendre l'empereur dialoguer sur la guerre et la politique avec l'un de ses anciens centurions grâce au roman de Maurice Clavel. Ce qui n'empêche pas un incident amoureux de haute tendresse que Racine nous a rendu familier et que nous retrouvons avec ferveur chez *Bérénice, la reine humiliée* de Danielle Delouche.

Mourir à Sélimonte de François Fontaine est une intense évocation de l'empereur Trajan mort en l'an 117, tandis que *L'usurpation ou le roman de Marc Aurèle* du même auteur fournit un portrait de l'empereur philosophe. Récidivant et approfondissant son sujet, Fontaine rédige les mémoires de T. Claudius Pompeianus, le conseiller de Marc-Aurèle, sous le titre *D'or et de bronze*. Mais pour ce qui est des émules de Suétone, la palme revient au poète britannique Robert Graves et à l'académicienne française Marguerite Yourcenar.

En effet, après *Moi, Claude* cité plus haut et dans un registre plus austère, nous est présentée la magistrale autobiographie qu'on croirait traduite directement du latin, *Mémoires d'Hadrien* de Marguerite Yourcenar. L'écrivain nous fait revivre par le biais d'une chronique sous forme de mémoires qui, selon l'expression de Jean Blot, « rend la vie au héros conservé en état d'hibernation dans la culture », cette période de l'Antiquité. Œuvre exemplaire tant par la maîtrise du sujet que par l'ampleur des problèmes humains traités selon l'antique sagesse.

Persécutions

Les persécutions des chrétiens ont été illustrées d'abord chez Chateaubriand par *Les martyrs*, lequel, dans cette évocation romantique de la Rome antique, poursuivait le message du « Génie du christianisme ». On ne relit que des pages d'anthologie et c'est dommage car l'accent visionnaire de l'écrivain fait merveille dans cette série d'images vibrantes.

Dans le sillage de cette œuvre, un roman apologétique du cardinal Wiseman, *Fabiola ou l'Église des catacombes* (1854), fait partie des grands succès populaires, alors qu'on a oublié le *Callista* publié deux ans plus tard par le jeune Henry Newman. Dans la même veine, apparaît *Sanguis Martyrum* de Louis Bertrand, tandis que Pierre Mille ironise avec talent la destinée hagiographique malgré elle de *Myrrhine, courtisane et martyre.* Citons aussi *La pourpre déchirée* de Nicole Gage et *Le dernier des gladiateurs* de Richard Sapir. Sans oublier *Blandine de Lyon* de François Fontaine, ni ce médecin romain, canonisé à la suite de son martyre vers l'an 270 et dont la fête liturgique, le 14 février, a été confondue au XVe siècle avec la fête des amoureux : *Valentin, une histoire d'amour* de Chet Raymo.

Étrange destin que celui de Calixte qui devient le seizième successeur de saint Pierre et dont l'itinéraire nous fait voyager tant dans l'empire que dans son propre destin raconté dans *La pourpre et l'olivier* de Gilbert Sinoué.

Un cas de conscience déchire un vieux légat romain, philosophe de très grande culture, entre son devoir politique de persécution et son éveil à la foi chrétienne. C'est ce que nous livre Lucien Jerphagnon dans *Caius, le dernier verdict*, réédité en 2007 sous le titre *La louve et l'agneau.*

Signalons enfin, par Dominique Viseux, un essayiste qui s'est penché sur les problèmes du sacrifice, de la mort et des états posthumes, un roman réflexif sur les jeux romains, *Le sable de l'arène.*

Les derniers feux...

Revenons à Rome où le jeune patricien *Marius l'Épicurien* (Walter Pater) tente de s'initier à une vie idéale face aux courants intellectuels de son époque.

Un peu plus tard, c'est l'apprentissage d'un autre jeune, en quatre saisons, chez son oncle, sénateur à Rome, sur *L'autel de la victoire* (Valéri Brioussov), tandis que quatre autres jeunes gens offrent vraiment l'image nuancée de *Janus aux quatre fronts* selon François Conod.

Les empereurs se succèdent, dont un peu connu qui régna 56 jours en l'an 193 sous des auspices ambigus, comme l'indique le titre du roman qui narre son passage : *L'homme qui acheta le trône du monde*, par Claude-Henry Leconte.

Et cet autre qui trône de 14 à 18 ans et dont le nom fut effacé comme s'il n'avait jamais existé, Héliogabale, surnommé *Le fou de Dieu*, dont Jean-Claude Perrier s'est fait le romancier et Emma Locatelli, l'historienne romanesque avec *Le scandaleux Héliogabale, empereur prêtre et pornocrate.*

Le règne du sexagénaire Valérien (253-260) est raconté par Jean-Michel Thibaux en *Imperator*.

Joël Schmidt a transcrit les *Mémoires de Constantin le Grand*, l'empereur qui permit aux chrétiens de sortir des catacombes en réconciliant *Le glaive et la croix*, que raconte le romancier Frank G. Slaughter, tandis que, sur un ton plus intime et plus intense, l'écrivain anglais Evelyn Waugh évoque la figure de sa mère, *Hélène*, que l'Église a canonisée et dont la légende rapporte qu'elle découvrit la vraie croix.

La figure énigmatique de l'empereur Julien (331-363) a inspiré différemment l'Américain Gore Vidal dans un gros bouquin de 1964 (*Julien*), à l'instar de Robert Graves qu'il invoque dans sa préface, et les Français André Fraigneau et Luc Estang ; le premier, en un mince volume sous forme de journal apocryphe d'une grande pénétration psychologique, *Le songe de l'empereur*, le second, en un curieux récit qui révèle une double biographie, celle de Julien et celle d'un romancier contemporain hanté par lui jusqu'à devenir *L'Apostat*. Relevons ici un singulier personnage que nous présente Bernard Ucla dans *Le veilleur d'empire* et qui n'est autre qu'un ancien esclave devenu le secrétaire particulier de Julien. Rappelons que l'écrivain visionnaire russe Dmitri Merejkovsky a laissé *La mort des dieux, le roman de Julien l'Apostat*.

Presque contemporain, le futur saint Augustin est saisi en un épisode de sa vie lorsque, revenant de Rome, il se convertit à l'âge de 34 ans, en l'an 388, et revient à *Thagaste* (Kebir Ammi) où sa mère était morte, ce dont témoigne son fils Adéodat dans *Saint-Augustin, mon père* selon Noèle Forin-Pillet. Son élève préféré, Laurentius, qui a décidé de servir l'État comme chrétien, fera face à de graves alternatives. François Lebouteux les raconte *Car ils ne savent ce qu'ils font*.

Cette longue période, comme nous l'avons déjà signalé, Max Gallo l'a présentée, en cinq tomes, sous le titre général *Les Romains*, déjà cités à la page 34.

L'invasion des barbares

Pendant que s'étend *La nuit des Barbares,* roman d'Orlando de Rudder qui, à la façon d'une fable voltairienne, désamorce les mythes traditionnels avec un bonheur de style peu commun, pendant que s'édifient *Les cités barbares* (Jean-Michel Thibaux) et que triomphe *Le maître des steppes* (Attila) dans le roman de Daniel Kircher, s'instaurent les *Soleils barbares* (Norbert Rouland) où se mêlent *Vandales* (Michel Jobert) ou Goths pour *Le jour des barbares : Andrinople 9 août 378* (Alessandro Barsaro) ou le sac de Rome en 410 que la romancière Monique A. Berry dénomme *La fête alexandrine* mais qui fait ressentir pour les Romains *Un goût d'amandes amères*, titre du récit de la « Marguerite Yourcenar » des Pays-Bas, Hella S. Haasse.

Durant cette longue chute d'un empire, surnage un récit très original en forme de journal, *Les tablettes de buis d'Apronenia Avitia* de Pascal Quignard, la vie au jour le jour d'une patricienne qui ne veut pas voir le déclin tout autour d'elle. Alors que *Galla Placida* (Gérard Herzhaft) en souffre, de même que l'héroïne de Wilkie Collins dont l'histoire est comprise dès le titre, *Antonina ou la chute de Rome.* Un dernier sursaut, en 476, de la part de Romulus Augustule, qui aura rêvé de reprendre le pouvoir, comme le racontent Jean-Claude Perrier dans *Le dernier des Césars* et Valerio Massimo Manfredi dans *La dernière légion.*

Dès 451, les Huns traversaient le Rhin et se dirigeaient vers Paris. Ce que nous raconte en détail Michèle Laforest chez *Geneviève et Attila* et en particulier Cavanna dans *Le Hun blond,* paillard et ironique mais important pour Childéric, le père de Clovis, lequel figure dans la suite inventée, toujours par Cavanna, en manipulant *La hache et la croix,* alors que Clovis lui-même vénère enfin *Le dieu de Clotilde* et atteint son but ultime par *Le sang de Clovis.*

Poursuivant sa série de récits mérovingiens inspirés de Grégoire de Tours, Cavanna raconte *Les reines rouges,* Brunehaut d'Austrasie et Frédégonde de Neustrie, et leur disparition par *L'adieu aux reines.* En plus sérieux, par la trilogie *Les reines pourpres* détaille les mésaventures de ces dames en éventant *Les voiles de Frédégonde,* en étanchant *Les larmes de Brunehilde* (Jean-Louis Fetjaine).

Dans les « marches » de Rome

Rétrospectivement, allons constater, par l'intermédiaire de romans concernant ces lieux et époques, ce qui se passait ailleurs qu'à Rome, mais relativement à celle-ci.

Ainsi, *Le Druide,* dont la vie quotidienne avant l'invasion romaine de la Gaule, est le titre d'un roman de Violaine Vanoyeke qui évoque aussi certains personnages historiques mal connus de cette époque à l'orée de l'histoire de France. Apparaît alors *Vercingétorix*, belle transcription romanesque signée Jean Michel Thibaux ; *Vercingetorix : le défi des druides* de Cécile Guignard-Vanuxem et *Et ton nom sera Vercingétorix* de Philippe Madral et François Miquet.

La Gaule au dernier siècle avant notre ère a inspiré un roman à la fois historique et à thèse. Selon l'auteur, Yann Brékilien, les Celtes ou Gaulois étaient plus avancés techniquement et plus évolués moralement et culturellement que les Romains qui ont envahi leur pays pour s'emparer de leurs richesses. Ce récit épique, *La louve et le sanglier*, comporte deux volets : *Les chemins d'Alésia* et *Les révoltés d'Armorique.*

La Gaule du premier siècle sous l'occupation romaine est magnifiquement revivifiée grâce aux romans de Michel Peyramaure *Les portes de Gergovie* et *La chair et le bronze.* Pauline Gedge, quant à elle, donne le beau rôle aux femmes dans cette immense fresque celtique, *Les seigneurs de la lande*, alors que *Éponine*, fausse veuve mais vraie patriote, tente de repousser les envahisseurs dans le roman homonyme d'Anne de Leseleuc, laquelle a créé un personnage d'avocat gaulois, Marcus Aper. Ami de Tacite, c'est un détective avant l'heure dont les enquêtes sont autant de promenades dans tous les milieux de l'époque. Cinq épisodes ont paru : *Les vacances de Marcus Aper*, *Marcus Aper chez les Rutènes*, *Marcus Aper et Laureolus*, *Les calendes de septembre* et *Le trésor de Bouddica.*

La reine celte de Manda Scott a pour cadre la lutte des Icènes contre l'envahisseur romain, dans l'actuelle Grande-Bretagne, au premier siècle av. J.-C., et comme personnages principaux la célèbre reine Boadicée (ou Boudicca), qui fut l'âme de cette résistance, et son frère Ban, enlevé et vendu comme esclave aux Romains. Les quatre épisodes de ce roman s'intitulent : *Le rêve de l'aigle*, *Le rêve du taureau rouge*, *Le rêve du chien* et *Le rêve de la lance-serpent.*

Signalons un roman d'apprentissage au titre explicite, *Le voyage de Marcus : les tribulations d'un jeune garçon en Gaule romaine*, de Christian Goudineau, titulaire de la chaire des Antiquités nationales au

Collège de France, et *Albilla, servante gauloise* qui égrène, au fil d'épitres à son petit-fils, ses souvenirs du monde gallo-romain d'alors (Yves Najean).

Au IIIe siècle, un récit de haute teneur morale doublé d'une intense réflexion sur les grandes valeurs humaines en péril que, paradoxalement, les barbares embrasseront, fournit la trame du roman de Jean-Luc Faber, *Où je vais, nul ne meurt.*

En dix-huit nuits nous est confié *Le secret de Victorina*, qui devint souveraine des Gaules au milieu de ce siècle, par Anne de Leseleuc, citée plus haut.

Les mémoires d'un Parisien de Lutèce (Joël Schmidt) décrivent, entre 177 et 256, la petite histoire d'un quartier de Paris qui se nomme justement le Quartier... latin.

Le même auteur, avec *Tetricus et Victorina*, nous instruit sur cette civilisation gallo-romaine qui s'établit contre la barbarie ambiante.

À la fin du IVe siècle, *La porte noire*, c'est la citadelle de Trèves, dernière place forte romaine face aux Barbares dont Michel Peyramaure nous fournit la chronique à la fois tragique et burlesque.

La vie au désert

Comme fleurs au désert, refuge de ceux et celles qui, chrétiens ou non, fuient la persécution ou la décadence, quelques récits permettent la transition entre l'Antiquité et le Moyen Âge.

L'Ermite, sous-titré « un destin prodigieux dans la Provence au Ve siècle », c'est saint Eucher, Romain d'origine, hôte d'une grotte durant 40 ans, dont Jean-Paul Clébert nous narre la vie.

Macaire le Copte, premier anachorète canonisé, permet à François Weyergans de curieuses variations sur l'érémitisme des Pères du désert, cependant que Jacques Lacarrière réfléchit sur le même phénomène, au féminin, dans *Marie d'Égypte ou Le désir brûlé.* Errances ou ascensions, *Les marches de sable* d'Andrée Chédid confondent quatre anachorètes autour de l'innocence tandis que Claude Louis-Combet raconte une bizarre « histoire vraie » dans *Marinus et Marina*, moniale qui ne révèle pas son sexe, alors qu'il est évident chez *Thaïs* d'Anatole France, grande courtisa-ne polissonne, comme son auteur, qui tentera un pauvre moine de la Thébaïde.

Retour aux frontières

Peu de romans historiques ont abordé la civilisation mésopotamienne, l'Assyrie-Babylonie, sauf par le biais de l'Égypte, de la Grèce et de la Bible.

Avant la conquête d'Alexandre (331 avant notre ère), la Perse mystérieuse a tenté quelques romanciers. Ainsi, *Création* de Gore Vidal, qui est une gageure réussie à partir de la pensée de Jaspers, selon laquelle un homme en bonne santé, ayant des moyens de locomotion adéquats, aurait pu, au Ve siècle avant Jésus-Christ, rencontrer Socrate et Périclès, Zoroastre et, du côté asiatique, Confucius et le Bouddha. Situant son personnage principal en 445, contemporain de Xerxès et ambassadeur de Perse à Athènes, l'auteur lui fait parcourir le monde civilisé d'alors. Cela fournit une pittoresque odyssée, à mi-chemin entre Druon et Yourcenar, avec le dynamisme du premier sans le style de la seconde.

Annette Colin-Simard, par le truchement d'un jeune Mède, nous fait assister à d'incroyables rites et spectacles *Au nom de Zarathoustra*.

C'est à Cyrus le Grand que Claude Kevers-Pascalis fait allusion dans son beau récit biographique *L'œil du roi*. *Le soleil de Perse* est un autre nom attribué par Guy Rachet à ce même roi, fondateur du premier grand empire universel.

Enfin, en remontant dans un passé proto historique, à la suite de la mise en jour en Syrie, en 1968, de la ville d'Ebla, la romancière Myriam Antaki nous fait voyager à même *Les caravanes du soleil*.

Cette même Syrie romaine nous permet de rencontrer, au IIIe siècle, une véritable héroïne politique qui se raconte par l'entremise de Bernard Simiot : *Moi, Zénobie, reine de Palmyre* que double le diptyque *Reine de Palmyre* (1. *La danse des dieux*. 2. *Les chaînes d'or*) d'Antoine B. Daniel.

Alexandrie, la deuxième ville d'Égypte qui, dès l'époque de Cléopâtre, aspirait avec sa bibliothèque à devenir une des capitales intellectuelles de l'univers, revit dans *La vieille sirène* sous la plume de José-Luis Sampedro, dans *La fortune d'Alexandrie* de Gerald Messadié et surtout, un peu plus tard, grâce à la grande mathématicienne et philosophe, commentatrice de Platon et d'Aristote au Ve siècle avant l'ère chrétienne. Hypatie a inspiré trois romanciers : Charles Kingsley dans *Hypatia ou Le triomphe de la foi*, Arnulf Zitelman (*Hypatia*) et Jean Marcel dans *Hypatie ou La fin des dieux*.

Dans la même région, un siècle plus tard, nous est raconté par Christian Jacq un étrange épisode de la résistance au christianisme par la population fidèle à la tradition d'Isis, *Pour l'amour de Philae.*

En l'an 431, se tient à Éphèse un concile qui définit Marie, *Celle qui gardait toute chose en son cœur,* en tant que Mère de Dieu, titre que lui refusait Nestorius. La confession d'un évêque qui y fut présent vingt ans auparavant est reconstituée par Roger Bichelberger.

En fin de chapitre peut bien figurer la trilogie de Max Gallo *Les chrétiens*, comprenant *Le manteau du soldat*, qui appartient à Martin, le grand évangélisateur des Gaules du Ve siècle, *Le baptême du roi* (Clovis) et *La croisade du moine* (Bernard de Clairvaux), qui nous amène en plein Moyen Âge.

LE MOYEN ÂGE

Le terme conventionnel, tiré du latin « media aetas » ou « medium aevum » qui signifie « âge de transition », s'applique habituellement aux dix siècles qui séparent la fin de l'Empire romain (476) de la prise de Constantinople (1453).

1. Du côté oriental

À la fin du Ve siècle, après l'effondrement de l'empire en 476, se maintint pendant un millénaire ce qu'on a appelé l'empire romain oriental, c'est-à-dire l'ensemble des territoires sous l'égide capitale de Byzance.

Les débuts de cette civilisation ont été évoqués par Jean-Luc Déjean dans une trilogie vivante : *Les dames de Byzance*, *L'impératrice de Byzance* et *Les légions de Byzance*. L'auteur brosse un large panorama des événements de cette époque et il a tenté d'être le plus objectif possible, témoin cette note finale au troisième tome : « Certains lecteurs sont peut-être curieux de savoir ce qui, dans mon livre, sépare le réel de l'imaginé. Je leur recommande de lire "Les guerres des Vandales" de Procope de Césarée » (p. 322). Il y a, de toute façon, intérêt à suivre les intrigues et succès de certaines hétaïres qui réussissent à constituer une véritable « gynarchie ».

Dans le sillage de ce long feuilleton picaresque où les aventures foisonnent en une intrigue multiple et surprenante, que fournissent d'ailleurs les annales de l'époque, le Soviétique Maurice Simachko a évoqué un soi-disant précurseur du communisme au Ve siècle en Iran, le prophète *Mazdak*.

Guy Rachet élabore une biographie romancée de la plus illustre des Byzantines, *Théodora, impératrice d'Orient*, suivi par Michel de Grèce qui raconte, dans le détail, son incroyable ascension depuis les lupanars de Constantinople jusqu'au trône de Justinien, explicitée par le titre plus détaillé que fournit Odile Weulersse : *Théodora, courtisane et impératrice*.

Cela bâtit *Le palais des larmes*. Sa rivale, *Macédonia : la danseuse byzantine*, connue par l'entremise de l'historien Francis Fèvre. Deux romans consacrés au général des armées de son époux, *Le comte Bélisaire* (Robert Graves) et *Bélisaire ou le mendiant de Sainte-Sophie* (Frank Gardian), nous permettent de mieux connaître ce monde féroce et lumineux, émouvant et tragique.

L'un des plus grands romans historiques allemands a pris pour sujet cette période de 526 à 553 où l'on retrouve les personnages susnommés. Il s'agit d'*Une lutte pour Rome* de Felix Dahn en trois volumes (1876).

Un peu plus loin, les cinquante premières années après l'Hégire (622) sont l'objet du roman *Le glaive de l'Islam* de Fereydoun Hoveyda, centré sur un héros de l'époque, Jabir Rey Poleslam. Les fastes de l'« Orient érotomane de l'ère ottomane », comme l'a si bien dit un critique, font succéder les dix soirs aux mille et une nuits, tant chez *Le grand vizir de la nuit* de Catherine Hermary-Vieille que chez *La sultane* de Catherine Clément en évoquant *Aïcha, la bien-aimée du prophète* (Geneviève Chauvel).

Inventé en 672 et perdu en 1221, une invention diabolique, *Le feu grégeois*, devient, grâce au romancier Luigi Malerrsa, l'enjeu de plusieurs intrigues en pleine cour de Byzance.

Quant à la trilogie d'Alexandre Torquet, *Les trois noces d'Anastasia*, *Ombre de soie* et *Le prince eunuque*, elle éclaire et élargit notre perception de cette vaste civilisation.

À Narbonne, cité musulmane de 719 à 750, s'étale *Un amour de djihad* que nous raconte l'algérien Salah Guemriche.

2. De Clovis à l'an mil

Cette longue période où se forme lentement l'Europe est illustrée par quelques romans très variés. On se contente ici de peindre un personnage, tout un peuple ou uniquement des épisodes.

Ainsi *Grendel* du romancier américain John Gardner raconte la défaite des Goths devant les Francs vers l'an 512, autour d'un illustre Goth, héros du poème anglo-saxon anonyme « Beowulf ».

Se dégageant de la légende et s'appuyant sur de soi-disant mémoires dictés, s'étale *Le testament de Clovis* selon Joël Schmidt qui fait revivre l'époque en sa violence et sa splendeur et les gens de son entourage, l'évêque Rémi et la jeune Geneviève.

Bien loin d'être peuplé de nobles seigneurs, le roman de Catherine Paysan *La route vers la fiancée* évoque plutôt les pauvres hères et les monastères au siècle de Clovis.

L'historien britannique Paul Murray Kendall a tenté, par le biais du roman *Mon frère Chilpéric : chronique des rois aux cheveux longs, 550-597*, de ressusciter l'époque mérovingienne en faisant rapporter par Gontran, fils de Clovis, son règne et celui de ses trois frères dont l'original Chilpéric, époux de l'effroyable Frédégonde qui, devenue veuve, intriguera jusqu'à *La trahison de Frédégonde* que narre avec réalisme et humour noir Jacques Katuszewsky. On retrouve, par ailleurs, cette gente dame dans *La nuit mérovingienne* par Jean-François Nahmias et *Frédégonde, reine sanglante* (Claude Bégat).

À mi-chemin entre l'histoire et la légende, Viviane Moore explore, à l'aide de deux druides, ce qui deviendra l'espace britannique dans : *Par le feu*, de l'Irlande à l'Écosse, *Par la vague*, de l'Écosse aux Pays de Galles, *Par le vent*, au pays d'Armorique et des îles du Nord. La postface de *Swane, cœur de loup* de Roger-Xavier Lantéri note le légendaire diffus dans ce récit qui traite des temps mérovingiens (585).

Du conte galant à la tapisserie pittoresque, une atmosphère légèrement scabreuse règne sur *La révolte des nonnes : Poitiers 589* de Régine Deforges, alors que *Le douzième vautour* d'Anne de Leseleuc fait traverser la même époque et tout son chaos, non sans cahots, à un protagoniste vraisemblable, grâce à une érudition habilement camouflée par le romanesque.

Dans le royaume saxon de Northumbrie, en 669, au moment où le haut clergé catholique décide si l'Église doit adopter la règle celtique ou romaine, apparaît, pour les besoins de la cause, sœur Fidelma, avocate et détective, véritable « Perry Mason du Moyen Âge. » S'ensuivront plusieurs enquêtes pittoresques (17 à ce jour) dont les premiers qui s'intitulent *Absolution par le meurtre*, *Le suaire de l'archevêque*, *Les cinq royaumes*, *La ruse du serpent*, *Le secret de Moen*, *La mort aux trois visages*, *Le sang du moine*, *Le pélerinage de soeur Fidelma*, *La dame des ténèbres* et *Les disparus de Dyfed* (Peter Tremayne).

L'œil arraché de Michel Peyramaure appartenait à un barbare, prophète parmi la populace gallo-romaine. *Les lions d'Aquitaine* du même auteur met en scène un des héritiers de ce duché qui doit lutter contre Pépin le Bref, fils de Charles Martel. À partir d'une légende issue de l'Islam, une

Jeanne d'Arc juive (quel bel anachronisme !) est l'héroïne d'un épisode guerrier en Afrique du Nord au VIIe siècle : *La Kahina* tant par Roger Ikor que par Gisèle Halimi.

Avant que ne soit incendiée la Bibliothèque d'Alexandrie, en 642, par un général arabe, un vieux philosophe chrétien, un médecin juif, une mathématicienne musulmane tentent en vain de le convaincre en lui rancontant l'histoire de ce mythique monument, ce qu'explique *Le bâton d'Euclide : le roman de la Bibliothèque d'Alexandrie* par l'astrophysicien Jean-Pierre Luminet.

À partir de faits plus officiels et mieux fondés, un roman que Georges Duby a apprécié : *Saint Boniface et la naissance de l'Europe* par Willy-Paul Romain. De son Angleterre native à Rome puis en Franconie, sa mission civilisatrice en fait l'un des fondateurs du continent en tant qu'entité culturelle.

Cependant, en Chine…

Deux gros romans ont été publiés en français sur une personnalité féminine célèbre en son pays. Il s'agit de *L'impératrice de Chine* de Lin Yutang qui relate l'ascension d'une simple dame Wou Tchao, au service de l'empereur T'ai-tsong (629-649) qui, à force de séduction, de complots et de meurtres, s'installe sur le trône impérial en 690, se fait appeler Tsö-t'ien et prétend être le Bouddha réincarné. Elle est détrônée en 705 et la dynastie T'ang est restaurée. Le narrateur du récit est le propre petit-fils de la démoniaque despote. Cette gente dame est aussi nommée *L'impératrice des mensonges* et suscite *La révolte des lettrés* par Eleanor Cooney et Daniel Altieri. L'intérêt de ces histoires est qu'on y rencontre le juge métropolitain Ti Jen-tsié, personnage authentique qui a vécu de 630 à 700 et que le sinologue Robert Van Gulik a rendu populaire par ses enquêtes publiées en 18 volumes : *Le squelette sous cloche* ; *Trafic d'or sous les T'ang* ; *Meurtre sur un bateau de fleurs* ; *L'énigme du clou chinois* ; *Le mystère du labyrinthe* ; *La perle de l'empereur ;* *Le monastère hanté* ; *Le paravent de laque* ; *Le pavillon rouge* ; *Le jour de grâce* ; *Le motif du saule* ; *Le singe et le tigre* ; *Le fantôme du temple* ; *Meurtre à Canton* ; *Le juge Ti à l'œuvre* ; *Le collier de la princesse* ; *Assassins et poètes* ; *Trois affaires criminelles résolues par le juge Ti*. L'auteur français, Frédéric Lenormand a continué cette saga criminelle en prolongeant les enquêtes du juge. Dix récits habilement pastichés sont disponibles : *Le château du lac Tchou-An*, *Petits meurtres entre moines*, *Le palais des courtisanes*, *Madame Ti mène l'enquête*, *Mort d'un cuisinier chinois*, *L'art délicat du deuil*, *Mort d'un maître de go*, *Dix petits démons chinois* et *Médecine chinoise à l'usage des assassins.*

Toujours sous la dynastie des Tang, apparaît *L'impératrice de la soie*, une trilogie de José Frèches sous les titres : *Le toit du monde*, *Les yeux de Bouddha* et *L'usurpatrice*.

Citons aussi *Le pavillon des parfums verts* qui sert d'abri à l'impératrice selon Annette Motley.

Au siècle suivant, démontrant le pouvoir constant des femmes, s'épanouit *La favorite* : le roman de Yang Kouei-fei qui vécut de 719 à 756 et dont Yasushi Inoué nous esquisse le portrait.

De retour en Europe

Autre épisode étrange et énigmatique que raconte la romancière Claude Pasteur, avec gravité, sans aucune intention satirique, dans *La Papesse* qui aurait régné sur le trône de saint Pierre sous une identité masculine et sous le nom de Benoît III entre 805 et 858. La même romancière a imaginé une suite à cette extravagante histoire, *Le médecin du pape*.

Rappelons que Lawrence Durrell a adapté un vieux roman de 1866 dû à Emmanuel Roidis, *La papesse Jeanne*, et que, sous le même intitulé, Donna Cross a fourni un récit touffu mais très bien mené. Plus récemment, Yves Bichet a exploré la personnalité de *La femme-Dieu*, un roman iconoclaste qu'il a complété par *Chair* et *Le papelet*.

Bien sculpté et admirablement éclairé, apparaît le *Charlemagne* de Marcel Jullian qui manie en ce début du IXe siècle *L'épée à deux tranchants*, titre d'un roman d'Emmanuel Maffre-Baugé représentant ses Francs valeureux et l'Église.

À l'approche de la fin du premier millénaire, *Les cavaliers du bout du monde* (Yann Brékilien), issus de la paysannerie, ont appris le métier des armes et veulent servir le royaume des Francs qui commence à s'organiser et leur Bretagne natale, fière de sa civilisation.

Une chronique a été consacrée au roi anglais Alfred (849-899) par Bernard Cornwell : *Le dernier royaume* et *Le quatrième cavalier*.

À la fin du IXe siècle, Cordoue figurait en bonne place avec Bagdad et Byzance parmi les villes abritant les trois religions juive, chrétienne et musulmane. C'est dans sa mosquée que se réunissent les plus grands savants de l'époque. Belle évocation où la fiction s'introduit par les zones d'ombre grâce à Yves Ouahnon et son roman *Le calendrier de Cordoue*.

À la même époque, en Espagne, les Musulmans, déjà triséculaires, ont maille à partir avec le pouvoir central qui redoute *L'ombre du prophète* telle que projetée par Nicole Fabre.

La même écrivaine, par *La princesse barbare* dans *Les jardins de Fraxinet*, raconte l'occupation de la Provence par les Sarrasins, de 896 à 972.

Constantinople abrite, au IXe siècle, des artistes qui luttent contre l'iconoclastie. Quelques jeunes occidentaux s'y risquent en justifiant l'exergue de Guirlandajo : « La peinture éternelle est la mosaïque. De tout ce qui est fait avec de la couleur rien ne résiste mieux aux coups des vents et des eaux. » Ce sont *Les mosaïstes de Constantinople*, tels qu'aperçus par Anne Courtillé.

C'est à un *Voyage vers l'an mil* que nous entraîne Abraham B. Yehoshua lorsqu'un commerçant juif, ses deux épouses et ses esclaves cinglent vers Paris par la Méditerranée.

Le pape de l'an mil, c'est Gerbert qui installa les Capétiens sur le trône de France et eut l'intuition d'une Europe catholique, c'est-à-dire universelle, qui s'étendrait de Lisbonne à Moscou. C'était un savant et un visionnaire qui fut pape de 999 à 1003. Il a pour biographe Dimitri Davidenko.

Pendant qu'à Mayence s'ébattent *Les renégats de l'an mil* (René Sussan), un moine irlandais tourmenté rompt ses vœux et devient hérétique aux yeux de Rome où règne, comme pape, son ami d'enfance, le même Gerbert qui voudrait bien libérer cette pauvre âme prise *Dans les serres du faucon*, affabulation poétique et métaphysique due à l'astronome américain Chet Raymo. Selon l'Espagnol Homero Aridjis, une sanglante bataille entre l'Antéchrist et *Le seigneur des derniers jours*, nouveau Messie, inaugurait le troisième Testament le premier janvier de l'an mil un.

L'épopée Viking

Cette fin de millénaire nous permet de regrouper quelques romans concernant les Normands (North men) venus de Scandinavie et s'installant, quand ils le pouvaient, tant en France qu'en Angleterre ou ailleurs. Ce sont les premiers pirates que l'on a surnommés *Les Vikings*.

C'est le titre que Paul Vialar a donné à la fresque tumultueuse qu'il a consacrée à ces marins pillards. Dans le même sillage, René Hardy nous entraîne sur *La route des Cygnes* qui retrace leur odyssée. Quant à *Erik le Viking*, le plus grand héros de cette épopée, il commande *Les conquérants de Terre Verte* (tels que les nomme Daniel Lacotte) lors de leurs premières explorations en Amérique du Nord. On retrouve le même peuple à la même époque près de Stonehenge, dans *Le talisman du Viking* de Barbara Ferry Johnson, tandis qu'en Norvège, vit et souffre l'héroïne de Sigrid Undset, *Vigdis la farouche.*

C'est aussi le sort de *La fiancée du Nord* qui fuit le pays pour l'Islande où elle rencontre les *Frères jurés* qui l'ont colonisée selon Gunnar Gunnarson. Et c'est à partir du personnage d'Aude-à-l'esprit-profond que Marie Josèphe Guers raconte cette belle histoire primitive, de même que celle d'un jeune Saxon, *Le jaseur boréal,* auquel Guy Piquant fait assister à la découverte du Groenland.

Encore plus épiques, *Drakkar* de Paul Ohl, *Drakkars* de Marc Villand, *Crinières d'écume* de Michel Planchon et surtout *Orm le Rouge* qui nous transporte *Au pays et sur la route de l'Est,* du Suédois Frans G. Bengtsson, en créant ce personnage qui deviendra la figure nationale la plus populaire dans toute la Scandinavie et dont le ton rappelle le « Gulliver » de Swift. Ces aventures à la fois navales et terrestres se veulent toujours *Le dernier voyage* selon George Mackay Brown.

Signalons aussi la rencontre inopinée de cette civilisation et de celle de Byzance en la personne du prince Harald qui y pénètre en venant de Norvège par la Russie. C'est le héros du substantiel roman de Michael Ennis intitulé simplement *Byzance* et déjà plongé dans le XIe siècle. Sans oublier, un siècle plus tôt, Ibn Fadlan, ambassadeur du calife de Bagdad pris en otage par les Vikings, qui deviendra, dans un roman de jeunesse de Michael Crichton, *Le treizième guerrier.*

Du début du Ve siècle (410, pillage de Rome par les barbares) à la fin du VIIIe (795, invasion de l'Irlande par les Vikings), un manuscrit latin de deux moines irlandais ranconte les faits et gestes de l'histoire en passant par Carthage, Byzance, Bagdad et Cordoue. Cela témoigne et signifie *Le remords de Dieu* tel que souscrit par Marc Paillet, historien de formation. Savait-on qu'à l'automne 885, une immense flotte remontera la Seine vers Paris sous le commandement de Hastings ? Ce que nous raconte Daniel Kircher avec *Les dragons des mers.*

Marc Paillet, en plus, a élaboré une série de romans policiers situés à la fin du VIIIe siècle et dont la vedette est l'abbé saxon Erwin qui parcourt le royaume carolingien, sur mandat de Charlemagne, pour y établir autorité et justice. Sept de ses aventures nous sont parvenues : *Le poignard et le poison, La salamandre, Le gué du diable, Le sabre du calife, Le spectre de la nouvelle lune, La femme en bleu, Les Vikings aux bracelets d'or* et *Les noyées du grau de Narbonne.*

3. Le XIe siècle

Œuvre très documentée mais dont l'érudition est admirablement sertie en un style dynamique et parfois humoristique, *Les chevauchées de l'an mil* de Claude Poulain nous font participer aux randonnées d'un malfrat sympathique de l'époque, Ruffin. Les cinq tomes qui composent cette suite fournissent par leurs titres la trame d'un destin : *La jeunesse du Ruffin*, *La fuite du Ruffin*, *La horde du Ruffin*, *L'amour, l'or et le Ruffin* et *La puissance et les honneurs du Ruffin*.

Chronologiquement, apparaît la figure d'Avicenne, médecin et philosophe errant dont quelques fragments d'œuvres nous sont parvenus dans le sillage aristotélicien. Gilbert Sinoué le suit dans *Avicenne ou la route d'Ispahan*, cependant que l'Anglais Noah Gordon lui prépare un disciple dans le livre très réussi *Le médecin d'Ispahan*.

C'est dans un cloître où il est considéré comme un saint, qu'un vieux moine raconte une aventure qui lui est arrivée autour de l'an 1030. *L'égal de Dieu* d'Alain Absire nous plonge au milieu de cette époque dure et barbare. C'est beaucoup plus, à l'occasion d'une altière histoire d'amour, une réflexion sur le fascinant pouvoir de l'écrivain de restituer la vérité qu'une simple affabulation historique. Dans la même veine et aussi dans un monastère austère des Alpilles, se présente *La figure dans la pierre* où Pierre-Jean Rémy fait dialoguer un écrivain et un architecte de l'époque.

Un truculent récit, *Les bêtes à bon Dieu*, signé Bernard Matignon, s'achève en 1048 en nous menant vers Rome.

En 1051, le roi de France Henri Ier prend pour épouse la fille du plus grand Seigneur de ce qui sera la Russie. C'est *La Mora* redécouverte par Régine Deforges.

Un personnage plus connu celui-là, tel apparaît *Guillaume le conquérant* raconté par Guy Rachet ou, pour nuancer, *Guillaume le bâtard conquérant* dont la fidélité à la chronique fournit à son auteur, Jean de La Varende, « une biographie traitée en roman après trente ans d'amitié attentive » (1946), tandis qu'Alain Hervé relate la conquête d'Angleterre, événement qui nous est parvenu en sublimes bandes dessinées grâce à la tapisserie de Bayeux, dans son roman épique et coloré intitulé sobrement *Le conquérant* que, par ailleurs, François Pédron surnomme *Bras de fer*. Sur son lit de mort, en septembre 1087, il désigne ses héritiers, *Les fils du Bâtard* qui se partagent la Normandie et l'Angleterre (Joseph Fromage).

Tué à Hastings en 1066 par Guillaume, *Harold, le dernier des rois des Saxons* est peint de pied en cape par Edward Bulwer-Lytton dans la manière héritée de Walter Scott.

Autre fait important en ce premier siècle du deuxième millénaire, la rencontre à Canossa de l'empereur germanique Henri IV et du pape Grégoire VII *Autour d'une tiare*, titre du récit d'Emile Gebhart de cet affront royal face à l'Église, affront que l'excommunié devra regretter en tant que *Le prince aux pieds nus* (Laura Mancinelli)

Dans l'Orient extrême, tant en Chine par *Le baiser du dragon* et *La fille du ciel*, récits où circulent mandarins et courtisanes ressuscitées par Ysabelle Lacamp, qu'au Japon avec les *Chroniques glorieuses* archivées par Fumiko Enchi, une civilisation, barbare et raffinée à la fois, poursuit son exotique itinéraire.

Le chef-d'œuvre du roman classique japonais « Le dit de Genji » est publié à cette époque par *La dame de Kyoto* et son entourage comme nous en informe Gabriella Magrini.

Toujours au Japon, précisément en 1014, un jeune aristocrate de 25 ans, qui travaille au Ministère de la justice, commence ses missions par *L'énigme du Dragon Tempête* et *L'énigme de la Porte Rashomon* dûment rapportées par I. J. Parker.

Croisades

La fin du onzième siècle voit le début des Croisades qui se poursuivront sur deux siècles, soit de 1095 à 1291. Les récits les concernant seront cités chronologiquement mais il est bon de faire figurer ici les deux tomes qui constituent *Le roman des Croisades* de Michel Peyramaure : *La croix et le royaume* et *Les étendards du Temple*, et qui couvrent toute cette période en une sorte de synthèse ; à laquelle on peut ajouter la trilogie *Les chevaliers* de Juliette Benzoni (1. *Thibaut ou la croix perdue* ; 2. *Renaud ou la malédiction* ; 3. *Olivier ou les trésors templiers*).

Les chemins de Jérusalem, itinéraire évoqué par un roman de Jacques Bouineau et Didier Colus, furent envahis par une troupe de chrétiens obéissant à la Première Croisade (1095-1099), entreprise à l'appel du pape Urbain II. Cet événement augural est raconté avec émotion par Jean-Michel Thibaux dans *Les âmes brûlantes*, avec érudition par Zoé Oldenbourg dans la fresque étonnante de vérité et de piété qu'est *La joie des pauvres* avec ferveur par Anne Courtillé qui écrit et s'écrie : *Dieu le veult* et avec malice par Patrick Besson en *Saint-Sépulcre* ! On peut aussi parcourir la chronique d'un moine lettré enregistrée par Martine Lascar, *Jérusalem, fiancée des gueux*, ou encore *Les poulains du royaume* qui suivent *Les chemins de Jérusalem* cités plus haut (Borineau/Colus).

Jeanne Bourin traite du même événement, mais à sa fin, quand les croisés conquièrent Jérusalem, et c'est la vie quotidienne de ces derniers et de leurs compagnes qu'elle décrit par *Les pérégrines* et sa suite, *Les compagnons d'éternité.*

Quatre personnages qui y prirent part sont évoqués respectivement dans *Le seigneur des Baux : l'étoile aux seize rayons* de Jean Boissieu relatant les exploits de Raimond, ce même *Raimond d'Orient*, premier comte de Toulouse qu'exalte Dominique Baudis, dans *Foulques Nerra* (Claude Launay) qui fut roi de Jérusalem de 1131 à 1143, chez une jeune fille forte, comme il y en eut toujours, *Ariane de Tinchebray* dont Hubert Bassot nous raconte l'itinéraire, et surtout par Claude Rappe dans son fougueux *Godefroy de Bouillon, l'héritier maudit* qui, dans un second volet du même auteur, s'exclame devant Byzance que *Dieu le veut.* Ici s'insère *La dame du roi, Bertrade de Montfort* (Henri Kubnick), la seconde épouse de Philippe Ier dont le mariage invalidé lui valut l'excommunication et l'empêcha de participer à la Première Croisade.

Citons, toujours en ce siècle, un chef-d'œuvre de la littérature européenne, *Alamut* de Vladimir Bartol. Il s'agit d'une magnifique fresque située en Iran, remplie d'aventures et de mystères puisque le protagoniste principal est le « Vieux de la montagne », en même temps que méditation sur la dictature politique dans sa splendeur horrible.

Une série de romans policiers d'Elena Arseneva rend très bien le climat de la Russie d'alors en nous faisant suivre le boyard Artem au service du prince Vladimir de Rostov. Sept enquêtes ont paru : *Le sceau de Vladimir, La parure byzantine, Ambre mortel, La nuit des ondines, L'espion du prince Oleg, La fourche du diable, L'énigme du manuscrit.*

4. Le XIIe siècle

Trois grands personnages

Une excellente façon d'aborder cette époque, tout en saisissant l'âme des mentalités, nous est offerte par Claude Vermorel en son roman *Les fous d'amour.* L'amour de Dieu avec saint Bernard de Clairvaux, l'amour de la vérité par la recherche d'Abélard et l'amour de l'amour vécu par Aliénor d'Aquitaine, voici les trois grandes situationis que nous raconte ce livre avec la vitalité et le mouvement de l'auteur dramatique et du cinéaste.

Le puits de Babel de Paul Zumthor évoque la destinée d'Abélard, tandis que *Plus jamais Héloïse* est un récit de Suzanne Bernard qui a puisé dans leur correspondance.

Tout en tenant compte de cet amour légendaire que le philosophie Pierre Abélard vécut tragiquement avec Héloïse, Antoine Audouard, en un véritable « péplum théologique », selon le critique Jean-Paul Enthoven, narre l'itinéraire humain de celui qui dut murmurer en fin de parcours « *Adieu, mon unique* ».

Très sage Héloïse, telle est qualifiée par Jeanne Bourin celle qui fut l'amante d'Abélard et qui aurait pu créer, avec neuf autres femmes, *La cour d'amour*. Ce véritable tribunal pouvait juger tout litige amoureux, charnel ou spirituel, conjugal ou non : il exista au moment où Louis VII et son épouse Aliénor d'Aquitaine présidaient à la Deuxième Croisade. Ce roman de Jean-Michel Thibaux peut être approfondi en sa principale figure par *La Dame d'Aquitaine* de Jacques Chaban-Delmas ou plus intimement grâce aux *Mémoires d'Aliénor* qu'a colligés Huguette Pirotte. Un autre portrait d'*Aliénor, la reine adultère* qui, en plus d'être reine de France puis d'Angleterre, mit au monde dix enfants dont cinq furent souverains. Récit épique hors du commun qui témoigne du comportement étonnamment libre des femmes à cette époque (Maryvonne Miguel) puis sur le quotidien de cette période, surtout en ce qui concerne Héloïse, devenue abbesse d'un monastère où se trouve la jeune novice, Catherine Le Vendeur dont Sharan Newman nous raconte les exploits dans *Meurtres dans la basilique* et *La porte du diable*.

Martine-Marie Muller, par *Les cèdres du roi*, raconte le règne difficultueux de Louis VII, roi malgré lui, qui après son retour de croisade répudiera son épouse qui mariera, en secondes noces, Henri II d'Angleterre.

De tous ces événements, Mireille Calmel a bâti un gros feuilleton, *Le lit d'Aliénor*, que complète *Le bal des louves*.

Quand une jeune fille ardente devient la rivale d'Aliénor d'Aquitaine après s'être retirée au couvent dont elle est enlevée par son ancien amant, cette situation fournit une romanesque aventure qui nourrit *Les braises de Roquebrune* et sa suite qui nomme la jeune téméraire *Abelisse d'Aquitaine*, deux romans fougueux de Hélène Abert. Notons que la fille d'Aliénor et d'Henri Ier, *La dame de Champagne*, est la figure principale du roman de Maryvonne Miquel.

Un autre beau chant d'amour contrarié, mais pour des raisons qu'on appellerait politiques : *Verchambray* de Michel Dumontier dans lequel on voit des Normands déchirés entre leur fidélité au souverain naturel, Louis VII de France, et leur allégeance au souverain légal, Henri II d'Angleterre.

Cependant, les suites de la Première Croisade se concrétisent dans un épisode curieux : *La reine de Jérusalem* en qui les Croisés et les Maures reconnaissent la jeune fille du roi Baudouin II qui l'a installée à sa place. Ce que nous raconte avec ferveur Othilie Bailly.

À la même époque, *L'ordalie* que proclame Thierry Nolin montre combien la religion est inextricablement mêlée à la vie des gens puisqu'il y est question du procès d'une forêt. Crédulité et superstition, mais aussi courage et compassion !

Autre écho étrange de la croisade, le jour de Pâques 1152, en pays catalan, cette assemblée en rendez-vous face à une rumeur d'avènement de l'Anti-Christ où le code de reconnaissance est *Azur* selon le romancier Jean-Marie Thiveaud.

1153 marque le début, à Palerme, pour trois siècles, d'une époque où une coexistence pacifique s'instaure entre Islam et Chrétienté. Tariq Ali fournit le premier de cinq volets *Un sultan à Palerme*.

Deux détectives d'époque

Seuls les puristes bouderont ce qui va suivre. Il s'agit d'une série de romans criminels situés dans l'Angleterre de l'époque, précisément entre 1137 et 1146, mettant en vedette un Gallois né en 1080 qui participera à la Première Croisade, servira dans l'armée d'Henry Ier et entrera au monastère bénédictin de Shrewsbury en 1120. Adonné à la botanique et donc au jardinage, son esprit d'observation et les circonstances en feront un détective avant la lettre. Il se nomme Frère Cadfaël et ses interventions sur ordre de ses supérieurs consistent en autant d'enquêtes policières qui nous font pénétrer dans la mentalité et les mœurs du milieu du siècle. C'est l'Anglaise Ellis Peters qui a concocté ces 21 romans dont voici la liste chronologique : *Trafic de reliques* ; *Un cadavre de trop* ; *Le capuchon du moine* ; *La foire de Saint-Pierre* ; *Le lépreux de Saint-Gilles* ; *La vierge de glace* ; *Le moineau du sanctuaire* ; *L'apprenti du diable* ; *La rançon de la mort* ; *Le pèlerin de la haine* ; *Un insondable mystère* ; *Les ailes du corbeau* ; *Une rose pour loyer* ; *L'ermite de la forêt d'Eyton* ; *Un Bénédictin pas ordinaire* ; *La confession de Frère Haluin* ; *L'hérétique et son commis* ; *Le champ du potier* ; *L'été des Danois* ; *Le voleur de Dieu* ; *Frère Cadfaël fait pénitence*.

Autres détectives avant la lettre de cette époque, le chevalier de petite noblesse bretonne Galéran de Lesneven dont Viviane Moore s'est faite l'historiographe colorée. Son parcours initiatique, qui le fera parvenir au Mont Saint-Michel, a d'abord été raconté par *La couleur de l'archange.* Protégé par Aliénor d'Aquitaine et ami de Bernard de Clairvaux, Galeran est en Bretagne en 1144 pour *Noir roman,* à Chartres et à Jumièges l'année suivante dans *Bleu sang* et *Rouge sombre,* à Saint Jacques de Compostelle en 1146 sur *Blanc chemin* et en Gironde en 1147 en *Jaune sable* et en *Vert-de-gris* puis poursuit *Les oiseaux de Rhiannon* ; puis il retrouve ses douleurs et couleurs dans *Fauve.*

Du même auteur l'histoire des rois normands en Sicile est racontée dans *Le peuple du Vent, Les guerriers fauves, La nef des damnés* et *Le hors-venu.* En un tout autre style, en Angleterre, à partir de 1139, sous le règne et sous la protection du roi Étienne, sévit une belle femme au passé trouble, Madgelaine, surnommée la Bâtarde qui tient une maison close et règle certaines affaires officieuses. On la rencontre, grâce à Roberta Gellis, en quatre récits dont le premier, éponyme, s'intitule *Magdelaine la Bâtarde* et les suivants *Le Diable à demeure, Le vent de la trahison* et *La chambre aux secrets.*

Six fortes personnalités

Tant *L'aigle de Dieu* du rabbin Philippe Haddad que *Le médecin de Cordoue* de Herbert Le Porrier font revivre la figure du célèbre médecin et philosophe juif Maïmonide. Jacques Attali l'imagine même recontrant le musulman Averroès à la recherche d'un ouvrage perdu d'Aristote dans *La confrérie des éveillés. Le pape du ghetto* (Gertrud von Le Fort) raconte les difficultés rencontrées par l'antipape Anaclet II de 1130 à 1138 ; *Le château de verre* (Georges Olivier de Châteauraynaud) nous fait suivre le poète Jaufré Rudel tant en croisade qu'au retour, où il charme les auditoires par ses chants ; le Breton *Galéran de Malestroït* dont les aventures initiatiques, dans l'ombre légendaire du roi Arthur, sont narrées par Jean-Pierre Letort-Trégaro.

La Deuxième Croisade

Les heurs et malheurs de *Ceux de la Maille d'or,* de la romancière Evelyne Deher, groupe de familles françaises engagées dans la Deuxième Croisade, se poursuivent dans *Les oliviers de Samarie* (même auteur) à l'ombre desquels s'allongent deux destinées de femmes quand Jérusalem était franque, alors que *La quadrature du cercle* d'Alvaro Pombo décrit l'expérience initiatique que subit un jeune chevalier dans le sillage de saint Bernard.

À la même époque, un beau récit de Georges Bordonove évoque l'héroïque résistance du jeune roi lépreux Baudoin IV (que René Grousset rangeait auprès de saint Louis et de Marc-Aurèle) contre le sultan Saladin (*Les lances de Jérusalem*). Ce dernier, malgré la défaite qu'il a infligée aux Croisés, à Jérusalem en 1187, ne pourra empêcher *Les chevaliers du royaume* (David Camus) de rechercher la vraie relique de la Croix.

Un ensemble considérable de Pierre Barret et Jean-Noël Gurgand, *Les tournois de Dieu* (1. *Le templier de Jérusalem* ; 2. *La part des pauvres* ; 3. *Et nous irons au bout du monde*) part de l'an 1183 et se poursuit jusqu'au début du XIIIe siècle. On y suit le chevalier Guillem d'Ancose quittant sa famille, s'engageant dans la Deuxième Croisade, devenant templier, parcourant l'Europe en ces temps intenses. Le destin d'Anciault de Linières est de même et haute résonnance dans les deux gros romans complémentaires de la chartiste Zoé Oldenbourg, *Argile et cendres* et *La pierre angulaire*. De Champagne en Palestine, elle nous fait revivre cette époque fertile en dévouement. De passage en Italie, l'empereur d'Allemagne Frédéric Barberousse adopte un vaurien piémontais *Baudolino* qui deviendra, selon Umberto Eco, son confident et l' « exécuteur de ses basses manoeuvres. »

Insérons ici deux romans à résonnance initiatique qui se situent en Chine sous des titres universels : *Les chemins du désert* que désigne Yasushi Inoué et *Le palais des nuages* que décrit Patrick Carré.

La Troisième Croisade (1190-92)

De terre et de sang de Jean-François Nahmias nous fait pénétrer dans cette entreprise avec *Le chevalier infidèle* de Roger Mauge, qui deviendra captif des Musulmans, et *Le chevalier de Saint-Jean-d'Acre* de Gilles Cosson qui assiste à la querelle de Philippe Auguste et de Richard Cœur de Lion face au sultan *Saladin*, ce que raconte également Dominique Baudis dans *La conjuration*. Saladin, à la fois cruel et magnanime, devenu le héros du roman homonyme de Geneviève Chauvel, convoite *La couronne de Jérusalem* au milieu de combats que nous raconte Annick Varney en rejoignant ses principaux personnages chez *La châtelaine de Tyr*.

On retrouve le sultan face à Richard Cœur de Lion dans le roman déjà cinématographique de Walter Scott, *Le talisman ou Richard en Palestine*.

C'est à la même époque (1190) que vivent *La juive de Tolède* (de Lion Feuchtwanger) aimée secrètement du roi de Castille, Alphonse VII, en un temps et un lieu où les Juifs étaient à peine tolérés, et la pauvre *Agnès, princesse de Byzance* (Régine Colliot), sœur de Philippe Auguste exilée chez les Commène.

Celui-ci fut trois fois marié, ce qui justifie le titre du roman de Claudine Béjà le concernant : *Trois reines pour un roi*. Sa répudiation d'avec sa deuxième épouse *Ingeburge, la reine interdite* (Gérard Morel) lui vaudra l'excommunication du pape Innocent III.

Du côté anglais

Entre 1125 et 1217, l'Angleterre eut ses « rois maudits ». Henri II, le second époux d'Aliénor d'Aquitaine, et leurs deux fils Richard Cœur de Lion et Jean sans Terre. D'une part, Ellen Jones raconte l'histoire du fils de Guillaume le Conquérant, Henri Ier, obsédé par la transmission de *La couronne maudite* ; d'autre part, Keith Miles poursuit cette sombre épopée où l'insigne du pouvoir devient *La couronne du diable*. Notons ici l'assassinat par Henri II de Thomas Beckett qui fut canonisé trois ans après sa mort et devint *Le Saint* dans le beau récit que lui consacre Conrad Ferdinand Meyer.

En cette fin du XIIe siècle où fait rage la Troisième Croisade, où un vertige saisit l'Europe entière, où la croyance en Dieu est de plus en plus ébranlée, la décadence féodale et la fin du monde inspirent sensuellement *Les oubliés des nuits romanes* de Francis Gruyer, pittoresquement *L'abbaye de Typhaines* de Gobineau, mystiquement *Le retour du Templier* de Michel Cazenave et *Le Croisé* de Renato Besana et Marcello Stagliano et, pourrait-on dire, courtoisement Maryse Rouy dans son élégant récit intitulé justement *Azalaïs ou la vie courtoise* et dans sa suite, *Guilhem ou les enfances d'un chevalier*. Si « les romans naissent des lacunes de l'histoire » (Novalis), *Troubadour* de Clara Pierre, qui cite cette sentence à la fin du livre, justifie cette origine en inventant ce beau récit initiatique itinérant dans la France de 1195 à 1209. On pourrait dire de même du roman d'Elisabeth Reynaud *Le chevalier de lumière* qui débute en 1212.

Deux livres permettent de garder le contact avec le Moyen-Orient, *La sultane d'Alméria* de Régine Colliot et *Le chemin de Bagdad* de Claude Grellet.

Le temps des cathédrales

Quelques romans doivent être cités en ce siècle « énorme et délicat » comme l'a dit Gustave Cohen à propos de tout le Moyen Âge.

Le printemps des cathédrales de Jean Diwo amorce un vaste panorama, tandis que *Le printemps des pierres* de Michel Peyramaure narre par le menu, de mars 1163 à mai 1182, les vingt ans de labeur que demandèrent les fondations de Notre-Dame de Paris, alors que *Le secret de Notre-Dame* de Michel Pascal raconte un épisode malheureux survenu peu avant, en 1152. Une vocation de jeunesse poussera un garçon de province

Renaud Banaste sur les chemins des bâtisseurs (Charles Fournier) pour participer à l'achèvement de cette cathédrale. Un autre, *Aubertin d'Avalon*, sera chargé de mission par les Templiers pour reconstruire Chartres (Bernard Tirtiaux).

L'hiver 1198 surprend les bâtisseurs de la cathédrale alors que, selon Henri Pigaillem, naissent *Les chevaliers du Christ*, deux jumeaux qui, sous son égide, rejoindront plus tard saint Louis.

Les fourmis de Dieu, sous les ordres de l'archer Henry de Sully, édifient la cathédrale de Bourges (d'après Pierre Duhamel). *L'ultime sacrilège* de Jérôme Bellay concerne la cathédrale de Reims avec comme question épigraphique : « Pourquoi les hommes ne sont plus capables de bâtir des cathédrales ? *L'arbre des dames* d'Anne Courtillé est au centre du chantier de pierre volcanique noire en vue de la construction de celle de Clermont.

Le très beau livre de Fernand Pouillon, érudit et passionné, *Les pierres sauvages*, fait revivre le chantier de l'abbaye cirstercienne du Thoronet en Provence, puisqu'il est l'œuvre d'un architecte.

Le grand feu du maître-verrier qui est aussi *Le passeur de lumière* illumine les nefs dans les romans de Jeanne Bourin et de Bernard Tirtiaux.

Un gros feuilleton en deux tomes, *Les piliers de la terre* (*Ellen*, *Aliena*) du fabricant de best-sellers Ken Follett, prend les proportions d'une fresque avec ses mille pages et situe son chantier en Angleterre de 1123 à 1174.

Quant au beau récit d'Henri Vincenot intitulé *Les étoiles de Compostelle*, il constitue une description réflexive du « compagnonnage » des bâtisseurs, en un style dru et savoureux qui rend bien l'atmosphère à la fois précisément réaliste et profondément merveilleuse qui baigna toute cette aventure architecturale.

Au chapitre de l'architecture, il faut signaler, à la fin du XIIe siècle, *Le prince d'Angkor*, Jayavaman VII, le plus grand souverain qu'eut le Cambodge et dont l'œuvre se devine à travers les prestigieuses ruines de la cité dont il fut le souverain. Paul Brunon nous en esquisse le destin.

Point d'orgue...

Terminons pour ce siècle avec le célèbre *Ivanhoé* de Walter Scott qui se situe à l'occasion des hostilités entre Normands et Saxons, sous le règne de Richard Cœur de Lion. C'est dans ce roman qu'apparaît un personnage secondaire, Robin des Bois, qui devait conquérir une fortune autonome.

5. Le XIIIe siècle

Réagissant contre le déclin des valeurs féodales chrétiennes et l'opulence et le relâchement de beaucoup de catholiques, surgit à partir de 1167, en une révolte localisée dans le midi de la France, la secte néo-manichéenne des Cathares.

Les romanciers se sont emparés de cette situation douloureuse. S'inscrivant dans la trame de l'histoire (1209-1255) et dans le drame cruel qu'est *La passion cathare*, la superbe trilogie de Michel Peyramaure (1. *Les fils de l'orgueil* ; 2. *Les citadelles ardentes* ; 3. *La tête du dragon*) constitue un ensemble réaliste et tourmenté de cette aventure mystique. Une deuxième trilogie, plus romancée, de Renaud Chantefable (au nom idoine) évoque *La princesse cathare* dans *La pierre de Montségur*, *Le chevalier dément* et *Le secret du moine*. Enfin une tétralogie signée Bernard Mahoux sur le même sujet, *La malédiction des Trencavel*, se décline ainsi : 1. *Adélaïs, comtesse de Toulouse* ; 2. *La saison des orages* , 3. *L'enfant du miracle* ; 4. *L'agneau cathare*.

On pourra leur comparer les mille pages de Zoé Oldenbourg dans *Les brûlés* et *Les cités charnelles*, vaste fresque qui est une illustration romanesque de son ouvrage historique « Le bûcher de Montségur » (1959).

L'illusion cathare (Jean-François Nahmias) met en scène le futur saint Dominique face au diacre algibeois Caraman en une joute dont l'enjeu est vital : « Faire passer le reflet des événements publics, des mœurs, des institutions, des doctrines d'une époque, sur le fonds éternel de l'âme humaine ». Cette formule d'Antoine de Lévis-Mirepoix est parfaitement respectée dans son tragique *Montségur*. De leur côté, Georges Bordonove dans *Le bûcher* et Claude Merle dans *L'âge de sang* rapportent, en une chronique amère, la barbare croisade contre les Albigeois (1209) où s'illustra Simon de Montfort. Lequel, au nom de l'Église, dut combattre le comte toulousain qui refusait la persécution de ses concitoyens et fut surnommé *Raimond « le Cathare »* selon son biographe, Dominique Baudis.

Dans un format plus réduit et plus accessible, un livre lyrique et prenant d'un auteur occitan, Maurice Magre, *Le sang de Toulouse*, celui de Marysc Rouy, *Les bourgeois de Minerve*, et *L'hérétique* de Charmaine Craig qui s'inspire d'une relation authentique popularisée par Le Roy Ladurie dans son ouvrage sur Montaillou.

Demeurons en ce sujet brûlant en avançant vers le milieu du siècle (1244), pour assister avec Henri Gougaud à *L'expédition* vers Montségur inviolé où se consumera *Le dernier bûcher* évoqué par Colette Laussac.

Dans la meilleure tradition romanesque, l'Allemand Peter Berling fait s'échapper de ce bûcher deux enfants, *Les enfants du Graal*. La chronique d'un moine franciscain qui va les suivre et raconter leur destin a inspiré à l'auteur une pentalogie : le premier volet sous le titre cité, le deuxième évoquant *Le sang des rois*, le troisième *La couronne du monde*, le quatrième *Le calice noir* et le cinquième pour *La princesse et le Kilim*.

Du même fertile auteur, *La Cathare* raconte l'invraisemblable parcours d'une jeune adolescente normande qui se déguise en chevalier sous l'armure et se retrouve en pleine croisade albigeoise.

À partir de la découverte d'un long poème occitan, un érudit communique avec un collègue pour éclairer la tragédie cathare. Quelques missives parsèment ainsi ce récit tragique et violent titré *L'Église de Satan* et solidement construit par Arnaud Delalande.

Entre la Quatrième et la Cinquième Croisades, se situe un curieux intermède à la fois mystique et païen, *La croisade des enfants*, que ressuscitent les romans de Bernard Thomas et de Peter Berling, *Le ciel au fond des yeux* de Marianne Saint-Clair et, plus intensément en choisissant selon la chronique d'alors, un enfant prédestiné qui entraîne les autres sur *La route de Jérusalem* (Jean-François Griblin) dans ce qu'il faut bien nommer avec Jean-Jacques Antier *La croisade des innocents* puisque ces 3000 enfants moururent d'épuisement pour la plupart, les rescapés étant kidnappés comme esclaves. Occasion de faire revivre cet aspect de la mentalité religieuse médiévale où pureté et horreur tissent ensemble leurs mailles...

À la fin de la Cinquième Croisade, la tradition franciscaine rapporte que François, *Le pauvre d'Orient*, rencontra un sultan qu'il conquit par sa pauvreté évangélique et préfigura Gandhi en déclarant : « J'approuve la violence... lorsqu'elle s'exerce contre moi. » (Alain Absire).

En marge de ces événements tragiques s'inscrit, en 1230, à l'occasion de l'empoisonnement du roi Louis VIII, une belle histoire d'amour entre *La dame de Provins* et l'assassin présumé. Un vrai roman policier médiéval signé Pierre Lepère.

Selon la même formule, le best-seller allemand de E. W. Heine, *Le collier de la colombe*, qui débute en l'an 1231 et *Le secret de la Garonne*, d'Isabelle Richard, qui est enfoui à Toulouse vers 1235.

Du côté anglais

Un triptyque d'Edith Pargeter (alias Ellis Peters), *La pierre de vie*, *Le rameau vert* et *La graine écarlate*, raconte avec pittoresque les exploits pas toujours heureux du roi Henry III.

Oxford, l'an de grâce 1264, comme si vous y étiez et fréquentiez le Master Regent William Falconer qui doit exonérer l'un de ses étudiants, paysan de surcroît, d'une menace de condamnation. C'est *La croisade de Falconer*, puis *Le jugement de Falconer*, *Un psaume pour Falconer*, *Le dieu de Falconer* et *L'enfer de Falconer* d'Ian Morson.

Une autre série, dont les événements se passent à partir de Londres, a pour héros principal Hugh Corbett, clerc de justice et espion du roi Edouard Ier. L'auteur, Paul C. Doherty, est professeur d'histoire médiévale et sait rendre dans le détail la vie quotidienne de la vie anglaise durant la fin du siècle à partir de 1284 où se place sa première « affaire », *Satan à St. Mary-le-Bow*, qui sera suivie par dix autres : *La couronne dans les ténèbres*, *Un espion à la Chancellerie*, *L'ange de la mort*, *Le prince des ténèbres*, *Faux frère*, *L'assassin de Sherwood*, *La complainte de l'ange noir*, *Le feu de Satan*, *La chasse infernale*, *L'archer démoniaque*, *La trahison des ombres*, *Funestes présages*, *Le livre du magicien*.

C'est autour de *L'étrange croisade de l'empereur Frédéric II*, empereur germanique qui, bien qu'excommunié, participa à la sixième, que s'ébranlèrent, dans un choc d'armures et d'idées, *Les chevaliers du crépuscule* de Pierre Combescot.

L'allusion « étrange » que confère Pierre Boulle au titre de sa chronique est renforcée par *L'homme d'Apulie* d'Horst Stern, journaliste scientifique allemand connu pour ses séries télévisées et ses convictions écologiques, les « Mémoires apocryphes » (prétendument écrits entre 1245 et 1250) de Frédéric II, despote humaniste. La critique a souligné que ce roman n'était pas indigne d'être comparé à celui que Marguerite Yourcenar a consacré à l'Empereur Hadrien. Rappelons le sous-titre complet de ce roman : « Mémoires privés de Frédéric II de Hohenstaufen, l'Italien, Souverain de l'Empire romain germanique, Roi de Sicile et de Jérusalem, Premier après Dieu. De la vraie nature des hommes et des bêtes. Écrits entre 1245 et 1250 ».

Insérons ici un destin apparié, celui du petit fils : *Conradin*, décapité à 16 ans sur ordre de Charles d'Anjou, épisode tragique décrit par Italo Alighiero Chiusano. Ou encore les tracas que subit le jeune héros de *La tour des faucons* (Eric Fosnes Hansen) sous prétexte de sorcellerie.

Pour mieux comprendre, du côté profane, le climat de cette époque, signalons le roman de Maurice Barrès, *Un jardin sur l'Oronte*, qui raconte les amours d'un chevalier chrétien et d'une Sarrasine dans l'Orient musulman, et, dans la tradition merveilleuse de Chrétien de Troyes, une très belle histoire d'amour hérissée de violence et de mort, rédigée dans le style original d'Orlando de Rudder, *Le tempestaire*.

Sous le règne de Louis IX (le futur saint Louis), à l'époque de Rutebeuf, le Moyen Âge de la vie quotidienne est évoqué avec talent par Jeanne Bourin dans le célèbre roman *La chambre des dames* et sa suite, *Le jeu de la tentation*. Comme l'écrivait éloquemment un magazine (*Elle*) : « *La chambre des dames* c'est le roman du triomphe de la bourgeoisie française qui résiste à tout... mais c'est surtout un vibrant hommage à la femme qui descend du portail des cathédrales pour éprouver les troubles ravageurs de l'amour, de la jalousie et parfois de la haine et qui construit, rayonnante et souveraine, un monde à elle. »

En 1928, la romancière norvégienne Sigrid Undset reçut le prix Nobel de littérature pour une semblable entreprise située à la même époque en son pays natal. Une vaste fresque en quatre tomes décrivait la destinée tragique d'*Olav Audunssoen*, étonnante figure d'un sympathique criminel déchiré entre le paganisme autochtone et le christianisme inspiré de l'étranger.

La dame de Palerme d'Alain Paris est une jeune princesse sarrasine dont le neveu de saint Louis tombe éperdument amoureux alors qu'elle est promise à un étudiant en médecine exilé en Espagne. Un aspect de l'histoire tourmentée de l'Italie à cette époque.

Aventures spirituelles

Quelques romans aussi étranges que leurs sujets appartiennent à cette époque : *Le domaine du Paraclet* de Michel Bernard nous présente un héritier spirituel de Joachim de Flore qui prédit pour 1260 l'apparition du règne du Saint-Esprit ; *Le roi de Sicile* de Serge Filippini, c'est Charles le Boiteux qui passe quatre ans en prison à méditer lui aussi sur le règne de l'Esprit ; *Le pouvoir et la sainteté* de Jean Ferniot évoque le conflit entre le spirituel et le temporel dans l'Église à partir des cinq mois de papauté d'un ermite en 1294, sujet qui avait déjà inspiré Ignazio Silone dans *L'aventure d'un pauvre chrétien* ; *Le tailleur de pierre* que nous présente David Pownall énonce l'initiation d'un jeune artisan architecte qui, de la cour d'Henri III aux forêts de Sherwood, symbolise la naissance de la franc-maçonnerie. *Maître Eckhart* de Jean Bédard, un épisode de la vieillesse du grand théologien. *Le tiers d'amour* selon Michel Zink vante la passion amoureuse qui mène le monde, opposée qu'elle est aux deux autres tiers : celui des affections où le désir n'a point part et le premier, « celui dont Dieu nous aime et dont nous devons l'aimer ». *La conspiration des franciscains* de John Sack raconte et explique l'enlèvement de la dépouille de François d'Assise.

Dans le même esprit, *L'épopée du livre sacré* d'Anton Dontchev est celle de l'envoyé spécial du pape Innocent III à la recherche d'un cinquième évangile attribué à saint Jean dont pourraient s'emparer les Cathares. Ce roman dynamique, qui fournit un tableau de la moitié de l'Europe de ce XIIIe siècle plein de bruit et de fureur, a reçu le prix Balkanica 1999.

Enfin *Retour de croisade* par Michael Alexander Eisner permet à un chevalier espagnol qui revient de la huitième et dernière de raconter son aventure que commente son moine-confesseur.

Trois grands personnages

Alchimiste, médecin, visionnaire et surtout pèlerin mystique se présente *Le magicien de Montpellier*, *Raymond Lulle* (1235-1315), qui vécut le XIIIe siècle sous toutes ses facettes qu'explore Inès Nollier. Surnommé *Le troubadour alchimiste*, béatifié par l'Église, il resserra les liens des trois religions du Livre comme l'expose le romancier espagnol Luis Racionero

Héros local mais important pour l'histoire de l'Écosse, William Wallace, surnommé *Braveheart*, que le film de Mel Gibson a ressuscité et dont le scénario a été « novelisé » par Randall Wallace.

C'est à son retour d'Orient, en 1298, que Marco Polo dicta « Le livre des merveilles du monde » que le romancier Albert T'Serstevens nous restitue dans *Le livre de Marco Polo*, tandis que le Français Jean Lartéguy et l'Anglais Keith Miles nous racontent ses exploits dans *Marco Polo, espion de Venise* et *Marco Polo... et Venise découvrit l'Orient*, et que Muriel Romana élabore une trilogie éponyme incorporant l'explorateur dans *La caravane de Venise* qui le mènera *Au-delà de la Grande Muraille* en le surnommant *Le tigre des mers*.

C'est cet Orient précisément japonais, à la fois cruel et raffiné, que nous décrit Robert Shea sur *Les ailes du dragon*.

Vers L'Orient extrême, Vassili Yan s'est vu attribuer le prix Staline 1942 pour sa biographie romancée de *Gengis Khan*, tandis que l'Américain Taylor Caldwell, reprenant le même personnage, proclame que *La terre appartient au seigneur*.

Adapté au cinéma par Bertolucci, *Le loup bleu* de Yasushi Inoué fait valoir l'aspect mythique du conquérant qui débute en 1206 et poursuivra ses conquêtes jusqu'à sa mort en 1277. Mais le grand livre sur *Gengis-Khan* (c'est le vrai nom du général empereur mongol) demeure celui du norvégien Tor Aage Bringsvaerd qui soulève des questions majeures de l'histoire et de la vie spirituelle orientales. Sans oublier cependant le gros roman *Le loup mongol*, signé Homéric, qui s'est mérité le prix Médicis en 1998 et qui s'affiche comme une chevauchée fantastique qui unifiera 400 tribus batailleuses à faire trembler de peur tous les puissants de Bagdad à Pékin.

Un épisode de ce parcours se retrouve dans *La horde d'or* de Jacques Lanzmann alors que durant douze ans l'Europe tremble de perdre *La domination du monde*, trilogie concoctée avec brio par Patrice Amarger et dont le détail des titres explicite la donnée : *Le fils de Genghis Khan*, *La fureur des Tartares* et *La volonté du ciel*. Une dizaine d'années après la disparition du conquérant, *Barlas, cavalier de la garde de Genghis Khan*, poursuit avec une troupe de nomades les expéditions périlleuses (Pentti Niskanen).

Signalons enfin *Pourpre impériale*, celle de Théodose II, empereur de Constantinople (1254-1258) qui résista victorieusement à cette marée selon le roman de Gillian Bradshaw.

6. Le XIVe siècle

Une brillante reconstitution d'un siècle marqué par la peste noire, la guerre de Cent Ans, les famines, les répressions contre les Juifs, le schisme de la papauté, etc., mais aussi par le faste des cours qui rivalisent d'élégance et qu'immortaliseront Pétrarque, Chaucer, Froissart. L'historienne américaine Barbara Tuchman a eu l'heureuse idée de souligner ce qui rend cet âge lointain si proche des outrances du nôtre. Son récit, construit autour de la biographie d'un grand seigneur, Enguerrand de Coucy, y gagne un relief extraordinaire et porte un titre pittoresque : *Un lointain miroir : le XIVe siècle de calamité.*

Quelques célébrités

Basé sur la vie de Guillaume, paysan sympathique touché par l'hérésie cathare, *Bélibaste* de Henri Gougaud narre une destinée dramatique, alors que *Le Florentin* de Maxime Benoît-Jeannin fournit une biographie romancée de Dante (1265-1321). La Flandre est à l'honneur dans un beau récit d'Henri Conscience qui traite d'un épisode litigieux où Philippe le Bel doit faire face à Robert, *Le Lion de Flandre*.

Enfin, mi-légendaire mi-historique, devenu l'emblème de la liberté et de la fantaisie, Till, un gai luron dont Charles De Coster raconte *La Légende et les aventures héroïques d'Ulenspiegel*, sans oublier, du côté du Languedoc, cette folle *Béatrice de Planissoles* dont la journaliste Colette Gouvion nous rapporte les tribulations en un reportage tourbillonnant.

Cautionnées par l'illustre médiéviste Anne Courtillé, *Les dames de Clermont* s'occupent, entre autres, des artistes et de leurs commanditaires sous Philippe le Bel. C'est le côté merveilleux de ce début de siècle.

Mais le roi a de nombreux problèmes et, par *Les tarots du pape*, il réussit en 1303 à s'emparer du pontife qui l'a excommunié. Aliocha Vandamme a bâti sur cet événement un feuilleton rocambolesque.

Dans le même style, *La Juive du pape* de Claude Mossé nous fait rencontrer Clément V, le premier pape d'Avignon.

Une série exemplaire

La suppression, après plus de deux siècles de gloire, de l'Ordre des Templiers en 1312 ouvre la série célèbre de Maurice Druon, *Les rois maudits*. *Le roi de fer*, c'est Philippe le Bel. *La reine étranglée* et *Les poisons de la couronne* surgissent sous le règne de son fils Louis X le Hutin. Le quatrième tome, *La loi des mâles*, déclare par la voix des états généraux l'impuissance des femmes d'accéder à la couronne. *La louve de France* et *Le lis et le lion* voient Philippe VI de Valois vaincu par Édouard III d'Angleterre. Un septième tome ajouté en 1977, *Quand un roi perd la France*, raconte, vu par le nonce du pape à Avignon, l'incident de 1356 où le Prince Noir d'Angleterre fait prisonnier le roi de France Jean II le Bon.

Cette série, composée à la Dumas par un atelier contrôlé par le maître d'œuvre, a beaucoup fait pour la renaissance du genre, grâce également à la série télévisée soigneusement mise en scène par Claude Barma.

Contemporaine, la trilogie *La Dame sans Terre* (1. *Les chemins de la bête*, 2. *Le souffle de la rose*, 3. *Le sang de la grâce*) d'Andréa H. Japp évoque de façon brillante les querelles de Philippe Le Bel avec l'Église et les Templiers.

Le roman de Gilbert Bordes intitulé *Les frères du diable* raconte une impitoyable revanche contre les descendants de Philippe Le Bel pour le meurtre du grand maître Jacques de Molay, vengeance qui se poursuivra longtemps grâce à *Lydia de Malemort* qui leur est apparentée.

Signalons ici *Le troisième prétendant*, ainsi nommé par Jean-Pierre Fournier La Touraille qui complète pour ainsi dire la série de Maurice Druon.

Une autre reconstitution prodigue en événements et coups de théâtre apparaît au cri de *Vive Dieu, Templiers*, un gros roman de Micheline Finas, et accompagne *L'héritière des Templiers* de Renaud Chantefable dont les quatre volets s'intitulent *Le Frère Crapaud*, *Le chevalier maudit*, *Les apôtres du nouveau temple* et *La colombe cachée*. Cet ensemble se poursuit par *La vengeance du templier*, *L'oiseau prophète* et *Le fils du diable* du même auteur.

Autour du fameux trésor des Templiers, le récit d'un chevalier dénommé *Iacobus*, de retour de croisade, qui, sous l'habit du médecin qu'il est réellement, est mandé par le pape pour le retrouver. Cette chronique médiévale débute en l'an 1319 sur le chemin de Compostelle et est signée Mathilde Asensi.

Signalons *Les Templiers, dernière chevauchée en terre occitane*, de Bernard Gilles, qui se présente en un format album illustré, ce qui est exceptionnel pour un roman. Ajoutons enfin la trilogie *Les chevaliers du Temple* de Jack Whyte.

Allégorie de la liberté face au légalisme ou fait divers dilaté en épopée, le court roman de Marcel Jullian, *Le maître de Hongrie*, suggère éloquemment le climat spirituel du début de ce siècle, comme d'ailleurs *L'Inquisiteur* d'Henri Gougaud où le dominicain du titre doit inquisitionner sur lui-même pour retrouver la foi (Toulouse, 1321).

Mais la palme pour l'évocation revient à ce phénomène, *Le nom de la rose* d'Umberto Eco, que nous avions ainsi décrit à l'époque de sa parution en traduction française en 1982 : « Roman policier puisque la trame est une enquête menée durant sept jours, à l'intérieur d'un monastère, par Guillaume de Baskerville. Roman théologique en ce sens que toute l'argumentation recueillie par le jeune moine Adso relève des concepts aristotéliciens et thomistes. Roman historique car situé avec beaucoup d'érudition et de minutie en Italie en l'an 1327, à une époque troublée de complots et d'hérésies que fomentent les roitelets du Saint-Empire et le pape d'Avignon. Mais plus que tout cela, en conservant les charmes et l'agrément, un livre sur les livres tant la bibliothèque labyrinthique du monastère est le lieu d'où tout part et où tout revient. Élaborée comme une imaginaire fantaisie de Borges, l'intrigue savamment scandée au son trompeur des sept trompettes de l'Apocalypse est intelligemment menée par un Sherlock Holmes médiéval qui n'ignore rien de l'ésotérisme et du mysticisme. »

Par le titre et l'époque, *Le jardin de la rose* se rapproche du précédent en un autre monde, celui de la cour des papes et son sous-titre explicite le propos de l'auteur Guy Rachet : « les amours de Pétrarque et de Laure ». Dans la même veine, mais vers Paris, un jeune croisé de retour, sa jeune cousine et un trouvère vont leur chemin grâce à *L'âne et la lyre* (Orlando de Rudder), un récit brillant et enjoué. La même année que *Le nom de la rose*, quatre personnages descendant de ceux qui ont fondé *Les piliers de la terre* prétendent explorer *Un monde sans fin*, toujours sous la plume de Ken Follett.

Avant d'aborder la guerre de Cent Ans, rendons compte du phénomène d'Église que fut la papauté en Avignon de 1309 à 1376. Comparant l'événement à un « second exil de Babylone », *La tour des anges* de Michel Peyramaure élabore une chronique en sept larges chapitres suivant les sept papes français qui y régnèrent. Claude Mossé ratisse plus large en une trilogie intitulée *Le château des papes* (*Les intrigants*, *Les bâtisseurs*, *Les impétueux*). Amour, sorcellerie et politique, sans oublier la peste de 1340, composent un cocktail explosif.

La guerre de Cent Ans

De 1346 à 1453 sévira cette longue guerre dont deux trilogies font chroniques. La première, de Michel Peyramaure, *La lumière et la boue* (1. *Quand surgira l'étoile absinthe* ; 2. *L'empire des fous* ; 3. *Les roses de fer*) ponctue, en tableaux rutilants, désastres et ravages, mais aussi retrouvailles et victoires entre adversaires.

La seconde raconte le destin d'un homme né le jour même de la déclaration (1er novembre 1337) de la guerre de Cent Ans. C'est l'œuvre de Jean-François Nahmias qui l'a d'abord publiée sous le titre *Gueules et sable* (1. *La bague au lion* ; 2. *La femme de sable* ; 3. *L'homme à la licorne*) sous le pseudonyme de François Liensa, puis l'a reprise sous le titre générique *L'enfant de la Toussaint* avec un tome complémentaire : *Cyclamor*.

À l'intérieur de ce « panorama », suivons Pierre Naudin qui rapporte, avec la précision d'un entomologiste, les cruels commencements de cette même guerre telle que vécue par quelques chevaliers qu'il surnomme *Les lions diffamés*. Les sept tomes de cette fresque, éloquents dès leur titres, font partie du « Cycle d'Ogier d'Argouges », du nom du chevalier normand héros et hérault de ces aventures qu'on poursuivra de 1340 à 1348 : *Les lions diffamés*, *Le granit et le feu*, *Les fleurs d'acier*, *La fête écarlate*, *Les noces de fer*, *Le jour des reines* et *L'épervier de feu*.

Le même auteur a écrit deux autres séries dont les événements se passent en 1361-62. Ce sont le « Cycle de Tristan de Castelreng » (*Les amants de Brignais*, *Le poursuivant d'amour*, *La couronne et la tiare*, *Les fontaines de sang*, *Les fils de Bélial* , *Le pas d'armes de Bordeaux* et *Les Spectres de L'honneur*) et le « Cycle de Gui de Clairbois » dont les sept tomes s'intitulent *Les fureurs de l'été*, *L'étrange chevauchée*, *Les chemins de la honte*, *Le bâtard de Clairbois*, *Le champ clos de Montendre*, *Le secret sous les armes* et *Le bourbier d'Azincourt*.

Ajoutons ici, tiré des archives régionales, *Le complot des lépreux* que Christian Bernadac traite comme une sorte de génocide royal et le premier roman feuilleton et d'Alexandre Dumas et de la littérature, *La comtesse de Salisbury* (1836) aimée secrètement d'Édouard III.

Une génération avant la grande peste de 1348, un fait-divers violent et violant sert de détonateur au roman touffu d'Emmanuel Maffre-Baugé, *Le seigneur de Marseillan*, tandis qu'une vengeance de la part d'un lieutenant d'Étienne Marcel qui retrouve les meurtriers de ses parents fournit la trame de *Que brûlent les châteaux* de Luc Willette.

Les cassettes d'Étienne Marcel (Denyse Vautrin) racontent les aventures politiques de ce « maire » de Paris et de ses finances.

Le climat de l'époque a été recréé avec dérision, alacrité et paillardise (y compris dans le vocabulaire qu'assiste un glossaire) en une autre trilogie pittoresque et provençale. Écrite par Suzanne Bernard, c'est *La malevie*, *La grande errance* et *La malemort*. Cette dernière expression désigne la peste noire de 1348.

Par le destin d'une bâtarde qui apprend le secret de sa naissance, Gilbert Bordes évoque *La peste noire* avec *La conjuration des lys* et *Le roi chiffonnier*.

Quelques récits divers situés au milieu de ce siècle sont à souligner : *La passion Béatrice* que Michel Peyramaure a adapté du film de Bertrand Tavernier. *Les orgues du diable* où Robin Carvel rejoint tant les histoires de brigands de Suzanne Bernard que le personnage d'Étienne Marcel cité plus haut. Deux romans bretons témoignent des tensions entre l'Angleterre et la France, entre la Grande-Bretagne et la Petite-Bretagne : *Au soleil des loups* et *L'envol du cygne* de Dominique Rebourg.

Toujours sur fond de guerre de Cent Ans

Il semblerait qu'une quête du Graal ait été commanditée par le roi Edouard III d'Angleterre après la bataille de Crécy (1346). C'est ce que nous raconte

Bernard Cornwell en sa trilogie *La lance de saint Georges*, *L'archer du roi* et *L'hérétique*.

La Compagnie blanche et sa suite *Sir Nigel*, dans la pure lignée de Walter Scott, permettent à Sir Arthur Conan Doyle d'élaborer une chronique écossaise vers l'an 1370. La haute figure du chevalier *Du Guesclin*, très actif au service du roi de France durant cette guerre, revit dans l'ouvrage de Roger Vercel. Sous sa bannière, les exploits de *Torcol le Vilain* (dont deux volumes sont parus : *Les hommes de cuir* et *Les hommes de fer*) de Jean-Marc Soyez forment un récit cruel mais dont la tendresse n'est pas exclue. Citons ici pour mémoire un roman méconnu d'Alexandre Dumas, *Le bâtard de Mauléon*, où intervient le chevalier et qui fournit une chronique vivace prétendument racontée par Froissart. *Confessions du Prince noir* (Fabrice Hurlin) à son moine, directeur de conscience nous initie au secret du fils d'Édouard III qui fut prince d'Aquitaine (1362-1376) et prétendait que « Dieu ne peut être qu'Anglais. »

Une curiosité oblique, l'histoire de Robert de Lagny, chevalier de 22 ans qui meurt en Avignon en 1351 aux côtés des Anglais durant une bataille. Dès le début du roman le concernant, signé par un Belge, René Swennen, on peut lire « Ainsi qu'il apparaît sur le linceul de Turin, Robert de Lagny était un homme de haute taille, qui mesurait un mètre quatre-vingt avec une carrure développée par le maniement des armes ». Bel exemple d'insinuation (ce dont jouit le roman historique), l'ouvrage est titré simplement *Le roman du linceul*. Une autre hypothèse concernant cette relique s'inscrit dans le roman d'Agnès Michaux, *Le suaire*, ce qui permet de citer ici une enquête contemporaine, sans cesse référée au passé, qu'entreprend Hubert Monteilhet dans son roman *L'empreinte du ciel* en fournissant une explication tout à fait originale du saint suaire de Turin.

En ajoutant, pour compléter, la note ésotérique avec Isabelle Sandy qui raconte la vie de Nicolas Flamel, *L'homme qui fabriquait de l'or*, ou encore *La nuit des bûchers* de Julia Pavesi qui rend compte de ce phénomène social non encore résolu, les sorcières de cette époque.

Autour de personnages réels tels Wycliffe, théologien précurseur de la Réforme et Julienne de Norwich, religieuse recluse et canonisée depuis, *La dame de Buckingham* procure une très belle histoire d'amour sauvage et mystique.

Introduisons ici cet étrange personnage récurrent dans l'Espagne du milieu du XIVe siècle (1353). Il s'agit d'Isaac de Girona, un médecin juif aveugle que sa compétence fait pénétrer tant dans les milieux judaïques qu'islamiques ou chrétiens. Caroline Roe lui a donné la vedette d'une série fort bien construite dont les cinq premiers titres sont *Remède pour un charlatan*, *Le glaive de l'archange*, *Antidote à l'avarice*, *Consolation pour un pécheur*, *Potion pour une veuve*, *Vengeance pour un mort* et *Le Guérisseur et la mort*.

Dans le Portugal du milieu du XIVe siècle, la tragique destinée d'Ines de Castro *La reine crucifiée* est passée dans la légende des amours célèbres.

Du côté italien, à Florence, *Rienzi ou le dernier des tribuns* qui rêve déjà de l'unité de son pays et, à Milan, *La vipère d'azur* qui est le blason des Visconti qui partagent ce rêve. Ce roman est l'œuvre de l'Algérienne Daphna Rye-Paz alors que Rienzi, qui nous est connu par l'ouverture de Wagner, a été dépeint par Sir Edward Bulwer-Lytton.

Citons ici ces artisans oubliés de la Renaissance, ces hommes du Quattrocento, ces mercenaires qui traversent la grande entreprise de Paul Humbourg : *Les Condottieri* en trois volets (*Les dragons de Saint-Georges*, *Les colères de Saint-Jean* et *Le glaive de Saint-Pierre*).

D'autres personnages tumultueux vécurent alors. D'abord Gaston de Foix, mort en 1391, que ressuscite le célèbre *Gaston Phébus*, de Myriam et Gaston de Béarn, et ses suites, *Le lion des Pyrénées*, *Les créneaux de feu*, *Landry des Bandouliers*. Ensuite *Owen Glendower*, le prince celte qui entreprit d'arracher le pays de Galles à la tutelle de l'Angleterre. Ce magnifique personnage est exalté en mille pages par le grand romancier John Cowper Powys. L'édition française comporte deux volumes intitulés *Les tours de Mathrafal* et *Les forêts de Tywyn*.

Toujours du côté anglais, en un apologue où affleurent les contradictions de notre propre civilisation, un récit curieux, *La nef*, par l'écrivain anglais nobélisé William Golding.

Et pour ne pas quitter tout à fait ce sujet religieux, signalons que la spécialiste américaine d'histoire et de littérature médiévales Candace Robb a situé en 1365 son premier roman criminel, *La rose de l'apothicaire*, où se déploient les talents divers du capitaine Owen Archer, espion borgne au service de l'archevêque d'York, lord chancelier d'Angleterre. Ce détective habile revient dans huit autres romans dont six ont été traduits : *La rose de l'apothicaire*, *La chapelle de la Vierge*, *Le dit de la nonne*, *L'évêque du roi*, *Le mystère de saint Léonard* et *La cité sacrée*.

Dans la même veine du roman policier historique, c'est en 1377 que Frère Athebstan, dominicain, assistant du coroner de Londres, sir Thomas Cranston, commence sa carrière d'enquêteur. En témoignent les romans de Paul Harding : *La galerie du rossignol*, *Le justicier de la Tour rouge*, *Sacrilège à Blackfriars*, *La colère de Dieu*, *Le fanal de la mort*, *Le repaire des corbeaux*, *Le jeu de l'assassin*, *La chambre du diable*, *L'auberge du paradis* et *La taverne des oubliés*.

N'oublions pas non plus, dans un exotisme autant spatial que temporel, la saga norvégienne de Sigrid Undset (autre Prix Nobel de littérature), *Christine Lavransdatter* qui, par-delà les siècles, demeure l'un des plus beaux portraits de femme dans l'histoire du roman universel.

Beaucoup plus loin à l'Est, la fresque chinoise *Dix mille printemps* qui, grâce à Louise-Yveline Féray, promet un itinéraire exotique sur plus de huit cent pages.

Pas moins de trois romans ont été consacrés à un personnage hors-norme, l'antipape Benoît XIII, mieux connu sous son nom espagnol *Pedro de Luna*, qui mourut presque centenaire après avoir refusé d'abdiquer.

Son drame, qui faillit aboutir à ce que l'on a appelé le schisme d'Occident, a été bien rendu par Christian Murciaux dans son roman homonyme. Antérieurement, Vincente Blasco Ibanez l'avait campé dans *Le pape de la mer*. Tandis que Jean Raspail, avec *L'anneau du pêcheur*, a conçu un récit curieux tout en échos alternant, chronologiquement, des chapitres de nos jours et de six siècles auparavant, qui retrace le destin de l'antipape Benoît XIII. Cet antipape a connu une postérité légendaire. Tradition oubliée ou cause perdue !

Toujours en Espagne, un récit à résonnances légendaires puisqu'il s'agit d'un manuscrit relatif au célèbre *Don Juan Tenorio* de l'écrivain allemand Franz Zeise et *L'enfer d'un prince* de Danièle Bélorgey qui porte en sous-titre « Pierre le Cruel, roi de Castille », celui qu'on surnomma le Justicier et qui épousa la tragique Inès de Castro.

Plus loin dans l'espace, il est question de Tamerlan (1336-1405) dans *Pluie d'or sur Samarkand* de Milena Nokovitch et de son héritier chez Frederic Prokosch en son roman *Le manège d'ombres*. Un épisode mal connu de l'histoire des Ming en Chine : L'entreprise d'une immense armada destinée à imposer la paix universelle au début du XVe siècle.

Quant à ce chef-d'œuvre de narration qu'est *La nuit des Groënlandais* de Jane Smiley, le terme « saga » (d'origine scandinave) est tout à fait d'usage pour décrire cette magnifique épopée norvégienne du XIVe siècle dont les événements sont racontés avec fougue et enthousiasme en ce vaste récit bien documenté.

7. Le XVe siècle

Une curieuse idylle parcourt *La favorite* d'Odette de Messières : la figure centrale de ce roman est le premier dauphin de France, Charles VI, qui régna au début du XVe siècle et dut, en tant que Valois, faire face aux maisons d'Anjou, de Bourgogne et de Bretagne. Surnommé le Fol à cause de ses excentricités, sa vie nous est racontée à travers celle qui fut une amie plus qu'une amante, une présence discrète qu'on oublie.

Il est aussi question d'oubli, mais par amnésie, de la part d'un chevalier breton dans son pays natal en 1415 alors que se termine la guerre de Cent Ans. Le récit de cette conjoncture est noté dans *L'hermine et les sables* de Dominique Rebourg.

Le Paris de 1409 est revisité avec un rare talent par Hubert de Maximy dans une série de romans d'enquête, menées par un écrivain public dans *L'écrit rouge*, *L'ombre du diable* et *Les loups du Mardi-Gras*.

Plus mouvementé est le roman de Sienkiewicz scandé par la victoire polonaise de Tannenberg (1410) qui conclut son vaste récit épique, *Les chevaliers teutoniques*, et sa suite, *Les remparts de Cracovie*. Ce roman puissant a été l'objet d'une autre édition sous le titre éloquent : *Pour l'honneur et pour la croix*. Quant à la bataille d'Azincourt (1415), elle sert de départ pour *Le roman du Sire de Loré* de François Clément, biographie réaliste quant à la vie publique de ce gentilhomme qui devint prévôt de Paris, mais tout à fait imaginaire pour sa vie privée.

Le bal du proscrit de Claude Poulain peint une mini-fresque colorée qui fournit un tableau vivant de la France du XVe siècle, annexée en grande partie par les Anglais et les Bourguignons, juste avant l'arrivée de Jeanne d'Arc.

Saintes...

Deux femmes très différentes sont les héroïnes de *Les anneaux d'or* de Suzanne Chantal et de *La recluse* de Jacques Doyon. Les « anneaux » appartiennent à Jacqueline de Bavière (1400-1436), une prestigieuse héritière de par son lignage et ses mariages ; la « recluse » est sainte Colette de Corbie (1380-1447) qui réforma l'Ordre des clarisses.

Requiem pour Gilles, en un style délibérément archaïsant, évoque, grâce à Georges Bordonove, l'étrange figure de Gilles de Rais que Michel Tournier inclut dans son diptyque *Gilles et Jeanne*, tandis que Martine Le Coz, fortement inspirée par Georges Bataille, offre *Gilles de Raitz ou la confession imaginaire*. On retrouve ce personnage dans le roman *Le cœur de l'ogre*, de Isabelle Sorente, sous-titré « trois variations sur le mal ».

Jeanne d'Arc a été la victime de nombreuses biographies romancées (entre autres, par Anatole France et Joseph Delteil). Exceptons, cependant, *Le roman de Jeanne d'Arc*, par Mark Twain qui, sans renier son talent d'humoriste truculent, livre une vision grave et authentique de la sainte guerrière. Seul procédé romanesque ajouté, la narration de cette belle histoire par un jeune page inventé pour la circonstance. Un roman à thèse ou plutôt à hypothèse de Florence Trystram, *Moi, Jeanne Obéissance*, lui prête pour mère Isabeau de Bavière, ce qui la rend demi-sœur de Charles VII. Le curieux récit de Paul Mourousy suggère en son titre, *Jeanne d'Arc et son double*, une substitution qui n'empêche pas d'autres surprises peu historiques de la biographie de Michel Lamy.

Mais il a fallu attendre Hubert Monteilhet et *La pucelle* pour trouver un roman-épopée de 750 pages dont l'auteur, historien de formation, nous révèle le motif : « J'ai voulu boucher les trous de l'Histoire. J'ai mis à plat les deux procès de Jeanne, j'ai étudié de très près les actes de juges de Rouen. Et j'y ai trouvé des révélations extraordinaires ».

Par l'intermédiaire d'un jeune Vénitien, venu en France pour espionner à la cour de Charles VII, nous pénétrons, nous aussi, dans cette atmosphère aristocratique et provinciale et y rencontrerons Jeanne d'Arc en personne. Michel Cournot écrit : « Inutile de nier que c'est passionnant. Cet auteur est de la famille des professeurs fantastiques, merveilleux, avec qui une heure de cours de géographie ou d'histoire semble durer cinq minutes, tant ils ouvrent des horizons. »

Le prolifique et talentueux Michel Peyramaure dresse son hommage à Jeanne en un diptyque aux titres évocateurs : *Et Dieu donnera la victoire*, suivi de *La colonne de feu*. Alors que Michel Ragon revient sur les relations de la pucelle avec Gilles de Rais en supputant *Un amour de Jeanne* et que Régine Deforges livre sa version de ce qu'elle considère comme un mythe national dans *La Hire ou la colère de Jeanne*.

Pour en terminer avec les affabulations autour de l'héroïne, en voici une de l'ineffable Gerald Messadié. Il s'agit de *Jeanne de l'Estoille*, qui n'est pas d'Arc. Dans la France de 1450 à 1492, une jeune fille ayant quitté sa Normandie natale, se retrouve à Paris, engrossée par François Villon, tout en étant baronne puis veuve, et rencontre son premier amour qui se nomme Isaac Stern (sic).

L'argentier du roi (tant de Thomas B. Costain que d'Henri de Grandmaison) c'est Jacques Cœur dont les efforts pour renflouer les finances dudit Charles VII sont payés par une royale ingratitude. Ce grand financier est la figure marquante d'un autre roman, *Les chemins de Bourges* de Solange Fasquelle, qui se poursuit sur *Les routes de Rome*, passionnantes évocations du Moyen Âge finissant.

Un épisode hautement romanesque intervient, « le roman d'amour de Charles VII et d'Agnès Sorel » que Michel Hérubel appelle *L'ensorceleuse* et Jeanne Bourin *La dame de beauté.*

Le poète Lucien Fabre (« Rabevel ou Le bal des ardents ») a brossé un tableau d'époque en suscitant *Mahaut*, forte héroïne qui s'allie avec l'évêque Cauchon afin de poursuivre un corsaire récalcitrant. *Les sabots de la Vierge* de Maryvonne Miquel insiste beaucoup plus sur la violence de ces temps que sur une pauvre princesse qui doit éviter la convoitise des princes pour faire un mariage d'amour. En ces mêmes années, vers la fin de la Guerre de Cent Ans, *Le chevalier de l'espérance* de Pierre Mania témoigne d'un amour chevaleresque qui n'a rien à envier à celui des déjà anciens troubadours.

1453, c'est la chute de Constantinople. Trois écrivains ont décrit cet effondrement d'une civilisation. Vintila Corbul dans *Tempête sur Byzance* raconte, heure par heure, ce fatidique événement que Gerhard Herm évoque en un splendide feuilleton, *Tempête sur la Corne d'Or*, cependant que Mika Waltari médite sur le destin de l'homme et des empires en évoquant les derniers jours de son héros, Johannes Angelos, dans *Les amants de Byzance* après nous l'avoir amplement fait connaître comme *Jean le Pérégrin.*

À la suite de cette défaite, les Turcs envahissent l'Albanie en l'islamisant, ce que narre un écrivain du cru, Ismaïl Kadaré, en une cruelle chronique très fidèle aux archives de son pays : *Les tambours de la pluie.*

Chez les Anglais

En Angleterre, entre 1455 et 1485, a lieu la Guerre des Deux Roses que narre avec talent Catherine Hermary-Vieille en décrivant *Le crépuscule des rois*, en son tome premier *La rose d'Anjou*, qui fleurira après cette date en *Reines de cœur.*

En ce cadre tumultueux, un classique, *La flèche noire* de Robert Louis Stevenson met en scène un redresseur de torts, un justicier qui constitue l'une des figures les plus appréciées de ce roman, tandis qu'une trilogie de

Norah Lofts raconte ce conflit à travers les heurs et malheurs d'une famille (*L'arpent du chevalier*, *Joanna*, *Le dernier sillon*) et que Juliette Benzoni rend compte du même conflit autour de Marguerite d'Anjou, épouse d'Henri VI, dans *De deux roses l'une.* Incluons ici, quelques années avant cette guerre, les allées et venues de la petite-nièce de Chaucer, Mère Frévisse, moniale bénédictine d'un prieuré, dont les « contes », à l'instar de ceux de son oncle, précisent les mœurs de l'époque tels que rapportés par Margaret Frazer : *Le conte de la novice*, *Le conte de la servante*, *Le conte du bandit*, *Le conte de l'évêque*, *Le conte des deux frères*, *Le conte de l'assassin.* Sans oublier les exploits d'une jeune apothicaire, Kathryn Swinbrooke, qui sont relatés par C. L. Grace dans *Meurtre dans le sanctuaire*, *L'œil de Dieu*, *Le marchand de mort*, *Le livre des ombres*, *La rose de Raby*, *Le Lacrima Christi* et *Le Temps des poisons.*

Par ailleurs, *Le dernier des barons* de Bulwer Lytton, c'est Warwick le « faiseur de rois » et Edouard IV à la bataille de Barnett.

Signalons en Espagne, vers la même époque, un tableau assez atroce de la diaspora relaté dans *Trop belle Orovida*, un roman généreux de Gaël Guiladi, tandis que grandissent Isabelle de Castille et Ferdinand d'Aragon que l'écrivain argentin Abel Posse surnomme *Les chiens du paradis* en un récit quasi surréaliste qui nous mène jusqu'à la découverte de l'Amérique.

Et n'oublions pas le confesseur de ces deux souverains qui devait illustrer à jamais son nom en tant que grand inquisiteur et dont Richard Balducci nous raconte la vie sous le titre *Torquemada ou l'intolérance de Dieu.*

La silhouette de Louis XI apparaît à travers l'étonnant personnage d'Olivier Le Daim (le damné), son barbier que sa perfidie a fait surnommer *Le diable* par l'écrivain allemand Alfred Neumann, dans *Le secret du chat-huant* d'Anne Courtillé et dans *Quentin Durward* de Walter Scott, un archer écossais au service du roi de France. Mais c'est avec *Je soussigné Louis XI roi de France* que ce tyran qui régna de 1461 à 1483 prend toute son ampleur et importance puisqu'il détruisit la féodalité en réunissant les territoires qui devaient former la France. Le romancier Gaston Compère lui permet de se raconter.

Deux grands poètes français ont composé leurs œuvres en cette fin du Moyen Âge. Marcel Jullian a imaginé un superbe divertissement autour de celui qui affirme *Je suis François Villon* que redouble avec talent, Jean Teulé en son magnifique *Je, François Villon.* Par ailleurs, « Je suis celui au cœur vêtu de noir » nous confie Charles d'Orléans (1391-1476) grâce à Hella S. Haasse qui, par magie sympathique, évoque la vie du poète dans le beau récit *En la forêt de longue attente.*

La Bourgogne, fief du défi des ducs, passe enfin à la France malgré celui qui s'autobiographie *Je, soussigné, Charles le Téméraire, duc de Bourgogne* (Gaston Compère), autre roman visionnaire et tragique. Cette fin de duel entre Louis XI et Charles le Téméraire est le sujet de *Le miracle des loups* d'Henry Dupuy-Mazel. La fille du Téméraire, Marie de Bourgogne, sacrifiée à la raison d'État, est surnommée à raison *La princesse aux chaînes* dans le beau livre qu'André Besson a modulé sous ce titre.

Le dernier mot d'un roi appartient à Louis XI qui décède en 1483. C'est Pierre Moustiers qui l'épèle sur ses deux dernières années.

Yves-Marie Rudel nous raconte à la même époque *Le roman d'Anne de Bretagne* qui fut l'épouse de deux rois de France, Charles VIII et Louis XII, dont le règne passe du XVe siècle au XVIe. *L'hermine et le lys* raconte le premier mariage d'Anne qui se sacrifie à la raison d'État, selon Paul Tournier et Viviane de T'Serclaes. Toujours en Bretagne, *Le grimoire du chevalier* fait état d'épisodes de sorcellerie que nous décrit Monique Clément.

Signalons enfin, pour l'ensemble de ce XVe siècle, une vaste fresque de mille pages en trois volumes : *Les héritiers de l'enfer* de Michel Hérubel qui se retrouvent dans *Le temple sous la mer*, avant de larguer *Les caravelles du soleil* ; ou encore ces deux trilogies : *Lys en val de Loire* de Jocelyne Godard et sous-titrées *L'Apocalypse*, dont les énoncés sont plus moyenâgeux que médiévaux : *La nuit des démons*, *La trahison des anges* et *La revanche des dieux* ainsi que Les Millefleurs : *L'offrande du cœur*, *La baîllée des roses* et *Une flambée d'or*.

C'est en 1482, un an avant la mort de Louis XI, que Victor Hugo anime son récit *Notre-Dame de Paris*. Reconstitution très personnelle mais parfois géniale, la vision du poète, dont l'érudition fait flèche de tout bois, n'en est pas moins fortement relevée par la couleur locale et le surgissement de personnages antithétiques qui prennent statures de légendes.

LA RENAISSANCE

La Renaissance est ce vaste mouvement culturel qui, du milieu du XVe siècle à une grande partie du XVIe, abandonne les valeurs médiévales issues du féodalisme avec une volonté de faire *renaître*, entre autres, l'Antiquité classique.

C'est bien ce qu'affirme le cardinal allemand *Nicolas de Cues* (selon Jean Bédard) : « Nous voyons partout les esprits des hommes, adonnés à l'étude des arts libéraux et mécaniques, retourner à l'Antiquité, et avec une extrême avidité, comme si l'on s'attendait à voir s'accomplir bientôt le cercle d'une révolution. » À la fois mystique (la docte ignorance) et théologiquement érudit, ce roman biographique, tel que raconté par un ami sceptique, demeure dans le ton de son précédent récit cité plus haut, *Maître Eckhart*.

Du côté italien

Dès 1401, deux inséparables, l'anarchiste Brunelleschi et le sculpteur Donatello quittent Florence pour Rome et sont entrevus, en leurs aventures, comme *Le diable et le condottiere* par Jean-Olivier Tedesco.

Plusieurs romans de ce siècle, dans le décor de ces deux villes prestigieuses, nous feront rencontrer, outre les Médicis et les Borgia, grands hommes et artistes de cette fastueuse époque.

Dès *La stratégie du bouffon* de Serge Lenz, apparaissent, à l'occasion de l'élection du pape Pie II (1458), de singuliers débats et d'étranges combats. Ce roman rabelaisien manifeste déjà la libre-pensée nouvelle issue d'un vent de renaissance.

À mi-chemin entre la légende et l'histoire se présente *La vie secrète de Fra Angelico* dont on sait qu'il est mort en 1455 et qu'il fut béatifié par l'Église en 1983. Paul Louis Rossi commente son œuvre, planches à l'appui, ce qui est rare pour un roman.

Autour de Pic de la Mirandole, célèbre érudit du Quattrocento, se retrouvent Botticelli, Marsile Ficin et Savonarole ainsi que l'amitié de Laurent de Médicis. Le roman d'Etienne Barilier qui raconte cette vie foisonnante a pour titre *Le dixième ciel.* Savonarole et Botticelli, surtout ce dernier qui est la vedette de *Alessandro, ou La guerre des chiens* (Alain Absire), deviennent les victimes d'une révolution intégriste qui a provoqué la chute des Médicis.

Autour de la jeune fille, modèle de Botticelli pour *La naissance de Vénus*, gravite le monde florentin en une fresque digne de cette brillante époque par Sarah Dunant.

Dans *Les bûchers de vanité*, l'auteur Andrée Barbette esquisse une suite de tableaux formant un récit savoureux où s'étale un érotisme singulier que fait deviner le titre. Par contre, *Le banquet*, raconté par Orazio Bagnasco, s'avère une série d'intrigues flamboyantes dont les descriptions foisonnantes de détails compliqués offrent des aspects moins sévères.

Presqu'un roman policier, provoqué par une enquête en bonne et due forme, voilà ce que réserve *Les conjurés de Florence* (Paul J. McAuley). Un apprenti travaillant comme assistant du peintre Raphaël est trouvé mort en un local clos. Machiavel enquête.

Du côté des Médicis

Comme vue d'ensemble, il existe un feuilleton qui forme une histoire complète de cette célèbre famille florentine : *À l'ombre des Médicis* par Janine Lambotte. Par ailleurs, la trilogie de Sarah Frydman *La saga des Médicis*, située de 1389 à 1464, ratisse aussi large avec *Contessina*, *Le lys de Florence* et *Lorenzo ou la fin des Médicis*. Raison d'État, fêtes somptueuses, conspirations des clans rivaux mais aussi culture artistique et amours chevaleresques, ce dont témoigne Claude Mossé avec *Le complot des Pazzi*, *Le fléau de Dieu* et *Les bûchers de la foi*.

Un journal imaginaire tenu par la muse de Botticelli, entre 1468 et 1476, permet de circuler en cette ville d'art avec cette « Princesse de Clèves », *Florentine*, dont Mariella Righini nous fournit la copie conforme.

Un autre témoignage d'époque concernant Lorenzo figure dans le roman *La Contadina* d'Alexandra Ripley, surnom d'une jeune paysanne dont toute la famille a été tuée par les soudards des Médicis. Elle pardonnera et deviendra la dernière compagne du Prince.

Le titre même du récit de Christiane Gil, *La Putana*, évoque indiscrètement le surnom que se mérita une jeune aristocrate pour son rôle évident dans les marges du pouvoir, les boudoirs des palais sinon la ruelle des alcôves.

C'est aussi à cette époque que le roi de France Charles VIII s'adonne belliqueusement à *La promenade italienne* qui le reconduira chez lui, assez penaud selon Yvonne Singer-Lecocq.

Et ailleurs...

L'Espagne de la fin du siècle s'apprête, par l'Inquisition, à placer le monde maure en position ambiguë. Les Juifs séfarades aussi devront choisir entre la conversion ou l'expulsion. Le romancier Gilbert Sinoué a imaginé trois hommes – un juif, un musulman, un chrétien – jetés en présence les uns des autres par la volonté d'un défunt. *Le livre de saphir* raconte cette tragédie en lui restituant sa dimension symbolique qu'évoque aussi *Le dernier juif*, aperçu par Noah Gordon.

En France, au moment où Charles VIII convoite la Bretagne, se dresse *Alice de Brocéliande* que Monique Clément campe en toute saveur celtique. Deux grands romans historiques anglais concernent cette fin de siècle. La chronique voyageuse d'un couple dont naîtra Erasme quitte parfois *Le cloître et le foyer* de Charles Reade alors que la Florence des dernières années est magnifiquement évoquée par la célèbre romancière anglaise George Eliot dans *Romola*.

Citons ici le cycle de romans criminels de Kate Sedley qui mettent en vedette Roger le Colporteur, novice bénédictin dont le sens aigu de l'observation lui permet de se mettre au service de ses contemporains. Douze titres sont publiés en langue française : *Le colporteur et la mort*, *La cape de Plymouth*, *La corde au cou*, *Les saints innocents*, *La chanson du trouvère*, *Un cruel hiver*, *La combe du nocher*, *La fortune de l'échevin*, *Le songe du colporteur*, *La fille de l'orfèvre*, *La fête des moissons*, *La danse des neuf*, *La rose du solstice*, *Le conte de la brodeuse* et *Le fils prodigue*.

Falstaff, le personnage rabelaisien et tonitruant qu'Orson Welles a cinématographié via Shakespeare et que Verdi a fait chanter, a réellement existé (1380-1459). Sous ce titre, un gros roman picaresque de Robert Nye le fait revivre en chair (davantage qu'en os).

Parcours exemplaires...

Bruges, 1460. Un jeune bâtard de dix ans est adopté par la veuve d'un marchand très riche. Beau, intelligent, courageux, Niccoló (c'est la transcription italienne de son nom) prendra vite en mains toutes ses affaires et deviendra un aventurier ambitieux. Tel est le synopsis du premier tome d'un ensemble de huit dont le titre original anglais « The House of Niccolo » instaure un jeune héros brillant, mystérieux et charismatique. Mêlant personnages imaginaires aux figures historiques, Dorothy Dunnett a réussi une merveilleuse suite historique autour de la Méditerranée. Trois traductions à ce jour : *Le marchand de Bruges*, premier tome, que suivent *Les compagnons de la Toison d'or* et *Le bâtard de Chypre*.

Bruges, 1475. Un jeune apprenti du peintre Hans Memling, Pieter Linden, après avoir collaboré à *La vierge de Bruges*, va visiter *L'ange de Florence* où il rencontre Verrocchio puis retrouve, Jean Fouquet en France dans *Le pénitent de Paris*, avant de rencontrer *Le diable de Rome*. Une série originale de Patrick Weber. Une trentaine d'années auparavant, mourait dans la même ville flamande celui qui acheva le fameux retable de l'Agneau mystique et dont Elisabeth Belorgey retrace sobrement le parcours dans *Autoportrait de Van Eyck*.

Du côté des Borgia

Tout ce qu'il faut savoir sur la famille des Borgia, qui va régner durant trois générations sur Rome, se trouve consigné de façon pittoresque dans le roman de Manuel Vasquez Montalban : *Ou César ou rien*. Plus qu'un roman traditionnel, c'est une succession de tableaux saisis sur le vif au rythme d'actions et de scènes serties de dialogues virtuoses.

Couvrant la période 1450-1507, *Le venin des Borgia* de Patrick Reumaux constitue une véritable chronique familiale qui permet de repérer toutes les pièces de l'échiquier où plusieurs parties se jouent à la fois.

Autre point de vue dans le livre posthume de Mario Puzo, l'auteur du roman « Le parrain », *Le sang des Borgia*.

Qui fut cardinal à 16 ans, capitaine général de l'Église et fait duc par le roi de France ? Guy Rachet répond à ces questions avec *Le signe du Taureau* ou la vie de César Borgia. Parmi ses amours tumultueuses, sa belle-sœur fille d'un roi est évoquée dans *Les mirages de Naples* par Isaure de Saint-Pierre tandis que les aventures de son égérie, *La Cyprina*, de Sylvie Dervin, se poursuivent dans *L'orichalgue*.

Captive des Borgia évoque la princesse Sandra d'Aragon qui, transportée à Rome, devant épouser un fils pubère d'Alexandre VI se lie avec Lucrèce et devint folle amoureuse de César (Jeanne Kalogridis).

Ici s'insère la chronique aventureuse de *Don Tarquinio*, étrange récit du non moins étrange Frédérick Rolfe, plus connu sous le nom de Baron Corvo.

Plus célèbre, voici *Moi, Lucrèce Borgia* de Magda Martini. Il s'agit d'une curieuse tentative sous forme de confession, documents à l'appui, pour réhabiliter la fameuse empoisonneuse qui ne passait quand même pas tout son temps dans les potions, mais donnait libre cours à ses passions moins meurtrières. Ce que nous décrivent Cecil Saint-Laurent, en un feuilleton à la Dumas, dans son gros bouquin éponyme et Geneviève Chauvel dans *Lucrèce Borgia la fille du pape*. Cette dame trop célèbre et sa famille ont inspiré d'une façon souvent divagante certains auteurs. Ainsi Samuel Shellabarger, qui est souvent appelé le Dumas américain, nous décrit les folles péripéties de cette « dynastie » dans *Échec à Borgia*, cependant que Michel Zévaco, autre émule d'Alexandre Dumas, fabrique un gros roman rempli d'emphase et d'adjectifs qui s'intitule tout simplement *Borgia*. On retrouvera la même famille dans *Le sang doré des Borgia* d'Étienne de Monpezat. Et tout cela se passe surtout dans Rome, *La ville écarlate*, telle que la décrit à cette époque Hella S. Haasse.

Courtier mercenaire, Sigismondo intrigue à cette époque favorable à ses exploits. *Mort d'une duchesse*, *Rideau pour le cardinal*, *Poison pour le prince*, *Un tueur pour la mariée*, *Une hache pour l'abbé*, autant de titres prometteurs que nous livre la romancière Elisabeth Eyre.

Enfin, pour avoir vraiment l'impression de vivre au rythme de ce siècle, rien ne vaut le récit picaresque que Paul Zumthor a écrit sous le titre *La fête des fous*. On y vit les trente années qui précèdent la découverte de l'Amérique et l'on y entend, en finale, Christophe Colomb lui-même dire : « Le monde approche d'une fin. Il n'y aura pas d'après, c'est la vie qui sera autre. »

Découverte du Nouveau Monde

À l'orée des temps modernes, l'homme qui découvrit ce qui devait s'appeler l'Amérique a été romanesquement biographié par Pierre Gamarra dans *La fabuleuse aventure de Cristobal Colon*, par Grégoire Madjarian dans *L'été indien de Cristobal Colomb* et par Georges-Hébert Germain dans *Christophe Colomb : Naufrage sur les côtes du paradis*. Ces trois romans insistent chacun particulièrement sur un aspect de la personnalité du découvreur : le voyageur, le visionnaire, l'aventurier.

Pour la vie plus intime du personnage, Paul Zumthor a concocté, d'après le journal même de Colomb, le récit (du 4 août au 12 octobre 1492) de *La traversée*.

Par le biais d'un témoin, un jeune Juif qui s'engage comme matelot sur la Santa Maria, l'écrivain mexicain Homero Aridjis apporte un éclairage oblique sur cette aventure en un diptyque : *1492, les aventures de Juan Cabezon de Castille* et *1492, mémoires du Nouveau Monde*.

Quatre autres romans traitent de Colomb mais de façon plutôt désinvolte et iconoclaste.

Pour Augusto Roa Bastos, dans *Veille de l'amiral*, Colomb est un imposteur, un menteur qui savait déjà qu'existaient des îles autres que l'Inde à l'Ouest, un charlatan qui connaissait par cœur « Le livre des merveilles » de Marco Polo, un exploiteur qui a spolié le Nouveau Monde pour le compte de l'Europe. Donc une fiction ludique qui témoigne peut-être d'un certain ressentiment.

L'intention de l'écrivain mexicain Alejo Carpentier avec *La harpe et l'ombre* est fournie dès le départ du roman. Il s'agit tout simplement d'un procès, mais d'un procès particulier, un procès de béatification. Colomb était-il un saint ? Mérite-t-il d'être élevé sur les autels ? C'est la question que se pose le pape Pie IX vers 1870 et les témoins convoqués ne sont autres que Victor Hugo, Léon Bloy, Jules Verne, pour ne nommer que ceux-là. Encore ici, de la satire et du jeu que reprend assurément le titre suivant : *Christophe Colomb : mémoires avec la complicité de Stephen Marlowe.* 600 pages de démystification méthodique du personnage par lui-même grâce à la complicité de son collaborateur comme il est indiqué dans le titre.

S'ensuit une « histoire » non conventionnelle qu'illustre une galerie de portraits surprenants et ahurissants. Prenons pour exemple les femmes de Colomb : l'amour fatal de jeunesse qui persiste, l'épouse portugaise qui subsiste, la maîtresse espagnole qui résiste, la reine Isabelle qui insiste et l'ensorcelante beauté juive qui assiste... et tout le reste à l'avenant. On conçoit dès lors que cette autobiographie n'épargnera aucun détail au lecteur et que, le ton humoristique aidant, il est embarqué dans une expédition tout à fait redoutable. Et que dire de la gaillarde et inattendue version de François Cavanna *Le voyage ?*

Dans les interstices de cet événement-avènement, il faut signaler *Le Rihla* de Juan Miguel Aguilera. Entre 890 et 897 de l'Hégire – cette dernière date correspondant à 1492 – s'élabora un grand voyage (« rihla ») vers le Nouveau Monde, soit sept ans avant Colomb.

Du côté américain, *Copilli, couronne royale*, un épisode de l'histoire aztèque juste avant l'invasion espagnole et une profonde méditation sur le pouvoir par un important écrivain déjà cité, Miguel Alemán Velasco.

En cette même année 1492, en vertu d'un édit royal, les Juifs d'Espagne qui refusent de se convertir au catholicisme doivent partir pour l'exil, ce qu'illustre romanesquement Lucia Graves par *La maison de la mémoire.*

LE XVIe SIÈCLE

La Renaissance italienne, la tragédie aztèque, les guerres de religion, Henry VIII et Elizabeth en Angleterre, autant de sujets, de circonstances, d'épisodes qui font de ce siècle un terrain de choix pour les romanciers.

Quatre grandes figures de la Renaissance...

En 1494, meurt Pic de la Mirandole, figure encyclopédique. Son histoire et ses amours sont racontées dans de très beaux romans de Paul-Alexis Ladame, *Le fidele d'amour*, de Catherine David, *L'homme qui savait tout* et de Guillaume De Tardes, *Giovanni Pico*.

À propos de la mort suspecte de Pic de la Mirandole, une enquête est organisée par Marguerite de Médicis, ce que racontent Éric Deschodt et Jean-Claude Lattès dans *Marguerite et les enragés : meurtre à Florence*.

Presqu'à la même époque, a vécu un personnage bien connu encore de nos jours dans les cercles politiques, que Raphaël Cardetti met en cause dans *Les larmes de Machiavel*, et que Somerset Maugham fait revivre à l'occasion d'un épisode de sa vie sous le titre *La mandragore*. Le titre anglais original avait auparavant été traduit en français par une sentence qui en dit long sur le machiavélisme : *Plus ça change*.

Léonard de Vinci, qui mourra en France en 1519 hôte de François Ier à Amboise et dont Dmitri Merejkovsky a écrit *Le roman (de Léonard de Vinci)* est le sujet brillant de nombreux récits, que ce soit en tant que *Lion ardent*, sous la plume de Christian Combaz, ou comme *Léonard le Toscan* de Nicole Fabre, ou encore en tant que peintre *Au temps où la Joconde parlait* grâce à Jean Diwo, sur *Les lèvres de la Joconde*, une enquête de Pierre Lepère, ou par *La vie privée de Mona Lisa*, que livre Pierre La Mure. Sans oublier *La cène secrète* de Xavier Sierra.

Les exploits artistiques de Benvenutto Cellini sont relatés par Alexandre Dumas dans l'un de ses premiers romans, *Ascanio* et *La conspiration Bosch* bat son plein grâce à Yves Légo et Denis Lépée.

... et quatre héros, dont deux imaginaires

Pour un panorama de ce début de siècle, deux fresques peuvent nous aider à saisir les nuances derrières les exploits. Avec *L'homme aux yeux gris* de Petru Dumitriu, en un style élégant et riche, « en costume d'époque et en habit d'éternité », comme le dit l'auteur, c'est la Renaissance qui nous est peinte en relief et en cinémascope puisque les personnages principaux vont de périples en périples, de l'Espagne à l'Italie, en passant par l'Islam, pour aboutir en Orient et revenir en Moscovie pour gagner le Danemark. Ce livre se poursuit par *Le retour à Milo* et *Le beau voyage* et forme une trilogie baroque, dans le sens où il y a le maximum de mouvement dans le minimum de temps.

Avec autant d'action mais moins de réflexion, se présente le diptyque de Mika Waltari, *L'Escholier de Dieu* suivi de *Le serviteur du Prophète*. Ce double titre s'applique au héros, Michaël, né au début de ce siècle en Finlande, parti à la conquête du savoir en passant par l'Université de Paris, se retrouvant plus tard dans l'Allemagne déchirée par la Réforme, devenant chirurgien dans les armées de Charles Quint et participant ainsi au sac de Rome en 1527. Encore une fois, ce spécialiste du roman historique nous permet de revivre une époque tourmentée avec des échos précontemporains.

En une prospective amorcée en 1524 par un prince juif, général du désert qui veut arracher la Terre Sainte aux mains des Turcs et qui contient dans l'œuf l'état d'Israël, s'élabore une aventure peu commune qui va transporter ce personnage – c'est *Le Messie* de Marek Halter – de Venise à Rome et à Lisbonne et à Paris pour finir dans les geôles de l'Inquisition en Espagne.

Enfin, à partir d'un manuscrit authentique examiné par une seiziémiste professionnelle, Yvonne Bellenger, *Jacques Lesage : voyage en Terre Sainte d'un marchand de Donai en 1519*.

À quoi on peut ajouter sous forme de mémoire secret où se raconte un jeune Florentin qui a 18 ans en 1527 et qui, de Rome à Venise, poursuit une vengeance et devient *Le seigneur de l'aube* (Odile Bordaz).

C'est en Suisse, au début du XVIe siècle, au moment où cette nation fournit de « nobles » mercenaires au reste de l'Europe, que se présente *L'homme à l'arbalète*. Élégamment écrit et mystérieusement ourdi, vu la dimension initiatique que vit le jeune héros du titre, ce roman d'Henri de Stadelhofen demeure bien dans la lignée de Walter Scott.

C'est ce qui appert aussi de ce gros roman en trois volumes contemporains des œuvres de l'écrivain écossais, *Lichtenstein* de Wilhem Hauff, qui retrace un conflit interne à l'empire germanique dans le premier quart du XVIe siècle.

C'est en Italie qu'a lieu *La danse du loup* de Serge Bramly, curieux récit composé autour de la figure fulminante et incendiaire du moine Savonarole. L'auteur y raconte avec érudition l'histoire d'un homme qui tente, par un subterfuge étonnant, de sauvegarder la culture par le livre victime des Inquisitions. On dirait du Bradbury (celui de « Farenheit 451 ») revu par Borges.

Dans le même environnement, sur un mode plus léger, l'histoire de la marquise de Mantoue et de Ludovic le More nous est racontée dans une chronique de Sylvie Simon, *Isabella*, alors que sa rivale Béatrice d'Este, *La Duchesse de Milan*, est l'objet d'un portrait dynamique de la part de Michael Ennis.

Par le biais d'une chronique développée dans les entours de la famille d'Este s'impose *Le livre secret de Grazia dei Rossi*, en lequel Jacqueline Park esquisse une autre fresque (650 pages) sur cette période mouvementée.

Et l'on dit que le pape Léon X, curieux et parfois frivole, voulait donner un compagnon à son éléphant. Ce sera grâce à la ténacité, tant du mercenaire que de son auteur Lawrence Norfolk, qu'on pourra trouver *Le rhinocéros du pape*.

Trois fortes femmes

En France, trois héroïnes de la même époque s'illustrent autour de la victoire de Marignan (1515) où se profile la légendaire figure de François Ier. Voici d'abord *Divine Zéphyrine*, avec ses suites *Princesse Renaissance* et *La Rose de sang*, de Jacqueline Monsigny. Cette trilogie nous fait rencontrer une dame qui voyage beaucoup, passant par la cour de France et aboutissant chez les Incas que nous reverrons plus loin. En deuxième lieu, Paul Vialar, dans *La grande ribaude*, nous permet lui aussi d'explorer l'époque autour de figures de femmes, que ce soit dans le camp du Drap d'or ou au cours de la bataille de Pavie. Enfin, *Ségurane* de Michel de Roisin qui débute ainsi : « Je suis née... deux ans après la bataille de Marignan, exactement le 2 août 1517... » S'ensuit une fresque aventurière que domine la figure féminine du titre, téméraire femme musclée qui défendra Nice contre les Turcs en 1543. Fortement documentée, cette fresque foisonnante et vivace nous branche vraiment sur l'époque, surtout pour ce qui est du Moyen Orient.

Que dire de cette passion foudroyante qu'une noble Bretonne inspira à François Ier ? Mireille Lesage nous la raconte dans *La salamandre d'or*.

Moins voyante mais émouvante, *Gabrielle, dame de Beauchans* saura, malgré un mariage de raison en 1516, vaincre le sort et trouver le bonheur d'après ce que raconte Marie-Thérèse Roy.

Le rôle des femmes à l'époque des guerres de religion sous François Ier est révélé *Au pays des femmes* par Billy-Duplessy, alors que pour celui des hommes se présente un échantillonnage paillard et argotique, *Les marloupins du roy*, que narre allégrement Philippe Ragueneau.

Mexique et Amérique du Sud

Entre 1519 et 1524, se déploie ce qu'on pourrait appeler la tragédie aztèque. Très grand événement de ce siècle que l'on a coutume de placer avant, mais qui, naturellement, suit la découverte des Amériques par Christophe Colomb (1492).

Le premier titre qui nous vient à l'esprit est *Azteca* de Gary Jennings, immense fresque, fruit de plus de dix ans de recherches, qui évoque avec bruit et fureur cette civilisation riche et hautement évoluée dont les vestiges imposent encore le respect et l'admiration. La narration vivante et grouillante de personnages plausibles tant espagnols qu'indigènes, le détail quotidien, le souci des formes et des couleurs, la psychologie à la fois primitive et très intelligente de celui qui rapporte l'histoire font de ce roman une œuvre à la fois cruelle et tendre qui semble fournir des reflets fidèles de cette tragédie. Trois suites ont paru : *L'automne aztèque*, *Sang aztèque* et *Rage aztèque*.

Beaucoup plus romanesque et spectaculaire s'avère le roman de Colin Falconer intitulé *Aztec*.

Sur un mode moins violent et traitant de la même période, on notera *Le jade et l'obsidienne* d'Alain Gerber. D'une manière plus savante, Salvador de Madariaga a bien décrit la confrontation du monde espagnol et du monde aztèque en cette époque des conquistadors dans *Le cœur de jade*, alors que Samuel Shellabarger, plus haut cité, nous rapporte les exploits de Cortès dans *Capitaine de Castille*.

Un conquistador qui accompagne ce dernier tient son journal de bord jusqu'à *La malédiction du Templo Mayor*. Préfacé par Jacques Soustelle, c'est un récit de Miguel Alemán Velasco dont la documentation attise l'aspect épique comme l'est aussi le portrait d'Hernando Cortez tel qu'esquissé par Danièle Belorgey en tant que *Le dieu blanc*, qu'accompagne, en trahissant son peuple, *L'indienne de Cortés* de Carole Achache.

En amont, dans l'empire inca du XIIe siècle règne *Le maître de Chichen Itza* du romancier québécois Vincent Chabot.

En aval, *La lettre du bout du monde*, écrite par José Manuel Fajardo et datée du 20 décembre 1514, de l'île d'Hispaniola, racontant le sort de trente-neuf Espagnols laissés sur l'île par Christophe Colomb. Ou encore l'histoire de *Huracán, Cœur-du-Ciel*, un jeune Espagnol prisonnier des Mayas qui revendiquera le partage de la vie de ses geôliers, épisode rapporté fidèlement par Francis Pisani. Ou plus encore l'astronome de Colomb qui s'identifie aux Aztèques pour les protéger de Cortès. C'est *L'horizon rompu* d'André Barilari.

Un autre récit émouvant prend place dans les confessions d'une femme inca choisie et préparée pour le sacrifice. Il s'agit donc de *La femme choisie* de Colette Davenat.

Les conquérants (illustrés par le fameux sonnet de Hérédia) ont des chances diverses. Ainsi, de 300 qu'ils étaient en 1528, ils ne resteront que quatre en 1536, ce qu'évoquent *Le conquistador perdu* de Jean-Louis Rieupeyrout, ou Pizarre au Pérou cherchant *L'or de Cajalmalca* suivant Jakob Wassermann, ou la tentative ratée de colonisation des Français au Brésil (1555-1560) relatée minutieusement par Jean-Marie Touratier dans *Bois rouge*. Paul Ohl, pour sa part, intitule *Soleil noir* son « roman de la conquête » de l'empire des Incas et ses prolongements jusqu'à notre époque.

Terminons par le très beau récit de Carlo Coccioli, *L'aigle aztèque est tombé*, où il s'agit, beaucoup plus que d'un tableau historique, d'un ensemble de considérations quasi philosophiques de la part du dernier prince qui régna sur le Mexique et qui, dans la nuit qui précède sa mort, tente de se remémorer les principales étapes de l'épopée de son pays.

Pour une vue d'ensemble de cet épisode cruel du début du XVIe siècle, on pourra aussi lire la trilogie *Inca* (*Princesse du Soleil*, *L'or de Cuzco* et *La lumière de Machu Pichu*) d'Antoine B. Daniel, les deux volumes que lui a consacré Roberte Marceau, *Le prisonnier du soleil* et *Les bâtards du soleil*, ou encore *La conquête du royaume de Maya*, un ancien récit satirique d'Angel Ganivet qui conclut « Les Mayas heureux comme des bêtes, deviennent malheureux comme des hommes ». Signalons à cet endroit un envers de l'histoire où culmine un dialogue entre Bartolomé de Las Casas et Esteban Rodriguez, un jésuite qui pose la question « Qui est votre Dieu ? » aux habitants de Mexico, plutôt que de les convertir de gré ou de force. Un roman théologique réussi de Michel Warnery, *Le livre de l'immortel*, qui ne dément pas le récit ethnologique de Bertrand Houette intitulé *Punchao*.

En ligne, familiale du moins, de ces péripéties, un roman érudit de Bruno Bayen : *Hernando Colon, enquête sur un bâtard*. Il s'agit du second fils de Christophe Colomb et du manuscrit biographique qu'il laissa à propos de son père.

Passons à l'Angleterre où *L'œuvre du roi* (Robert Hugh Benson) est évidemment celle d'Henry VIII que nous retrouvons également chez *Anne Boleyn* d'Evelyn Anthony et aussi chez Norah Lofts sous l'appellation injurieuse de *La concubine.* On sait qu'elle fut la deuxième femme du roi et mit au monde la future Elizabeth ; c'est donc un drame du trône à l'échafaud que nous rapporte cette romancière. Alors que Robin Maxwell nous présente ce qu'aurait pu être son journal : *Le secret d'une reine.*

La cinquième reine – il s'agit de Catherine Howard – est un roman très bien construit de Ford Madox Ford. Dédicacé à Joseph Conrad, il rapporte la lutte de cette reine catholique contre Cromwell.

Enfin, *La couronne de lierre* de Mary Luke appartient à Catherine Parr qui fut la dernière épouse d'Henry VIII, celle qui a survécu.

Toujours sous Henry VIII, durant l'hiver 1537, a lieu un épisode haut en couleurs et douleurs, la *Dissolution* des monastères catholiques anglais à l'initiative de Cromwell, actif participant à la Réforme. Un roman signé C. J. Sansom qui revient en force avec *Les larmes du diable*, autrement dit l'invention du feu grégois, et *Sang royal.*

La reine Elizabeth

À cette époque, en Angleterre, régnait la « bonne reine » Elizabeth dont une biographie romancée de Thera Coppens, *Élisabeth R.*, fournit un tableau assez fidèle. Deux volumes de Margaret Irwin, *La jeune Bess* et *Élisabeth, princesse captive*, dessinent un portrait plus intime de cette reine énigmatique.

Aventurier de la reine d'Evelyne Deher est un titre qui correspond bien au destin de sir Walter Rawleigh.

Un climat fantastique baigne les « mémoires apocryphes » de *John Dee le mage de la ruelle d'or* (Claude Postel), relayé par une excellente histoire alternative où il est question du « Faust » de Marlowe sous *Les jeux étranges du soleil et de la lune* de Lisa Goldstein.

Signalons ici, sous le règne de la reine-vierge, l'épisode fameux (1588) dit de *L'invincible Armada* raconté par la voix de l'« escritor » du navire amiral et par Georges Blond.

Toujours dans l'entourage d'Elizabeth, à propos surtout d'Amy Robsart, sa rivale, un roman du célèbre Walter Scott, intitulé *Kenilworth* dont la suite, *Les aventures de Nigel*, ont plutôt trait au règne de Jacques Ier et évoque la figure autoritaire de cette reine, de même que, un peu plus tard, *La tragédie de la reine* de Robert Hugh Benson dessinera la figure aussi tragique de Marie Stuart dont Didier Decoin racontera *La dernière nuit*.

Citons aussi trois romans par des écrivains populaires qui ne sont pas sans mérites tant pour la reconstitution que pour l'intrigue bien organisée : *Le baladin de la reine* de Burke Boyce, *Ma rivale, la reine* par Victoria Holt, et enfin *La reine et le gitan* de Constance Heaven qui reprend le drame d'Amy Robsart. Plus trois séries semi-policières, l'une de P. E. Chisholm mettant en vedette Sir Robert Cary, vice-gouverneur des « borders » qui a fort à faire, en 1592, avec *Les sept cavaliers*, l'autre d'Edward Marston où circule Nicholas Bracewell, régisseur de la troupe de théâtre « Les hommes de Westfield ». Neuf épisodes sur dix ont été traduits : *La tête de la reine*, *Les joyeux démons*, *La route de Jérusalem*, *Les neuf géants*, *La folle courtisane*, *La femme silencieuse*, *Le mauvais génie*, *Le rire du bourreau* et *La belle de Bohème*.

Russie

En Russie, sévit *Ivan le Terrible*. Le roman d'Alexis Tolstoï nous dresse de pied en cap un portrait de celui qui fut le plus cruel des tsars, alors que Jeanne Champion creuse sa personnalité et conclut qu'il est résolument *Le Terrible*.

Vladimir Volkoff a composé un diptyque autour de ce personnage. *Les hommes du tsar* est une brillante peinture de ses dernières années (1567-1592) alors que se pointe à la cour un jeune moujik qui deviendra célèbre : Boris Goudounov, tandis que *Les faux tsars* examine la destinée usurpatrice de ce dernier surveillé par un agent du pape Clément VIII qui veut convertir le pays au catholicisme romain.

Un autre point de vue, intense et magique, s'établit d'après le roman magique de Mark Kharitonov : *Les deux Ivan*.

C'est en plein milieu de ce XVIe siècle que se place l'admirable et classique récit de Nicolas Gogol, *Tarass Boulba*, qui exalte, à l'occasion d'un drame familial assez cruel, la primitive et sauvage nature du peuple cosaque, sur un ton véritablement épique.

Enfin une autre série de Fiona Buckley mettant en vedette Ursula Blanchard jeune veuve devenue dame d'honneur de la reine et surtout sa confidente et son espionne *Dans l'ombre de la reine*, *L'affaire du pourpoint* et *Le prix du secret*.

Iberia

Un ensemble de Danièle Belorgey qui comporte déjà deux tomes, *L'orphelin de Salamanque* et *Au nom du roi d'Espagne*, se révèle une chronique très colorée de ce qui se passait en Espagne au milieu de ce siècle.

Deux femmes énigmatiques : la mère de Charles Quint, Jeanne dite la Folle, figure dans le beau roman de Catherine Hermary-Vieille et vit *Un amour fou*, en ses trente ans de jeunesse et de gloire et durant ses quarante-six ans au secret de la prison ; l'autre, c'est la princesse d'Eboli qui perdit son œil droit lors d'un duel et consola le roi Philippe II en sa vieillesse, *La princesse à l'œil de soie* selon Kate O'Brien.

La folie du bâtard de Charles Quint est somptueusement évoquée par *L'Armada : don Juan d'Autriche, ou La carrière d'un ambitieux* de Franz Zeise.

Les débuts du luthéranisme en Castille et l'Inquisition sont le double objet du récit de Miguel Delibes *L'hérétique*, tragique destin d'un homme à la recherche de la vérité.

Le roman le plus significatif sur la péninsule ibérique en ce siècle d'or demeure *La gloire de Don Ramiro* d'Enrique Larreta. En plus de décrire avec minutie le climat intellectuel et moral de l'Espagne de Philippe II, ce roman de 1908, traduit par Rémy de Gourmont et admiré par Marguerite Yourcenar, constitue une vaste épopée de dimensions religieuse et politique où s'exalte avec ferveur la supériorité du métissage sur le préjugé raciste.

Insérons ici le récit de Michel del Castillo : *La religieuse de Madrigal* étonnante histoire d'amour et de mort que souffre la fille naturelle de Don Juan d'Autriche, demi-frère de Philippe II. Condamnée au couvent elle se révolte en courant les foudres de l'Escurial.

Deux autres romans, via le Portugal, mentionnent cette situation où l'Islam mauresque et les Juifs sont présentés. Dans une relation dynamique dont le ton rejoint l'enfer de Dante et la peinture de Bosch, *Le dernier kabbaliste de Lisbonne* de Richard Zimler fait état d'un jeune Juif cherchant à découvrir qui a tué son oncle lors d'un pogrom. Quant à cet autre converti de force au catholicisme, il émigrera aux Pays-Bas, deviendra banquier en France puis à Venise où il cherchera la protection de Soliman pour devenir *Le duc de Naxos* (Georges Nizan).

Le dernier rêve de Soliman, selon Alain Paris, procure une ample évocation, brutale et raffinée, de son règne (1521-1566), alors que Louis Gardel avait raconté en détail *L'aurore des bien-aimés* avant de le qualifier de *Grand-Seigneur*, tandis qu'Isaure de Saint-Pierre le considérait par les yeux de son épouse favorite, Roxelane *La magnifique*.

N'oublions pas que c'est à cette époque, précisément entre 1542 et 1552, que le jésuite François Xavier explore les Indes d'alors et surtout le Japon. Un certain Marc, qui l'accompagne, relate les étapes de cette rencontre entre les spiritualités occidentale et orientale. Ce récit est muni par Jacques Kériguy d'un titre magnifique : *La jonque cathédrale*.

Deux ensembles d'envergure

Revenons en France pour une période qui fut excessivement violente et terriblement intolérante. Il s'agit de ce demi-siècle qui va de 1547 à 1599 avec, comme point suprême, le Massacre de la Saint-Barthélemy en 1572, pour se terminer par l'Édit de Nantes en 1599. Deux romanciers français se sont ingéniés à faire revivre cette époque.

D'abord Alexandre Dumas, avec sa trilogie *La reine Margot*, *La dame de Monsoreau* et *Les quarante-cinq*. Le premier volet se déroule du 18 août 1572 au 30 mai 1574. Une intrigue habile qui mêle les événements historiques et la fiction romanesque, des personnages réels et des héros inventés de toutes pièces nous précipitent en une « histoire » admirablement bien construite où, telle une araignée, Catherine de Médicis tire à elle les fils qui sont autant de cordes pour pendre. La chronique sanglante du massacre occupe une large part de ce volet. *La dame de Monsoreau* est dominé par la figure d'Henri III et de son frère le duc d'Anjou. De février 1578 à septembre 1579, c'est l'histoire de la Ligue et de ses démêlés avec la famille royale. Les mêmes personnages mûris se retrouvent dans *Les quarante-cinq*, ces gentilshommes gascons qui entrent dans Paris le 26 octobre 1585 pour assurer la sécurité du roi Henri III. Ce récit se termine à la mort du duc d'Anjou le 10 juin 1586, avec une finale qui, signée par Victor Hugo, est devenue célèbre. Mais laissons les lecteurs y aller voir eux-mêmes. Précédant cette période, deux autres romans de Dumas : *Le page du duc de Savoie* et *Les deux Diane*, qui couvrent la fin des guerres d'Italie et le règne d'Henri II ; et la complétant, un roman de jeunesse, *Sur Catherine de Médicis*.

Un deuxième ensemble couvrant la même époque est l'œuvre de Robert Merle. Il se compose de sept volumes : *Fortune de France*, *En nos vertes années*, *Paris, ma bonne ville*, *Le prince que voilà*, *La violente amour*, *La pique du jour* et *La volte des vertugadins*. Écrits à la manière des anciennes chroniques, puisant dans le vocabulaire de l'époque les termes les plus savoureux, ces romans donnent une impression d'authenticité qui nous fait oublier qu'il s'agit pour une grande part de fiction. Commencée en plein centre du Périgord au milieu du siècle (1547), cette relation, qui suit de près les faits historiques, fournit un très beau récit, robuste, solide, qui recoupe assez souvent la trilogie de Dumas, mais d'une tout autre façon, et nous conduit jusqu'à la fin du siècle en 1599, alors que Henri IV proclame l'Édit de Nantes, mettant un terme temporaire à cette sanglante lutte entre Catholiques et Huguenots. Le septième volume, *La volte des vertugadins*, raconte les dernières années d'Henri IV (1604-1610). Six autres volumes poursuivent cette « fortune » au XVIIe siècle, dont nous ferons état au chapitre suivant.

Citons enfin, pour mémoire, *Les Pardaillan* de Michel Zévaco. Couvrant à peu près la même période que Dumas dans sa trilogie des guerres de religion et que Robert Merle dans la série « Fortune de France », cet ensemble, paru en dix volumes, de 1902 à 1926, relève plus du roman d'aventures que du roman historique tout en participant de cette allégresse et de cette emphase du feuilleton.

N'oublions pas de citer ici, du prolifique Michel Peyramaure, *Le roman de Catherine de Médicis* et *La conjuration de la reine* durant laquelle agonisante se remémore les cinquante ans de son règne placé sous le signe de l'intrigue. Ce livre est signé d'un descendant, Lorenzo de Médecis.

La Réforme

Retournons en Europe une décennie plus tard et nous constaterons que la violence et l'intolérance sont aussi présentes en Occident. Un épisode religieux appartenant à la Réforme a inspiré différemment, mais avec beaucoup de sympathie et de talent, trois auteurs. Il s'agit de la révolte des anabaptistes de Munster. De 1533 à 1535, ces gens, fuyant l'Inquisition de Charles Quint, investissent cette petite ville de Westphalie qui devient leur Jérusalem. Sous la direction de Jean de Leyde, un jeune homme de 25 ans, ils instaurent une sorte de communisme religieux que l'autorité, tant ecclésiastique qu'impériale, ne pourra tolérer. On retrouve la relation de cet épisode fiévreux dans *Le roi des derniers jours* de Barret-Gurgand, dans *Le diable dans la ville* d'Henri Kubnick et dans *La révolution des saints* de Gabriel d'Aubarède. Plus récemment est paru un gros feuilleton qui participe de la fresque historique, du roman d'espionnage et du « western » européen. *L'œil de Carafa*, d'un quatuor de jeunes écrivains italiens qui signent Luther Blissett, surveille les événements de 1518 à 1545 surtout en Allemagne, en Hollande et en Italie. Cet « œil » est un envoyé spécial du Vatican, mystérieux comploteur qui se heurte à un capitaine anabaptiste aux nombreuses identités. Ce duel à mort traverse ce champ de bataille monstrueux qu'est une guerre de religion.

La Sainte Inquisition en pays basque espagnol, au début du XVIe siècle, est rapportée par un jeune prélat orgueilleux qui va se piéger lui-même par *Le prix de la pureté* du Norvégien Bergljot Hobaek Haff.

Pour ce qui est d'une autre secte, déclarée hérétique dès l'an 1215, *Les Vaudois : récit d'une persécution*, son histoire tragique, qui rebondit en ce siècle, est racontée avec ferveur par François Peyrot. Préludes tragiques aux guerres de religion qui infesteront la France, vingt ans plus tard, *L'exécution de Provence*, le récit horrifiant du massacre d'un village vaudois en 1545, tel que raconté par Patrice Amarger. Massacre qui sert de toile de fond animée au roman de Franz-Olivier Giesbert, *Le sieur Dieu*, un magnifique pamphlet contre l'intolérance. En 1562, *Les gens de Wassy* (Michelle Loi) assistent à l'assassinat des protestants de deux villages sur l'ordre du duc de Guise, événement déclencheur des guerres de religion. La persécution généralisée force les Protestants à s'exiler vers la Floride, que l'amiral de Coligny désigne comme *Le pays du bel espoir*, d'après Michel Peyramaure. Un roman de Frank G. Slaughter intitulé *La divine maîtresse* peut tromper sur son contenu car il s'agit de la science médicale représentée par Michel Servet qui fut brûlé vif à Genève en 1553 sur l'ordre de Calvin.

En 1564, sous l'impulsion de Catherine de Médicis, le jeune Charles IX parcourt la France, accompagné d'une partie de la cour, pour être présenté à son peuple en véritable *Cortège royal* décrit pas Gérard Hubert-Richou.

Terminons ce douloureux trajet à travers la Réforme par un récit très original de Jacques Piétri, *Les hommes de foi*, qui relève de ce que les Anglais nomment « if-fiction. » Et si Érasme et Luther s'étaient rencontrés à Bâle au cours de l'hiver 1529 ? Comme ils ont correspondu à cette époque, le romancier, exauçant un vœu de Stefan Zweig, invente cette rencontre qui joue sur les interstices des événements et procure un dialogue brillant qui traduit l'essentiel de l'enjeu.

À Paris, nous assistons à *Saint-Germain ou la négociation*, mince ouvrage de Francis Walder qui se mérita le prix Goncourt en 1958, chronique à peine romancée de la paix de Saint-Germain entre Catholiques et Protestants en 1570 qui n'évitera pas, deux ans plus tard, la sinistre nuit de la Saint-Barthélemy dont les prodromes sont élaborés à l'occasion d'une enquête signée Eva Prud'homme, *Meurtre à la Saint-Barthélemy*.

Le prolifique Max Gallo, dans une suite romanesque intitulée *La croix de l'Occident*, raconte en un premier volume la victoire de Lépante en 1571 : *Par ce signe tu vaincras*. Le second, le massacre cité plus haut, porte le titre *Paris vaut bien une messe*.

Deux personnages très différents sont évoqués dans *La belle cordière* de E. et J. Steens, qui n'est autre que la poétesse Louise Labé qui vécut quarante années à cette époque, et *Le général des galères* d'Eric Deschodt, qui est une biographie romancée d'Antoine Escalin qui mérita le titre du roman.

« Je me suis imaginé que je me promenais dans Paris au mois de mai 1588 ». Cet extrait d'un article de Prosper Mérimée montre bien son propos empirique : tenter de retisser la trame historique sous la forme objective d'une chronique décantée de toute monumentalité pittoresque, à la Hugo par exemple, pour donner un récit vivant dont la véracité semblerait plus forte.

Tel est le cas de *Chronique du règne de Charles IX* auquel on pourra ajouter une chronique du règne d'Henri III avec *La guerre et l'amour* de Roger Chauviré.

Divers points de vue

Ajoutons pour cette même époque, à travers certains personnages historiques, *Une certaine Diane* de Louis Gabriel-Robinet et *L'homme qui était trop grand* de Claude Farrère et Pierre Benoît, où nous est rapporté l'assassinat du duc de Guise par le héros engagé par les Quarante-Cinq en 1563. *La motte rouge* de Maurice Genevoix est une version revue de son roman *Sanglar* du même nom mérité de son héros cruel par son fanatisme religieux, ce qui n'est pas le cas de celui qu'on peut appeler *Le prisonnier chanceux*, d'après une œuvre de jeunesse du célèbre écrivain Joseph-Arthur de Gobineau.

Arrêtons-nous un instant, à cause de sa carrière cinématographique, à un récit de Natalie Zemon Davis, *Le retour de Martin Guerre*. D'aucuns ont pu croire qu'il s'agissait là d'un roman médiéval sinon moyenâgeux, alors que c'est la relation d'un procès authentique, d'ailleurs évoqué par Montaigne, qui eut lieu à Toulouse en 1560.

Évocations féminines

Dans *L'idole* de Robert Merle, la Rome de l'époque est témoin d'un « culte » profane rendu à une dame silencieuse qu'une vingtaine de personnes détestent ou adulent, tandis qu'à Venise évoluent et conspirent *Francesca* de Solange Fasquelle et *La Nichina* d'Hugues Rebell.

Quant à *La belle de Malte* (Agnès Short), elle habite un drame romanesque situé dans la trame d'un événement réel de 1565, l'attaque de Soliman le Magnifique contre cette grande île méditerranéenne. En écho à cette situation *La prisonnière de Malte* et *Le faucon d'Istanbul* de David Ball. *Séréna* est une jeune catholique amoureuse d'un gentilhomme protestant, capitaine du roi de Navarre (Martine Desèvre).

Le poète Ronsard meurt le 25 décembre 1585. Jeanne Bourin évoque *Les amours blessées* qu'il vécut avec Cassandre, occasion de retours-arrière dans l'inspiration du poème « Quand vous serez bien vieille, au soir à la chandelle ».

Autres témoins de la Renaissance

Après ces quelques dames réelles ou inspirées dont la destinée nous permet de mieux connaître cette époque, retenons quelques hommes, comme celui qu'évoque Frédéric Tristan dans *Les tribulations héroïques de Balthasar Kober*, en un récit d'apprentissage et d'initiation secrète dans l'Allemagne de 1580 en proie aux conflits de religions et aux traditions ésotériques. Ou encore, au temps de la splendeur des Flandres, le personnage de Zénon que Marguerite Yourcenar fait travailler à *L'œuvre au noir*. Superbe roman qui s'établit en une profonde méditation sur la connaissance, en une anxieuse réflexion à propos des structures mentales institutionnelles sur lesquelles repose encore notre société. Ce que désigne le titre de ce récit, c'est, en alchimie, l'ultime phase de dissolution de la matière et donc, symboliquement, le moment crucial où l'individu arrive à se libérer de tous préjugés, à percer les secrets considérés jusque là par le christianisme comme hors de la portée de l'intelligence humaine. L'on constate la profondeur et l'ampleur d'une telle œuvre ou d'un tel œuvre qu'anime cet étrange médecin-philosophe au caractère composite (Paracelse, Servet, Vinci, Campanile) et dont l'exemplaire itinéraire propose un microcosme incarné de l'époque.

Ce sont encore des personnes réelles qu'évoquent d'abord les Grands hommes de science : *Le château des étoiles* de Paul Chatel, où loge l'un des premiers astronomes, Tycho Brahé, qui vécut de 1546 à 1601, aussi surnommé *Le Seigneur d'Uranie* selon la chronique de Christian Combaz, *Tycho Brahé, L'homme au nez d'or*, en sous-titre à l'épopée scientifique d'Henriette Chardak. *Les rêveurs du ciel :* qui comprend aussi *Johannes Kepler le visionnaire de Prague* dans une série de Jean-Pierre Luminet *Les bâtisseurs du ciel* qui comporte trois titres à ce jour : *Le secret de Copernic*, *La discorde céleste* et *L'œil de Galilée*.

Le maître de Garamond, en sous-titre « Antoine Augereau, graveur, imprimeur, éditeur, libraire, » qui fréquenta Érasme, Rabelais et Villon et que biographie romanesquement Anne Cuneo ; *Le chirurgien du Roi : Ambroise Paré*, raconté par Gérard Hubert-Richou ; *Le témoin de poussière* (Michel Breitman), qui relate la vie dramatique et violente du compositeur

Carlo Gesualdo; *Le Scorpion* de Ferrare, surnom mérité sous lequel Christiane Gil fait revivre le poète italien Le Tasse (1544 à 1595); *Le testament du Titien* que deux jeunes étudiants rencontrent à Venise en l'été 1576 alors qu'il agonise (Eva Prud'homme); *Le séjour des dieux* de Gilles Hertzog, empruntant la voix de Vasari pour évoquer l'intense rivalité opposant Le Titien à Michel-Ange; ou encore Jérôme Cardan, célèbre philosophe mathématicien et médecin qui vécut de 1501 à 1576 et qui devient, pour Alexandre Arnoux, *Le seigneur de l'heure*; sans oublier un autre personnage très connu que ressuscite avec beaucoup de chaleur et de pittoresque Léon Daudet dans *Le voyage de Shakespeare*. Truculent, succulent et virulent, c'est tout l'univers de Shakespeare qui est recréé sous nos yeux en une espèce de récit qui participe de la reconstitution historique et forme un immense ex-voto à la gloire du grand dramaturge où tous les personnages enfantés par son génie se retrouvent dans un récit haut en couleurs et au style à l'emporte-pièce. Il s'adresse aux lecteurs adultes qui ont lu le grand Will, mais aussi aux autres qui y trouveront le goût de le lire. Et, pour une facette moins connue du génial écrivain, Anne Cuneo nous offre *Objets de splendeur : Mr. Shakespeare amoureux*.

Enfin, parcourant les mers ainsi que l'indique le titre, *La croix du sud* (Christian Mégret), la biographie romancée d'un personnage qui vécut un véritable roman tel qu'aucun romancier n'aurait pu l'inventer, combattant les barbaresques en Afrique, escortant la fiancée du dauphin, Marie Stuart, d'Écosse en France, envoyé au Brésil par l'amiral de Coligny et fondant, dans la baie de Rio, une colonie dont il sera le chef avant de devenir grand prieur de l'Ordre de Malte. Comme on le voit, le sujet était tout trouvé d'avance.

Citons ici le fameux Michel de Notre-Dame (1503-1566), mieux connu sous le nom de *Nostradamus*, dont la biographie romanesque est l'œuvre de l'Allemand Knut Boeser. Sur un ton plus léger, il est désigné par Judith Merkle Riley comme *Le maître des désirs*, *Nostradamus et le dragon de Raphaël* de Jean d'Aillon. Mais un véritable traitement de faveur lui est accordé en une chronique de plus de mille pages qui se répartit en trois tomes sous le titre générique *Le roman de Nostradamus* (*Le présage*, *Le piège*, *Le précipice*), œuvre du feuilletonniste italien Valerio Evangelisti.

Quand le roman rivalise avec l'Histoire

On ne peut conclure ce panorama des romans inspirés par le XVIe siècle sans dire un mot de Maurice Maindron (1857-1911). Entomologiste doublé d'un archéologue, spécialisé surtout dans ce fameux siècle dont il connaissait les mœurs, les armures, les costumes et tous les détails, il composa quelques romans qu'on pourrait qualifier de parnassiens, entre autres *Le tournoi de*

Vauplassans, couronné par l'Académie française, et surtout *Saint-Cendre*, suivi de *Monsieur de Clérambon* dont les minces intrigues en forme de chroniques se révèlent de parfaits tableaux d'époque. On pourrait presque dire la même chose d'un roman de Françoise d'Eaubonne, intitulé *Comme un vol de gerfauts*, qui met en scène un aventurier anglais qui fondera un empire du côté des Indes. Une histoire de sorcellerie intitulée *La licorne et la salamandre*, de Jacques Lovichi, ajouterait un condiment nécessaire à cette période.

Le bon roi Henri

Entre le XVIe et le XVIIe siècles, un personnage sert de transition. Il s'agit du roi Henri IV que le frère de Thomas Mann, Heinrich, a tenté de faire revivre comme « champion éternel de l'idéal », selon l'expression de Lukács. Voilà donc *Le roman d'Henri IV* en trois volets (*La jeunesse du roi*, *Le métier de roi*, *Le guerrier pacifique*), récit monumental de 1500 pages qui rapporte, de 1553 à 1610, toute l'existence de ce roi célèbre.

Michel Peyramaure a publié, lui aussi, une grande biographie romanesque dont les trois volumes ont pour titres : *L'enfant roi de Navarre*, *Ralliez-vous à mon panache blanc* et *Les amours, les passions et la gloire*.

À côté de ce monument qui est plus important au point de vue littéraire qu'au point de vue historique, dure loi d'un genre écartelé, on aurait tort de sous-estimer *La jeunesse du roi Henri* du rocambolesque Ponson du Terrail, qui fournit des pages tout à fait dignes d'Alexandre Dumas, de même qu'*Échec au roi* de Fernand Fleuret, qui raconte surtout son assassinat par Ravaillac.

Par ailleurs, le brillant dialoguiste au théâtre qu'est Jean-Claude Brisville a composé un roman rempli de propos familiers du Roi, qu'il intitule *Vive Henri IV*.

Janine Garrisson a publié trois romans : *Meurtres à la cour de Henri IV*, qui insiste sur l'Édit de Nantes, *Par l'inconstance des mauvais anges*, sur fond de sorcellerie à la fin du règne, et *Ravaillac, le fou de Dieu*, qui imagine l'itinéraire mental du régicide.

L'assassin est-il le seul coupable ? Est-ce le fruit d'un complot ? Qui aurait commandité le crime ? C'est à ces questions que répond *Le voleur de vent* de Frédéric H. Fajardie.

On sait désormais que le Vert Galant s'était assagi à sa maturité et, par delà les maîtresses répudiées, régnait presque *Gabrielle D'Estrée ou la passion du roi* dont Jean Castarède nous restitue le portrait que Mireille Lesage nous présente comme *Bel Ange*, et dont Alain Germain raconte le décès par *Le saut de la mort*. Cependant il faut tenir compte de *La dernière passion*, sous-titrée « Henri IV et Charlotte de Montmorency » dont Massin nous raconte la dernière flambée.

La ligne pourpre est l'interprétation romancée du célèbre tableau du Louvre « Gabrielle d'Estrée et l'une de ses soeurs. » par un universitaire allemand, Wolfram Fleishhauer qui en profite pour relater la vie et la destinée de ces deux dames.

Autre personnage œuvrant sous ce règne, le baron de Pornic, surnommé *Cuirasse d'écume* (Armel de Wismes), mène la vie dure aux marins espagnols alliés des Ligueurs.

Trois femmes : l'une identifiée comme *La dame de Nancy* par François Martaine qui évoque aussi la vie paysanne en cette fin de siècle avec *Les pommes noires* ; la deuxième, moins aristocratique, *Margot la roussine* de Xavier Snocek qui sous-titre « amours et aventures au temps d'Henry IV » ; quant à la troisième, c'est le fantôme de la papesse Jeanne, invoqué par *Le manuscrit d'Anastase* de Claude Pasteur pour narguer les catholiques aux prises avec les Huguenots lors des huit guerres de religion (1562-1598).

C'est vraiment *La querelle de Dieu* et *La saison du bourreau* que décrit bien Charles Le Quintrec dans ses romans épiques hauts en couleurs et douleurs et qui produisent de dures et difficiles situations amoureuses, ainsi qu'il est raconté dans le beau roman de Viviane Dumont, *Noirfontaine*, ou de diplomatiques collusions comme sur *Le trajet d'une rivière* qu'Anne Cuneo fait remonter à son héros, un musicien qui fut un intermédiaire efficace entre Londres, Paris et Rome.

Pour terminer ce XVIe siècle, citons une série de trois romans qui le parcourent depuis François Ier jusqu'à Henri IV, à travers une famille française, Les Puy-du-fou, et qui comporte trois personnages principaux fournissant les titres de la trilogie de Ménie Grégoire : *La dame du Puy-du-fou*, *Le petit roi du Poitou* et *La magicienne*.

LE XVIIe SIÈCLE

« Où les politiques sont d'accord que, si les peuples étaient trop à leur aise, il serait impossible de les contenir dans les règles de leur devoir... » Cette sentence tirée du testament politique du cardinal de Richelieu peut servir d'exergue à un siècle qui peu à peu implantera la monarchie absolue tant en France que partout ailleurs en Europe et au loin.

Pittoresques et tragiques

Un récit d'atmosphère en forme de portraits, *Les personnages* de Françoise Mallet-Joris, fournit un multiple seuil à ce début du règne de Louis XIII. Deux écrivains de cette époque concrétisent ces « personnages ». D'abord Agrippa d'Aubigné que nous retrouvons dans un récit épico-satirique, *Le bouc du désert* de Jean-Pierre Chabrol qui, à l'instar des « Vies des hommes illustres » mais avec beaucoup de santé et d'alacrité, fait revivre le poète, soudard à ses heures ; ensuite, en un style lyrique, donc plus tendre et même précieux, le célèbre à l'époque mais très oublié aujourd'hui, Honoré d'Urfé dont le profil se retrouve auprès de *La dame de Chateaumorand* d'Evelyne Deher.

Citons ici une trilogie romanesque, *Secret d'État* de Juliette Benzoni, dont le premier volet, *La chambre de la reine*, se situe sous le règne d'Henri IV, et les deux autres, *Le roi des Halles* et *Le prisonnier masqué*, sous Louis XIII. Tout y est vu et raconté par un témoin involontaire, une enfant de quinze ans qui grandira au fil des pages et des années.

Du côté de la province, précisément de la Provence, se présente la saga des Arguial en trois épisodes : *La béate de la tour*, *Les quatre saisons de Colin* et *Anne de Lubéron* par Nicole Descours.

Rappelons qu'à Rome, le 10 février 1600, *Giordano Bruno, le volcan de Venise*, est brûlé publiquement pour avoir écrit des ouvrages non conformes à la religion. Yvonne Caroutch avait écrit une vie romancée de ce savant dont les thèses ésotériques furent condamnées officiellement. Existence tumultueuse dont l'écrivain retrace le paysage et le climat avec intérêt.

Deux autres ont laissé s'exprimer Bruno dans des « mémoires » rédigés en prison. Il s'agit de *L'homme incendié* de Serge Filippini et de la seule œuvre de fiction d'Eugen Drewermann, *Le testament d'un hérétique.* Choisissant la forme romanesque des mémoires apocryphes, l'auteur qui a tous les talents (y compris celui de vulgariser de cette manière) raconte, du 26 au 31 décembre 1599, les derniers jours de Bruno. Collant le plus possible à la réalité historique du XVIe siècle, ce texte n'en est pas moins très contemporain, vu les problèmes et questions éternels qu'il véhicule. Ouvrage polémique où s'identifient Eugen Bruno et Giordano Drewermann.

Dix ans plus tard, mourait *Un nommé Cervantès*, excellente reconstitution sous forme de biographie imaginaire de toute cette époque et, référence oblige, constat tragique et comique du déclin de la chevalerie. Ce récit classique de Bruno Frank a été fort loué par Georges Lukács.

On retrouve l'auteur de « Don Quichotte » chez deux dames : *Le journal de la Duchesse*, grâce à Robin Chapman, nous dévoile un modèle involontaire du roman, tandis que Dominique Schneidre nous le fait vivre en un récit lyrique fort bien encastré dans l'Histoire, *La capitane.*

Par *La chevauchée du Flamand*, Jean Diwo nous fait suivre le grand peintre Rubens qui avait une passion pour l'espionnage et un vrai tempérament de séducteur.

Séquences

Six romans de la série *Fortune de France* de Robert Merle racontent trois périodes au début du XVIIe siècle. *L'Enfant-roi*, c'est Louis XIII âgé de neuf ans qui succède à Henri IV sous l'avide Concini qui « régente » Marie de Médicis jusqu'à sa disparition brutale le 24 avril 1617. Délivré de ce joug, le jeune roi de 16 ans peut cueillir *Les roses de la vie*, parfois roncées et huguenotes, parfois douces-amères comme Anne d'Autriche et cela jusqu'en 1624, alors qu'apparaît le cardinal de Richelieu et que commence le duo-duel qu'expriment bien les titres des quatre derniers volumes de la série, *Le lys et la pourpre*, *La gloire et les périls*, *Complots et cabales* et *Le glaive et les amours.*

Le siège de La Rochelle, qui figure au centre du onzième tome, se retrouve aussi chez Hubert Monteilhet qui rectifie les portraits vivants de Louis XIII et de Richelieu en une fresque grouillante du Paris de l'époque. L'iconoclaste ironique l'a composée *De plume et d'épée.*

Une trilogie où érotisme et ésotérisme s'entrelacent en filigrane dans une narration savante, tant pour le souci documentaire que pour les références littéraires et artistiques, voilà comment peut se présenter *Duchesse de la nuit* de Guy Rachet dont les trois parties s'intitulent *Le sceau de Satan*, *Le lion du Nord*, *Les chemins de l'aurore* et s'organisent dans le cadre de la guerre de Trente Ans, précisément en 1630.

Même époque pour ce cycle très romanesque de Mireille Lesage commencé sur *Les ailes du matin* vers *Les noces de Lyon* et continué par *Les chemins de l'espérance* atteignant *Les feux du crépuscule*, et pour ces deux romans de Michel Zévaco : *Le capitan*, suivi de *L'héroïne*, dont la trame feuilletonnesque s'épanouit entre 1616 et 1626.

Faut-il brûler la Galigaï ? rappelle la figure hystérique de l'épouse de l'intrigant Concini qui fut exécutée trois mois après la mort de celui-ci, cité plus haut. Récit tonitruant et flamboyant de Pierre Combescot.

À l'occasion d'une idylle tourbillonnante, un tableau assez rigoureux des années 1624-1626 s'élabore *Dans les jardins du roi* d'après Mireille Médail.

Par monts et par vaux, avant de pénétrer dans les intrigues royales de Paris, erre sur les routes avec ses comédiens *Le capitaine Fracasse* (Théophile Gautier), série d'estampes habilement coloriées autour de personnages typiques et amusants, tandis que s'agite *Le branle des voleurs* que poursuivent *Les compagnons de la Marjolaine* de Robert Massin, étonnant documentaire sur la vie du petit peuple de Paris.

Dans sa province profonde, un paysan sage et narquois, *Colas Breugnon* (Romain Rolland), narre ce qu'il ressent au fond de sa campagne en une chronique poétique et allègre où le pittoresque du langage fait ressortir la sagesse du personnage.

Michel Suffran a relaté dans *La nuit de Dieu* un épisode de la fameuse affaire des religieuses de Loudun (1634) autour de la figure du Père Surin.

Mousquetaires

Toujours sous Louis XIII et donc Richelieu, en attendant le Roi-Soleil qui n'apparaîtra comme tel qu'en 1643, voici le romancier-soleil de l'époque, Alexandre Dumas qui, par sa trilogie célèbre, couvre les années 1625 à 1673. *Les trois mousquetaires* inaugurent cette série d'aventures à la fois vraisemblables et improbables dont le développement imaginaire est sans cesse soutenu par un enveloppement documentaire, ce qui fournit un récit solidement construit grâce à une amplification subtilement orchestrée par l'art d'imbriquer des événements et de tisser les intrigues.

On n'insultera pas le lecteur en lui racontant le roman dont Henri Clouard nous montre les données réelles dans la biographie qu'il a écrite sur l'auteur (pp. 255 et suivantes), relayé par Gilles Nélod dans son *Panorama du roman historique* (pp. 103 et suivantes). *Vingt ans après*, en 1648, se poursuivent les exploits de D'Artagnan et de ses compères en pleine Fronde, à l'époque de Mazarin. L'intérêt ne faiblit pas un moment dans cette prodigieuse entreprise dont nous connaissons désormais les quatre amis liés par le sang et par l'idéal « Tous pour un, un pour tous ».

Et « Dix ans plus tard » (c'est le sous-titre de *Le vicomte de Bragelonne* dont l'intrigue touffue se déroule de 1660 à 1673), nous les retrouverons, gris et vieillis, mais combien encore émouvants et toujours vivants. Au-delà de cette immense peinture de l'époque en laquelle s'est mué le roman, au-delà de l'énigme du Masque de Fer qui lui sert de contrepoint, ce qui retient dans ce dernier volet et dans l'ensemble de la fresque, c'est la continuité, cet art qu'a eu Dumas de faire lentement vieillir ses héros, cet art avec lequel il réussit à nous faire vivre avec eux et à nous émouvoir vraiment quand il les fait mourir l'un après l'autre selon la loi du temps qui passe, atteignant ainsi paradoxalement la sensible mélancolie qui nous habite dans « Le temps retrouvé » de Marcel Proust.

Il est intéressant de citer ici *Le Sphinx rouge*, écrit beaucoup plus tard, qui demeure un étonnant portrait du cardinal Richelieu et s'insère très bien dans l'époque des *Trois mousquetaires*, en 1628. Également dans l'ombre, s'agite *Le vicaire du diable*, l'homme à tout faire du cardinal, dont les « mémoires » fournissent une version féroce de ses faits et gestes, un véritable roman noir de Pierre Lamy.

Dans le sillage de Dumas, père

La fortune d'Alexandre Dumas a suscité beaucoup d'émules, d'imitateurs qui souvent ont fabriqué d'excellents pastiches sinon des parodies.

Roger Nimier a situé en 1643 un pastiche ironique qui s'intitule éloquemment *D'Artagnan amoureux ou Cinq ans avant*. Il s'agit d'un aparté sentimental entre D'Artagnan qui, à cette époque, a trente-cinq ans, et la future marquise de Sévigné qui en a dix-sept. Et tout ceci se passe cinq ans avant *Vingt ans après*.

À la fin du dernier volume de la trilogie, Dumas écrit : « Des quatre vaillants hommes dont nous venons de raconter l'histoire, il ne restait qu'un corps, Dieu avait repris les âmes ». Le « corps » encore vivant, c'est celui d'Aramis, le plus raffiné, le plus secret des quatre mousquetaires. Jean Pierre Dufreigne lui prête sa plume afin que nous connaissions enfin *Le dernier amour d'Aramis.*

Grâce à un pittoresque récit : *Les mémoires de Porthos* où le bon géant livre son cœur, on apprend beaucoup de choses sur les autres mousquetaires, où non sans humour mais sans pitié, d'Artagnan est traité d'arriviste, Athos trop rigoureux et Aramis d'indécrottable faux-cul. À ce récit de Yann de l'Ecotais, ajoutons *Le cousin de Porthos* de Jean-Luc Déjean, engagé dans une mission délicate par le cardinal de Richelieu, les mousquetaires étant par ailleurs occupés à sauvegarder la réputation de la reine de France courtisée par le duc de Buckingham.

Citons rapidement un laborieux pastiche, avec chute culottée, d'Olivier Seigneur : *Les ferrets sont éternels.*

Ajoutons quelques imitateurs dans la personne de George Sand, *Les beaux messieurs de Bois-Doré*, d'Arthur Bernède dans *L'homme au masque de fer*, et enfin de son émule, Amédée Achard qui, avec *Belle-Rose* et ses suites, par *Les coups d'épée de Monsieur de la Guerche* et ses conséquences *Envers et contre tous*, n'est pas trop indigne de son illustre maître.

Rappelons, dans la même séquence, deux hommages curieux : un roman d'espionnage de Pierre Nord, *Un vrai secret d'État*, qui transpose *Les Trois mousquetaires* pendant la dernière guerre, et de Voldemar Lestienne, un gros roman, *Furioso*, suivi de *Fracasso* qui pourrait s'intituler « Les Trois mousquetaires deux siècles après » puisque c'est en 1940 que trois oiseaux rares, auxquels s'en ajoute un quatrième pour le bon compte, se lancent dans des aventures que D'Artagnan n'eut point dédaignées. Le revolver remplace l'épée, l'uniforme déguise la cape, mais le rythme y est.

Terminons avec le livre d'Olivier Merlin, *Milady*, qui fournit un portrait un peu retouché de cette élégante personne qui en fit voir de toutes les couleurs à D'Artagnan et à ses amis. Et n'oublions pas un « roman carcéral » d'Hubert Monteillhet qui fournit une version inédite du mystère du Masque de fer dans *Au royaume des ombres* auquel on peut ajouter *Le dernier secret de Richelieu*, de Jean d'Aillon.

À la même époque, *Le cavalier bleu* d'Henry Montaigu cavalcade en un étrange roman entrecoupé de poèmes lyriques et d'interventions ironiques de l'auteur, tout en parcourant un épisode obscur du règne de Louis XIII qui se métamorphose en fantaisie ésotérique que scandent les coups d'épée et les incantations magiques.

On citera rapidement *Trousse-Chemise* et ses suites, *Lady Anna* et *Anna chérie*, de Pierre Viallet, pour insister sur un des chefs-d'œuvre littéraires de la formule, *Cinq-Mars* d'Alfred de Vigny. Sans avoir le rythme des romans cités auparavant, cette œuvre où se devine le ressentiment de l'auteur de « Servitude et grandeur militaires », interprétant l'histoire selon ses vues et noircissant le cardinal de Richelieu en racontant la conjuration qui eut lieu en 1639, demeure une singulière évocation de la noblesse contre la raison d'État.

L'année précédente mourait celui qu'on a appelé l'Éminence grise, le Père Joseph, capucin qui servit Richelieu en ses débuts. Le roman de Bruno Racine *Terre de promission* est le récit rétrospectif de sa destinée.

En ces années 1642-1645, une série de romans de Jean d'Aillon commentent les conspirations tant de Cinq-Mars, que de la duchesse de Rambouillet et des Rohan, en détaillant l'époque avec une minutie déconcertante. Dans l'ordre : *Le Mystère de la Chambre bleue, La conjuration des Importants, La conjecture de Fermat, L'exécuteur de haute justice, L'énigme du clos Mazarin* et *L'enlèvement de Louis XIV.*

Mentionnons encore trois personnages rebelles qui conspirèrent sous Richelieu et les rois. *Le journal intime de la duchesse de Chevreuse*, transcrit par Stéphane Jourat, est éloquent à ce sujet. Confidente d'Anne d'Autriche, de faveurs en disgrâces, de scandales en exils, elle est véritablement une « mousquetaire ». *La gloire est un éclat de verre*, c'est la phrase et même la sentence que Pierre Lepère met dans la bouche du surintendant Nicolas Fouquet lors de son arrestation et séquestration en 1661. Ministre trop puissant, il avait rendu jaloux le monarque par les fastes dont témoigne encore le domaine de Vaux-le-Vicomte. Une correspondance secrète avec Madame de Sévigné atteste qu'ils furent bien *Les amants de la nuit* ainsi que l'insinue Sylvie Dervin, ce dont pourraient témoigner *Journal et mémoires de Dumas de Listière, valet de la marquise de Sévigné (1653-1683)* transcrits par l'érudit François Bluche.

On sait que la marquise écrivit à sa fille, Madame de Grignan, deux lettres hebdomadaires durant près de vingt-cinq ans (février 1671 à décembre 1695). Il ne reste aucune trace des réponses qui furent détruites et que Françoise Hamel imagine et reconstitue en un fort volume intitulé *Ma chère mère...*

Le cousin de la marquise, le comte de Bussy-Rabutin, est navré et même furieux des *Ragots* que propage Serge Bramly à propos de sa fille, jeune veuve, et d'un chevalier qui la séduit, si bien qu'il le poursuit en procès, ce qui fait scandale dans le tout-Paris de 1684.

Par ailleurs, Tanja Kinkel a explicité par *Les ombres de La Rochelle* un complot ourdi par la volonté d'Anne d'Autriche, son ennemie mortelle, visant un point faible du Cardinal, sa nièce, la duchesse d'Aiguillon.

Ajoutons quatre autres héros (quatre comme les mousquetaires), un Hollandais, un Français, un Allemand et un Espagnol, quatre amis qui se prétendent *Les cavaliers de la paix* tout au long de la Guerre de Trente Ans, surtout entre 1634 et 1648, ce dont Aymeric de Dampierre rend compte.

Italie, Suisse et Allemagne

Quittons momentanément la France pour l'Italie où nous rencontrons *Les fiancés* d'Alessandro Manzoni. Dans la ligne de Walter Scott mais avec plus d'humanité et, osons le dire, de sentimentalité sans mélodrame, l'auteur nous décrit, dans une intrigue entremêlée, la tendresse de deux jeunes villageois pendant les horreurs de la peste de Milan en 1630.

Peu auparavant, en 1618, avait lieu une manœuvre de l'Espagne contre *L'or de Venise* qu'a très bien racontée Evelyne Deher.

Cependant qu'en 1640, une révolte populaire à Naples devient *La danse des ardents* décrite par Jean Noël Schifano.

Non loin de là, *Révolte dans la montagne* de Conrad Ferdinand Meyer narre de façon épique l'indépendance de la Suisse acquise malgré la convoitise de la France et de l'Espagne à son endroit.

En Allemagne, vivait à cette époque le grand *Képler* qui devait mourir en 1630 et dont John Banville s'est fait l'historiographe visionnaire (à quand, en traduction, ses romans sur Copernic et Newton ?) En 1634, est assassiné pour haute trahison le noble tchèque *Wallenstein* qu'Alfred Döblin a exalté en un roman superbe.

Transcendant la réalité connue (exotérique), *Ouroboros* de Marc Petit est un roman de haute culture traitant de l'Allemagne baroque au XVIIᵉ siècle à partir de quelques personnages plus ou moins frottés d'ésotérisme. Une fresque picaresque où, plutôt que des héros réels prononçant des discours fictifs, défilent des protagonistes inventés prononçant des paroles authentiques.

Le Roi Soleil

En trois tomes généreux, Jean-Pierre Dufreigne, en un style vivant plein d'alacrité et d'humour fait revivre la figure de celui qui eut la plus longue vie et le plus long règne parmi les quarante rois de France. Après *Le lever du soleil*, s'établissent *Les passions et la gloire*, qui préparent *Du temps où j'étais roi*. C'est Louis XIV dans sa splendeur que Max Gallo, à son tour, nous présente dans son diptyque : *Le Roi Soleil* et *L'Hiver du grand Roi*.

Le 5 septembre 1638, nous assistons à la naissance de *Petit Louis, dit XIV* que Claude Duneton raconte dans la langue populaire de l'époque avec beaucoup de gaillardise, de pittoresque et de véracité.

Durant la Régence d'Anne d'Autriche, c'est le cardinal Mazarin qui gouverne un pays dont le roi n'a que cinq ans en 1643. *Pour l'amour de Mazarin* d'Anne-Marie Mauduit raconte un complot contre le personnage qui présage déjà la Fronde.

De façon plus romanesque où l'histoire ne sert que de décor, *Béatrix ou la nuit des cavaliers* de Viviane Sorrente raconte les débuts de la Fronde en 1648 sous Mazarin. *L'alcôve du cardinal* n'a plus de secrets pour personne grâce à Sylvio son jeune écuyer et à Alfred Hart, l'auteur de ce récit. Mais le roman le plus détaillé sur la Fronde appartient à un regroupement bigarré de seigneurs et de voyous, *Les foulards rouges*, que poursuit pour nous Frédéric H. Fajardie. Après cette escarmouche, Mazarin est saisi d'un secret concernant le roi et il confie l'enquête à ceux que l'on appelle *Les cavaliers de Belle-Ile* où se retrouve la verve d'Hubert Monteilhet.

Quant à Mireille Lesage, elle poursuit ses affabulations avec la fille de l'héroïne de *Les ailes du matin* par *Le vent se lève* et *Les amours masquées* où nous rencontrons le jeune roi à la veille de son mariage avec Marie-Thérèse d'Autriche.

Ne quittons pas le grand roi sans rendre compte de cet étonnant texte de François Bluche, *Le journal secret de Louis XIV*. Comment démêler le vrai du vraisemblable en ce texte apocryphe mais tellement bien organisé par un érudit talentueux et familier du personnage ? Ces confidences « sincères » recouvrent les années 1661 à 1715. N'oublions pas cette étonnante reconstitution de Philippe Beaussant, *Le Roi-Soleil se lève aussi*, qui raconte une journée, de sept heures du matin à minuit, tout un spectacle.

1661 est aussi le millésime et le titre d'un roman, vanté par Alain Decaux, qui raconte le duel Colbert-Fouquet pour prendre la place de Mazarin mourant. Œuvre conjointe d'Yves Ségo et Denis Lépée.

Figures de femmes...

La belle Provençale de Jean Héritier s'inspire de la mort tragique de la marquise de Ganges.

Aimée du roi, c'est ce que fut Madame de Montespan qui base ses « mémoires » sur cette affirmation telle que reprise par Catherine Decours

L'Allée du roi de Françoise Chanderngor, le long de laquelle s'étalent au fil des jours les mémoires apocryphes de madame de Maintenon, dont la destinée montante est très bien décrite par *Les bals de Versailles* selon Michel Peyramaure.

Marion de Lorme, épouse secrète de Cinq-Mars et future inspiratrice de Victor Hugo qui revit « telle qu'elle fut du moins en toute vraisemblance » grâce à la plume impertinente de Colette Piat.

La duchesse aux beaux yeux qui dira en mourant au Grand Condé : « Mon frère, je n'ai aimé que vous » après avoir parcouru une vie libertine où apparurent La Rochefoucauld et Turenne. Evelyne Deher en a fait un récit agréable et vivant.

La propre épouse du vainqueur de Rocroi, Claire Clémence, princesse aurait écrit ses mémoires par l'intermédiaire de l'historien Jean Christian Petitfils sous le titre apaisé de *La Transparence de l'aube.*

La dentellière d'Alençon permet à Janine Montupet de raconter la lutte entre catholiques et huguenots vue par une orpheline, tout en décrivant par le menu un métier ancien et le lieu où il s'exerce.

La marquise des ombres ou La vie de Marie-Madeleine d'Auvray, marquise de Brinvilliers de Catherine Hermary-Vieille qui rapporte les intrigues, mortelles parce qu'empoisonnées, de cette haute dame qui ne dédaignait pas de pratiquer la magie. Non plus que celle que Françoise Hamel surnomme « La Voisin, la serial killer du Grand Siècle, » en sous-titre à son roman *La reine des ténèbres*.

La même écrivaine trace un portrait truculent et subtil de la belle-sœur du Roi, épouse de Monsieur son frère, avec *Fille de France* et *Madame écrit.*

Mademoiselle, duchesse de Montpensier écrit ses « mémoires » grâce à Jacqueline Duchêne. Petite-fille d'Henri IV, la plus riche princesse d'Europe, selon Saint-Simon, fut mal aimée de Lauzun et subit les foudres de Louis XIV.

Hors France aristocratique, signalons, à la même époque, une évocation par Pierre Moustiers de l'épouse de Rembrandt, *Saskia*, qui mourut jeune et le laissa veuf. Privé de modèle, il fit poser sa servante, ce qui scandalisa beaucoup si l'on se fie à l'autobiographie transcrite par Sylvie Matton dont l'intitulé augure du contenu : *Moi, la putain de Rembrandt* qui permet de fréquenter le grand peintre dans son intimité de 1649 à 1663.

Autour des « classiques »

Une « confession » de Madeleine Béjart s'adressant à Molière, publiée dans une collection dénommée « Histoire romanesque », fournit à Nicole Aronson *Le ballet des incompatibles*. Cependant que *La dame de Vaugirard*, révélée par Jacqueline Duchêne, n'est autre que « la princesse de Clèves » elle-même révélée par Madame de La Fayette.

L'enfant de Port-Royal a pour sous-titre « le roman de Jean Racine » et pour auteur Rose Vincent.

Gérard Montassier, par *Les premiers feux du plaisir*, ressuscite les « grands » de l'époque sous Condé et Mazarin. On y observe surtout le cardinal de Retz à l'affût, lequel se retrouve un peu plus tard comme *Le lion devenu vieux* d'après Jean Schlumberger.

Deux « mémoires » qui, bien qu'apocryphes, dépeignent fidèlement les tentatives culturelles du Roi. Celles du grand architecte paysager André Lenôtre par *Le jardin des cinq plaisirs* qu'énumère Arnaud de Fayet, et celles, beaucoup moins sages, car truffées d'aventures homosexuelles, du musicien Lully, qui signe simplement *Baptiste* et que raconte Vincent Borel.

Frédéric Serror a romancé certains épisodes de la vie des philosophes de ce siècle avec *L'échelle de Monsieur Descartes*, *Mystère Pascal* et *Les hommes de Galilée* qui traite de Peiresc et de Gassendi. Un autre auteur américain, Amil Aczel, journaliste scientifique nous révèle *Le carnet secret de Descartes*. Pour l'historien, Vincent Jullien, *Les ombres de la Place Royale* ce sont, en plus de l'auteur du « Discours de la méthode », Pascal, les Jésuites et les messieurs de Port-Royal.

Toujours en ce siècle fertile en complots de toutes sortes, en voici trois : *Latréaumont* d'Eugène Sue qui fournira un nom à Isidore Ducasse, *Rohan contre le roi* de Pierre Lafue et, dans une veine plus populaire, *La guerre en sabots* de Gérard Boutet.

Poursuivons, par monts et par vaux, hors Paris et les grandes villes. Nous y rencontrons les « croquants » écrasés d'impôts et d'humiliations dans *Sel rouge* de Roger Béteille et *Les nu-pieds* normands dont le roi veut quadrupler le prix de la gabelle, selon Luc Willette. Un épisode du même genre dans le Sud-Ouest de 1643 est raconté par Janine Garrisson dans

Le comte et le manant. La palme revient à Michel Peyramaure qui narre avec pittoresque cette « révolte des croquants » appelés aussi *Les chiens sauvages.*

L'Angleterre

Explorons d'abord l'intérieur de l'homme avec *Le journal d'Harvey.* Par un romancier médecin et homme de science, le journal intime imaginaire d'un grand médecin anglais du début du XVIIᵉ siècle qui découvrit la circulation du sang et eut Charles Iᵉʳ pour patient. Dans une postface, l'auteur, Jean Hamburger, déclare avoir apporté le plus de rigueur possible au récit des événements et ne s'être permis quelque liberté que pour les circonstances demeurées totalement dans l'ombre (cf. p. 281). De nombreuses pages évoquent avec finesse les événements politiques, intellectuels et artistiques du XVIIᵉ siècle.

Sous Jacques Stuart, mort en 1625, un récit d'Arthur Conan Doyle, *Micah Clarke*, qui demeure un roman patriotique dans le sillage de ceux de Walter Scott. Ici se situe un épisode de l'histoire irlandaise sous Cromwell en 1641 quand les catholiques en sont réduits à *La quête de Belle-Terre* de Walter Macken.

Dramatique à souhait, Frédéric Soulié nous présente *Les deux cadavres* dont l'un n'est autre que Charles Iᵉʳ qui perdit la tête en 1649.

Un peu auparavant, *Thomasine* de Pamela Belle nous promène dans la campagne anglaise au temps des luttes entre le roi et le Parlement qui devait l'emporter.

Le *Journal de l'année de la peste* de Daniel Defoe peut être considéré comme un ancêtre de la formule du reportage actuel. Cru et réaliste, l'auteur de « Robinson Crusoé » rapporte les faits douloureux et tragiques de ce fléau de 1666. Comme il n'avait que six ans à l'époque, on admire d'autant plus l'effet véridique de la relation basée sur des témoignages et des archives et narrée à la première personne. On retrouve cet épisode et bien d'autres dans le feuilleton de John Evans *Les enfants de la soie*, ainsi que dans le roman fatidique de Geraldine Brooks qui en porte la date : *1666.*

Élizabeth Goudge, dans un roman très attachant et très agréable à lire, *L'enfant venue de la mer*, esquisse le portrait de Lucy Walter qui devint la première favorite de Charles II d'Angleterre. On ne peut que citer ici, pour son succès de scandale, le volumineux récit de Kathleen Winsor, *Ambre*, qui célèbre une courtisane au grand cœur qui devait servir de modèle à une foule de romanciers ou de romancières pour détailler les « dessous » de l'histoire. Par ailleurs, *Le général du roi* de Daphné Du Maurier reconstitue les préliminaires guerriers de la Restauration anglaise de 1660 avec Charles II.

Le titre original « Restauration » convient bien à ce roman d'époque de Rose Tremain sous Charles II autour du grand incendie et de la grande peste à Londres en 1666. C'est la restauration de la gaieté après la période austère de Cromwell, celle de la vie après celle de la mort due aux deux catastrophes précitées, enfin c'est la restauration d'un homme, le héros du roman, bouffon du roi et médecin. Personnage attachant qui ressemble à Falstaff et à Don Quichotte et qui est la figure centrale de ce picaresque récit qu'est *Le don du roi*.

L'épouse de monsieur Milton est présentée sous forme de mémoires élaborés par la jeune femme du titre, un portrait légèrement retouché du grand poète en excentrique égoïste sur fond de guerre civile anglaise magnifiquement évoquée dans les deux-tiers de ce livre de Robert Graves.

Sous le règne de Charles II, à Oxford, un étrange assassinat dont les circonstances sont narrées par cinq témoins différents est l'occasion d'un brillant roman policier historique dont la comparaison avec celui d'Eco n'est pas exagérée. Histoire des sciences, politique de la Restauration, évocation à la Dickens, intrigue énigmatique, tout cela est cuit à point et procure beaucoup de plaisir. Il s'agit du roman très construit de Iain Pears, *Le cercle de la croix*.

Une ex-maîtresse de Charles II, Lady Ashby de la Zouche comtesse de Clapham devient rédactrice à potins dans un journal à scandales (déjà !). Selon Val McDermid « cela constitue un savant mélange d'humour, d'érudition et d'aventure » de la part de Fidelis Morgan tant par *L'alchimiste assassiné* que par *Les reines fatales* et *Les reines rivales*.

Ici se place *Lorna Doone* de Richard Blackmore. Un immense roman-feuilleton de qualité dans la lignée de Walter Scott en plus romanesque. Une intrigue compliquée où l'héroïne ne peut épouser l'homme dont le père fut assassiné par son géniteur, mais qui découvre que ce dernier n'est pas ce qu'il semblait être, etc., le tout serti par des dialogues shakespeariens et drapé en une splendide évocation des mœurs de l'époque de Jacques II Stuart.

Terminons ce tour d'horizon de l'Angleterre par un récit coloré sur la lutte en Écosse entre le dernier des Stuart et le roi George, tel que nous la rapporte Willy de Spens dans *Les rochers de Kilmarnock*.

Vers les Amériques

La longue période d'intolérance sous l'égide d'Olivier Cromwell poursuivra *Les enfants de lumière (1652-1653)*, tels que se nommaient les disciples de Georges Fox, fondateur des Quakers, dont le beau roman de Jan de Hartog relate les difficultueux affronts qu'ils eurent à subir avant de s'embarquer pour l'Amérique. Dans le même mouvement, beaucoup d'exilés pour la même cause iront cueillir *Les fruits de Canaan* (Christian Murciaux), émouvante relation des débuts de la colonisation de l'Amérique dont se détache une admirable figure de femme. Moment historique répercuté dans le beau roman de Grace Carlisle, *Et ce fut l'Amérique*, ou dans celui d'Esther Forbes, *Paradise*, qui est une merveilleuse évocation de l'époque des pionniers et des pionnières après le Mayflower.

C'est la vie du fondateur de la Virginie que rapporte, avec toute la fougue qui s'impose, Georges Walter dans *Capitaine Smith*. En 1670, le célèbre pirate Henry Morgan s'empara de Panama. Cet épisode est reconstitué avec beaucoup de relief par le romancier John Steinbeck dans son premier livre, *La coupe d'or*. Treize ans plus tard, mi-corsaire, mi-gentilhomme, arrive au Nouveau Monde celui qui, après moultes expéditions et exploits, pourra signer ses mémoires : *Moi Cadillac, gascon et fondateur de Détroit*, relaté par Jean Maumy. Une autre histoire de piraterie nous est racontée dans le roman de Daphné Du Maurier *L'aventure vient de la mer*, souvent titré *La crique du Français* d'après le film qui l'a illustré.

Norah Lofts nous raconte, dans *Une jeunesse cachée*, l'odyssée d'un jeune Écossais qui doit fuir vers les Amériques pour échapper aux Stuart.

Auparavant, dans la Virginie du début du siècle, avait vécu *Pocahontas, la princesse indienne*, que les Anglais considéraient comme une reine et dont David Garnett nous raconte le destin. En plus détaillée, une autre version romanesque *Pocahontas, la véritable histoire* par Susan Donnell élargit le propos.

Tentatives d'apaiser les autochtones, réussie avec *Le baron de Saint-Castin* dont Yves Cazaux romance la vie et que Jacques Jaubert nomme *Le baron sauvage* qui devint chef des Abénakis pour combattre les Anglais sur la côte du Maine, mais mise en échec flagrant dans le cas des martyrs canadiens qu'explicite *Robe noire* dont nous rendîmes compte ainsi à sa parution : Ce récit intense et cruel est d'abord un roman historique inspiré des « Relations » des Jésuites. Un missionnaire arrivé au Canada en 1633, le père Laforgue, remonte jusqu'aux Grands Lacs pour y remplacer un collègue. C'est aussi un roman d'aventures, chargé d'événements et d'incidents, habile cocktail d'exotisme, de violence et d'érotisme. C'est enfin un roman à la fois anthropologique – par l'évocation crue des mœurs amérindiennes – et théologique – par la lucidité avec laquelle l'entreprise missionnaire est évoquée. Écrivain catholique d'origine irlandaise, Brian Moore a réussi une étonnante parabole où le déclin de la civilisation indienne, la fragilité de la foi face au martyre et l'amour humain plus fort que la mort se répondent en un étonnant contrepoint. Ce roman sans concessions est à classer entre Greene et Conrad. Il s'est mérité, en 1985, le prix du meilleur roman de la Royal Society of Literature.

En Nouvelle-France

Le Canada, surtout avec la fondation de Québec en 1608, devient un lieu privilégié pour beaucoup de romans historiques. En suivant la chronologie, nous rencontrons d'abord *Hélène de Champlain*, les mémoires de l'épouse du fondateur de la ville dont le premier volume s'intitule *Manchon et dentelle* tels que rapportés par Nicole Fyfe-Martel. Puis le roman de Laure Conan *À l'œuvre et à l'épreuve* qui, à travers la vie des martyrs canadiens, s'attache en particulier à celle de Charles Garnier. Du même écrivain, un récit sur les débuts difficiles de Ville-Marie en 1642 où *L'oublié*, c'est Lambert Closse, alors que le fondateur est loué par Louis-Bernard Robitaille dans *Maisonneuve : le testament du gouverneur*.

Recouvrant la même période et débutant en 1653, *La naissance d'une nation* de Pierre Caron (1. *Thérèse* ; 2. *Marie* ; 3. *Émilienne*) et *Marguerite et la Nouvelle France* de Françoise Lepeltier.

Un peu plus loin, un peu plus tard, *Les opiniâtres* de Léo-Paul Desrosiers, ce sont les premiers colons venus de Saint-Malo pour fonder Trois-Rivières. *Le chevalier de Mornac* de Joseph Marmette porte en sous-titre : « Chronique de la Nouvelle-France, 1664 » et a pour thème la régénération d'un fils de famille au contact de la dure vie de colon. Le même auteur a aussi écrit *Charles et Eva* dont l'idylle a lieu vers 1690.

C'est ici qu'on peut placer le récit du procès que subit Pierre LeMoyne d'Iberville pour irresponsabilité envers Jeanne Picoté, une jeune femme qu'il abandonna enceinte. Agnès Guitard rapporte cette affaire dans *LeMoyne Picoté*.

La même année, à Québec, un petit Canadien-Français est enlevé par les Iroquois puis protégé par un officier anglais ; cette situation mixte, qui est en même temps une bonne reconstruction historique des lieux et des mœurs de l'époque, permet à Wilfrid Pocock de s'interroger sur *Le rêve impossible :* réconcilier les trois cultures indienne, française et anglaise.

Une plausible vision de ce XVIIe siècle au pays se retrouve dans la trilogie de Christyne Brouillet, *Marie Laflamme* suivie de *Nouvelle-France* et de *La renarde*, ou encore dans *Les tambours sauvages* de Michel Peyramaure, sans négliger *Les filles du Roi* de Colette Piat et *Le roman d'Étienne Brûlé* de Michel Michaud ou encore *Né à Québec* première œuvre du poète, Alain Grandbois, qui rappelle les principales explorations de Louis Jolliet, l'une des figures les plus marquantes de cette époque.

L'Espagne

Remontons encore le temps pour aller du côté de l'Espagne. Nous y rencontrerons d'abord, au début du siècle sous Philippe III, *Catalina*, une jeune infirme espagnole qui devra déjouer les susceptibilités de l'Inquisition et les rigueurs de la mentalité ambiante. Somerset Maugham, en ce roman acide et sarcastique, arrive à introduire de l'humour dans cette époque où la morgue était de rigueur.

C'est au souverain suivant, Philippe IV, que fait allusion le roman de Frances Parkinson Keyes, *Moi, le roi*. On y regarde vivre le beau-père de Louis XIV avec ses deux épouses successives, sa jeune maîtresse-actrice-célèbre-de-l'époque et surtout sa correspondante, la moniale Maria d'Agréda.

Savait-on que *Le capitaine Alatriste* fut engagé par ce souverain pour occire le duc de Buckingham de passage à Madrid pour conclure un mariage hérétique entre l'infante et l'héritier de la couronne d'Angleterre ? C'est ce que veut nous faire croire, avec humeur et humour, Arturo Pérez-Reverte qui poursuit son héros vers *Les bûchers de Bocanagra*, sous *Le soleil de Breda*, par *L'or du roi*, avec *Le gentilhomme au pourpoint jaune* et *Corsaires du Levant*.

C'est sous le règne de son successeur, Charles II, que se déroulent les intrigues entourant la reine dans *Cardénio, l'homme aux rubans couleur de feu* de Louis Bertrand. Le même auteur exploite à peu près la même ambiance dans *L'Infante* qui décrit bien ce moment de civilisation baroque et morbide. D'Espagne en Hollande, ce calme pays envahi de toutes parts inspira, à l'occasion de l'Insurrection de 1672, Alexandre Dumas pour l'un de ses romans les plus brefs, mais non le moins intéressant, *La tulipe noire*.

À l'Est, beaucoup de nouveau...

Nous avons cité Vladimir Volkoff pour ses deux romans concernant les tsars au XVIe siècle. En voici un troisième, *Le grand tsar blanc*, concernant la période de 1608 à 1613 qui voit naître la dynastie des Romanov.

Beaucoup plus tard, origine une autre institution, religieuse celle-là, et qui possède encore des survivants de nos jours, les « Vieux-Croyants » à l'allure dostoïevskienne qui, malgré les persécutions, les exils et les obstacles de toutes sortes, poursuivent *Les répétitions* selon Vladimir Charov.

Nouveau Spartacus, Stenka Razine s'insurge avec le peuple contre les autorités injustes. *L'aigle de la Volga*, comme le nomme le romancier Pierre Gaspard-Huit, périra en 1671.

L'année précédente, en ce qu'on nomme aujourd'hui la République tchèque, décédait le philosophe *Comenius* dont Jean Bédard raconte la vie fertile, avec un sous-titre évocateur : « *l'art sacré de l'éducation.* »

En Pologne

C'est ici le temps et le lieu de citer la fameuse trilogie d'Henryk Sienkiewicz dont le premier tome, *Par le fer et par le feu*, évoque le grand soulèvement cosaque de 1648 du côté de la Pologne, alors que *Le déluge*, deuxième volet de cette immense fresque épique, narre le siège de Czestochowa par les Suédois en 1654, et que *Messire Wolodyjowski* raconte celui de Kamiéniec par les Ottomans en 1672. Le premier volet de ce grand roman considéré comme l'un des chefs-d'œuvre du genre étant disponible en français, espérons que les deux autres le seront bientôt.

La violence et la guerre n'empêchent pas une merveilleuse idylle entre une jeune aristocrate française qui deviendra *La reine par amour* et Jan Sobieski dont Geneviève Chauvel s'est fait la mémorialiste.

Ailleurs

Venise, de 1630 à 1669, est le cadre animé d'une chronique curieusement intitulée *Le gondolier d'Elisheva* (Alfred Hart) qui raconte la Cité sérénissime à travers la passion amoureuse d'un jeune couple incarnant tous les bonheurs et tous les malheurs de ce temps.

C'est en cette même ville que vécut longuement le musicien *Stradella* dont Philippe Beaussant se fait l'interprète en y glissant beaucoup de lui-même.

À Naples, à la même époque, se distingue la première femme peintre, fille de Gentileschi, compagnon du Caravage, *Artemisia*, magnifiquement biographiée, tant par Alexandra Lapierre, que par Susan Vreeland dans *La passion d'Artemisia*.

C'est dans la même ville que vécut le grand compositeur italien Carlo *Gesualdo*, dont Jean Marc Turine trace le portrait intime.

La fin de la dynastie florentine des Médicis est décrite dans la trilogie de Patrick Pesnot *La malédiction des Médicis*, qui couvre la période 1661-1732 (1. *Le prince sans couronne* ; 2. *Le lys de sang* ; 3. *L'ange de miséricorde*).

Dans la Rome baroque et raffinée, le Vatican joue de la rivalité entre deux artistes, le Bernin et son élève Francesco Borromini, amoureux tous deux de *La princesse* de Peter Prange.

Rose Tremain a réussi une très belle histoire à partir de l'authentique destinée du roi danois Christian IV qui se consola par la musique de la perte d'un ami et de l'infidélité de son épouse. Cela se traduit par *Musique et silence.*

Le siège de Vienne par les Turcs en 1683, l'attitude de Louis XIV au moment de l'affaire Fouquet et celle du pape Innocent XI face à de nombreuses intrigues vaticanes sont les événements qui se répercutent dans un huis clos pour cause de peste où sont bloqués à Rome quelques gentilshommes. Le récit, par un jeune commis de l'auberge en quarantaine, raconte une véritable enquête policière à multiples échos culturels. Tel se présente *Imprimatur* de Rita Monaldi et Francesco Sorti, auxquel ils ont ajouté *Secretum.*

Sous forme de roman policier est évoquée la dernière année de Rembrandt solitaire en 1669 sous le titre *La couleur bleue.*

De retour en France, à la fin du siècle

La tragédie de la Franche-Comté décimée par la peste et la guerre a donné lieu à une fresque magnifique composée par Bernard Clavel. *Les colonnes du ciel* (1. *La saison des loups ;* 2. *La lumière du lac* ; 3. *La femme de guerre ;* 4. *Marie Bonpain ;* 5. *Compagnons du Nouveau Monde*), c'est l'histoire, de 1639 à 1678, d'un peuple courageux et tenace qui tente de défendre son terroir contre la raison politique qui le menace de dépossession et d'exil. Non loin de là, en Bourgogne, *Le roi a fait battre tambour* (Eric Deschodt) à l'occasion d'un épisode curieux, fait-divers qui remua la France entière, un cas de bigamie qui n'est pas sans rappeler Martin Guerre. Occasion pour l'auteur de démontrer que les mentalités, à trois siècles de distance, n'ont pas tellement changé.

Elisabeth ou le vent du sud suivi de *Judith*, de Joseph Bialot, c'est le siècle vu du côté huguenot à partir des documents et des annales d'histoire locale du Béarn et du Poitou.

L'invasion des Pays-Bas en 1667 par Louvois et Condé forme la trame de deux romans complémentaires d'Amédée Achard, *La cape et l'épée* et *La toison d'or*.

Les sentiers de Cap Virade de Pierre de la Chapelle évoque un procès retentissant (revu et corrigé par les descendants). Autre procès, celui de sorcellerie dans *La fontaine obscure : une histoire d'amour et de sorcellerie en Provence au XVII*e *siècle*, comme s'intitule un beau récit de Raymond Jean dont l'héroïne meurt en 1679.

Comme d'ailleurs *La femme du Roi-Soleil* Marie Thérèse d'Autriche, à 45 ans, après avoir perdu cinq de ses six enfants et avoir toléré par amour « moultes maîtresses du Roy », selon Jacqueline Duchêne.

Après la malheureuse Révocation de l'Édit de Nantes en 1685, les titres des romans témoignent de la situation des protestants qui doivent s'enfuir. Ce sont, ou bien *Les réfugiés* (Arthur Conan Doyle) qui doivent opérer *Le passage de la montagne* (Jean Chatenet) ou devenir *Les passagers du Barthélémy-Diaz* (Michel Garnier), ou bien *Les cavaliers du Veld* (Michel de Saint-Pierre), tandis que *Le Soleil et la roue* de Rose Vincent en évoque les tragiques conséquences, à moins que ce ne soit *La poursuite du vent*, comme le suggère le titre du récit d'Alain Aymard.

En cette même année 1685, il y eut, selon l'historienne Arlette Lebigre, *Meurtres à la cour du roi-soleil*.

Ces messieurs de Saint-Malo de Bernard Simiot, ce sont les grands commerçants du XVIIe siècle dont les aventures nous sont racontées avec un pittoresque que n'alourdissent point les documents. Des personnages à peine imaginaires animent *Dieu-donné Soleil* de Jean-Marie Dallet qui narre les multiples aventures d'un jeune homme comédien devenu galérien, alors que *Thomas l'Agnelet* est une histoire de corsaires fort bien racontée par Claude Farrère et qu'*Amande* de Henri Evans est un élégant récit qu'anime une jeune fille dont Théophile Gautier s'est servie comme modèle dans « Mademoiselle de Maupin ». Sous le titre générique *L'or, l'amour et la gloire*, Jean Olivier nous fait voyager avec son marin breton Yann Lescop, âgé de vingt ans en 1667. Ses aventures s'intitulent : *Ce vent qui vient de la mer*, *Un cadet de flibuste*, *La Castille d'or*, *Les Galions de Manille*, *Capitaine Lescop*.

L'abbé don Juan de Jacques Perry, c'est, selon le sous-titre, « La vie et les amours de don Juan de Watteville, homme d'épée, moine, pacha, ambassadeur, 1608-1702 ». Un fort beau récit au titre évocateur *Du côté où se lève le soleil* (Anne-Sophie Jacouty) narre la navrante et douloureuse épreuve de Fénelon qui doit se retirer de Versailles après sa querelle théologique et mystique avec Bossuet.

Deux personnages hors pair circulent beaucoup au service du Roi. D'abord « Dieudonné Danglet, commissaire secret de monsieur Nicolas de la Reynie, lieutenant de police de Paris par la grâce du roi ». Cette carte de visite figure en sous-titre de trois de ses enquêtes, *Les croix de paille*, *La peste blonde* et *L'enfant au masque*, dans les transcriptions de Philippe Bouin. Ensuite, Alexandre Bontemps, premier valet de chambre de Louis XIV, qui entre à son service en 1659 et dont les qualités de limier fidèle seront opportunes pour enquêter sur *Les dieux outragés*, *Le vestibule du crime*, *La licorne assassinée*, *Le sang du Trianon* et *La religieuse de l'obscurité*, autant d'affaires secrètes relatées par Olivier Seigneur.

Du côté asiatique

Avant de terminer ce panorama du XVIIe siècle, allons maintenant vers les Indes où quatre écrivains ont situé leurs romans d'aventures pour leur donner un parfum d'exotisme. Thomas Hoover, avec *Le Moghol*, et Louis Frédéric, avec *Le tigre et la rose*, nous offrent une vue sur ces lointains pays en cette époque fastueuse d'avant la colonisation anglaise. Tandis qu'Annie Krieger-Krynicki nous relate les malheurs de *Zebunissa : princesse captive à la cour du Grand Moghol*, T. N. Munari décrit dans *Taj* les étapes de la construction du célèbre Taj Mahal ainsi que Christian Petit avec *Le Taj Mahal au clair de lune*. Tous ces événements se retrouvent *Sous un ciel de marbre* (John Shors), une somptueuse saga romantique située dans l'Inde du XVIIe siècle entre les murs brûlants du Taj Mahal.

C'est un peu plus loin, au Siam (l'actuelle Thaïlande), qu'un jeune Grec illettré arrivé à douze ans dans ce pays en deviendra trente ans plus tard *Le ministre des moussons*, autrement dit le premier ministre du roi ainsi que nous le rapporte Claire Keefe-Fox. Cette même histoire est racontée plus en détail par la trilogie d'Axel Aylwen *Le faucon du Siam*, *L'envol du Faucon* et *Le dernier vol du Faucon*.

En 1687, Louis XIV rêvait de conquérir ce pays *Pour la plus grande gloire de Dieu*. Ce fiasco est raconté avec une verve baroque par Morgan Sportès. Signalons ici le roman de Jean-Christophe Rufin *L'Abyssin*, sous-titré « relation des extraordinaires voyages de Jean-Baptiste Poncet, ambassadeur du Négus auprès de Sa Majesté Louis XIV ». L'auteur nous entraîne, au tournant des XVIIe et XVIIIe siècles, avec son héros herboriste-apothicaire-médecin qui tente de sauver ses amours des intrigues des diplomates, des jésuites et des capucins, de la colonie franque du Caire à la cour du Roi Soleil en passant par celle du roi des rois d'Éthiopie. Une suite intitulée *Sauver Ispahan* complète ces aventures.

Pour ce qui est du Japon de l'époque, suivons Paul Ohl qui nous en fait la chronique vivante de 1549 à 1638 dans son gros roman *Katana.*

L'extraordinaire voyage du samouraï Hasekura de Shusaku Endo (le Graham Greene japonais) décrit la mission de quatre des leurs à travers l'Europe pour établir des relations commerciales... mission qui finira très mal sur le sol natal.

Fortement inspiré, comme l'avoue l'auteur en postface, tant par une pièce de théâtre Kabuki que par la vie d'un poète qui a vraiment existé et par les films japonais qui se passent au XVIIe siècle, l'auteur Alain Walter a composé un agréable roman où la présence des jésuites missionnaires fournit une dimension théologique à une aventure qui mène vers *L'extrême chemin.*

Outre *Shogun* de James Clavell, le roman des samouraïs que le petit écran nous a restitué avec beaucoup de brio et de brillant, un auteur du cru, Eiji Yoshikawa, réalise un immense roman qu'il n'est pas exagéré de comparer à ceux de Dumas pour l'alacrité de l'intrigue et la vitalité des protagonistes√ : *La pierre et le sabre* et sa suite, *La parfaite lumière.* La cape et l'épée du roman historique sont ici remplacées par les armes du samouraï puisque ce gros récit picaresque, paru entre 1935 et 1939 en feuilleton, a conquis les lecteurs japonais. Il s'agit d'une série d'aventures à la Dumas qui, à l'instar du fameux *Shogun*, mais en plus authentique, tissent une vaste fresque du Japon de l'époque.

Les aventures problématiques du samouraï Matsuyama Kaze nous instruisent sur la mentalité populaire en trois romans criminels : *La promesse du samouraï*, *Vengeance au palais de Jade* et *Menaces sur le shogun* de l'écrivain Dale Furutani.

Terminons en visitant *Le château de Yodo*, ce que nous propose le romancier déjà cité Yasushi Inoué.

LE XVIIIe SIÈCLE

Succédant au Grand Siècle, voici celui des Lumières. Louis XIV s'éteint en 1715 et, après la période de la Régence, ce sera le siècle de Louis XV avec, évidemment au bout, la Révolution française.

L'épopée des Camisards

Entre 1702 et 1705, suite à la révocation de l'Édit de Nantes, les calvinistes des Cévennes se révoltent contre les armées du roi. Cet épisode a inspiré plusieurs romanciers. Un bon vieux récit d'Alexandre de Lamothe fournit le ton avec *Les Camisards*, autrement dit *Les fous de Dieu* selon Jean-Pierre Chabrol qui fait tenir journal à un adolescent à partir de la première année de la révolte.

L'ensemble de cet épisode sanglant est raconté dans le très beau récit de Max Olivier-Lacamp *Les feux de la colère* (Prix Renaudot, 1960), et dans celui de Jean-Paul Malaval, *Les compagnons de Maletaverne*, alors qu'André Chamson en rapporte des épisodes et fournit surtout l'atmosphère grâce à *La Superbe* et à *Sans Peur et les brigands aux visages noirs*, sans oublier le chef des Camisards *Jean Cavalier*, d'Eugène Sue, ni le livre de Max Chaleil, *Le sang des justes*, dont le sous-titre porte « Vie et mort de Rolland, chef camisard ».

Sous le titre générique *La fougère et les lys*, une trilogie historique raconte les aventures, au début du XVIIIe siècle (1702-1704), d'un jeune chevalier protestant qui sera mêlé aux insurrections des Camisards et au secret du Masque de fer. Une évocation minutieuse de l'époque se retrouve donc dans cette œuvre de Jean-Paul Desprat chez *Le marquis des éperviers*, dans *Le camp des enfants de Dieu* et jusque dans *Le secret des Bourbon.*

Par ailleurs, le procureur du Roy, Guillaume de Lautaret poursuit ses enquêtes, datées de 1700-1703, par *Les nuits blanches du chat botté*, jusqu'à *L'embouchure du Missisipi* dans *Les galères de l'orfèvre* et à *La mort du magicien.* Toutes ses aventures rayonnantes sont racontées par Jean-Christophe Duchon-Duris.

Hors la France

En ce début de siècle, *Pierre Ier*, dit Le Grand, annexe pour ainsi dire la Russie à l'Europe en la faisant passer d'un régime presque oriental à une allure occidentale ; Alexis Tolstoï nous offre un portrait puissant et fort de ce tsar réformateur. D'Henri Troyat, le roman *Grimbosq* décrit très bien la vie quotidienne en Russie à cette époque, tandis que *Mazeppa, prince d'Ukraine* d'Irène Stecyk hésite entre l'histoire et la légende.

Rappelons ici le troisième volet du roman de Dmitri Merejkowski « Le Christ et l'Antéchrist » qui s'intitule *Pierre et Alexis* et décrit l'affrontement de l'empereur et de son fils.

Sur un ton à la fois dramatique et épique, *La cloche d'Islande* d'Halldor K. Laxness reconstitue la geste courageuse de ce petit peuple au début du siècle pour conserver son indépendance et sa liberté.

Dans un texte d'une sobriété de style et d'une très grande qualité d'écriture, Bruno Racine nous transmet le journal rédigé de 1711 à 1714 par Antonin Sagredo, Vénitien chargé de construire une forteresse dans le Péloponèse contre les Turcs. C'est *Le gouverneur de Morée.*

On assiste à une somptueuse évocation de Venise à l'occasion des *Mémoires de Vivaldi*. Comme on ne sait que peu de choses sur le « prêtre roux », hors ses quelque six cents concerti et autres dizaines de pièces musicales, son copiste, Patrick de Rosbo a dû inventer (dans le sens de trouver) beaucoup de situations vraisemblables.

Le dernier des Médicis décède en 1737, décadent descendant de la dynastie florentine. Sous la plume de Dominique Fernandez, cela devient un roman fastueux et sensuel.

Quelques années auparavant, en Savoie, *La licorne et les trois couronnes* et *Le griffon de Pavie* rapportent une sombre histoire de vengeance signée Valérie Alma-Marie alors que, couronnant une existence courageuse et militaire, s'inscrit *Le salon des Apogées ou la vie du prince Eugène de Savoie* de Jacques Almira.

Le romancier Leonardo Sciascia a lu la trilogie *Histoire des Beati-Paoli* de Luigi Natoli racontant les aventures vengeresses d'une secte sicilienne du XVIIIe. Était-ce déjà une forme de mafia évoquée par *Le bâtard de Palerme*, *La mort à Messine* et *Coriolano* ? Grand écran, technicolor et son Dolby.

La vie anglaise sous Guillaume III et la reine Anne est décrite en détails dans l'œuvre de William Thackeray *L'histoire d'Henry Esmond* dont le sous-titre anglais poursuit « ... esquire, a colonel in the service of Her Majesty Queen Ann, written by myself... »

Walter Scott, dans *Rob Roy*, relate les aventures d'un proscrit après la révolte de 1715 sous Jacques Ier d'Angleterre, tandis que *La fiancée de Lamermoor*, qui a inspiré l'opéra de Donizetti, est un sombre mélodrame situé en Écosse une dizaine d'années auparavant.

L'obscur miroir des jours heureux, tel est le titre éloquent d'un dramatique roman de Karleen Koen dont les événements ont lieu tant en Angleterre qu'en France de 1715 à 1721. Une suite, composée dix ans plus tard, raconte l'exil en Amérique de l'héroïne, ce qui explicite *La nouvelle vie de Barbara Devane.*

Une conspiration de papier relate les mémoires de Benjamin Weaver, juif, ruffian et justicier qui enquête sur la mort de son père, important financier. L'auteur, David Liss, poursuit son héros dans *A spectacle of corruption*, en voie de traduction.

Du côté de l'Allemagne, dans les années 1730-1740, circule, en tant que conseiller financier du duc de Wurtemberg, Josef Suss Oppenheim, *Le Juif Suss*, magnifiquement mis en scène par le romancier allemand Lion Feuchtwanger. Bien au-delà de la machine de propagande qu'est devenu ce roman (filmé) sous les nazis, il révèle de façon originale les complications de la politique de l'Europe du milieu dans le second quart du XVIIIe siècle.

Quant à ce récit qui couvre presque un siècle pour aboutir à la mort du maréchal de Saxe en 1750, *Les Folies Koenigsmark* de Gilles Lapouge, il évoque les guerres et combats auxquels ces guerriers participèrent en « mercenaires » de luxe.

Dans l'Espagne de Philippe V s'injecte *Le sang des Farnèse* par le second mariage de celui-ci avec Elisabeth de Parme en 1714. André Lambert en instruit le roman alors que d'une façon rétrospective, comme dans un miroir, se raconte le premier mariage du roi dont l'instigatrice a été chassée par la nouvelle reine. Le beau récit *La nuit la neige* de Claude Pujade-Renaud narre cette disgrâce en une trentaine de scènes en style d'époque.

La Régence

Pour une vue d'ensemble très romanesque de cette période, fréquentons *Clémence et le Régent*, précédée de *L'envol de Clémence* et suivie de *Clémence à l'heure du choix*, de Mireille Lesage.

Un épisode licencieux préside au roman ardent d'Eve de Castro *Nous serons comme des dieux* en racontant les relations incestueuses du régent Philippe d'Orléans et de sa fille, la duchesse de Berry, sous la désapprobation de sa fille aînée, Adélaïde, qui entre au couvent.

Même période pour le récit *Les larmes* de Françoise Mallet-Joris qui se défend d'avoir écrit un roman historique mais qui en conserve la saveur.

En France, la conspiration de Cellamare (1715-1723) a inspiré deux romans très inégaux à Alexandre Dumas. Le premier, *Le chevalier d'Harmental*, est aussi le premier de ses grands romans publiés en 1842 et, selon l'avis d'Henri Clouard, jamais Dumas « n'a dépassé cette réussite d'interprétation et d'équilibre entre l'histoire et le roman ». Le second, *La fille du Régent*, consiste en des variations sur le même sujet et n'a pas l'impact du premier titre.

Nous ne pouvons faire autrement que citer ici un des chefs-d'œuvre du roman-feuilleton qui participe beaucoup plus au roman de cape et d'épée qu'au roman historique. *Le Bossu ou Le petit Parisien* de Paul Féval a tellement rivalisé avec Dumas grâce à son chevalier de Lagardère que le décor de la Régence le remet fatalement en mémoire, d'autant plus que Philippe d'Orléans figure en bonne et due place avec les deux autres Philippe, de Gonzague et de Nevers. Du même auteur, *Le cavalier Fortune* traverse ces mêmes années.

Insérons ici, pour l'atmosphère fortement recréée de cette époque de transition, les aventures du médecin Florent Bonnevy que Dominique Muller nous relate dans *Sauve-du-mal et les tricheurs*, suivi de *Le culte des dupes*, *Trop de cabales pour Sauve-du-mal*, *Sauve-du-mal et l'appât du grain* et *Dans l'ombre du Tsar*.

Couleur du temps raconte la vie imaginaire du peintre du roi Louis XV qui, durant quarante ans, par désir de fortune et de gloire, au détriment de sa femme et de ses enfants, peignit les altesses de la Cour. Ce portrait de cet élève de Largillière et de cet ami de Chardin, qu'a bien capté et inventé Françoise Chandernagor, rejoint « Le chef-d'œuvre inconnu » de Balzac.

Un autre peintre, Watteau, apparaît dans *Les chroniques indiscrètes d'Antoine de la Roque, chevalier journaliste* qui est le sous-titre du roman *Pour l'honneur d'une belle* de Pierre Réval. À la fois, victime et interprète, de ce monde galant et cruel qui se prépare à l'embarquement pour Cythène.

Revenons aux Bals de Versailles cités en amont et leurs suites *Les fêtes galantes* et *Le parc aux cerfs* du fécond Michel Peyramaure.

De la peste, de l'Inquisition et des brigands

En 1720, la peste bubonique importée d'Orient fit 50 000 victimes à Marseille et dans les villages environnants. Cette catastrophe est dramatiquement racontée dans *Le grand fléau* d'Henri Coupon et *Les soldats de Dieu* de Dominique Cier. Le récit d'Annick Bernard *L'Esparonne* comporte un sous-titre éloquent : « Quand une troupe de gueux détroussait les Marseillais au temps de la peste ». Sur un ton plus grave, Raymond Jean rapporte dans *L'or et la soie* l'enquête que conduit sur l'origine du fléau un libertin qui a survécu au cataclysme.

Trois autres romans traitent de cette épidémie meurtrière, l'un sous la forme d'une enquête d'envergure, *Autant en apporte la mer* par Jean-Jacques Antier, l'autre sous l'aspect d'un roman d'amour insolent qui se nomme *Sauvecœur* par Hélène Abert, enfin *Les brasiers de la peste* par Frédéric Milan, cruelle conclusion aux aventures d'un fils de famille exilé et qui revient à Marseille poussé par la fatalité.

Une histoire de pirates où s'étalent *Les voiles de la fortune* (Anne Forgeois) est une histoire vraie puisque enregistrée en 1720 au Public Record Office de Londres, cependant que Pierre Mac Orlan mouille *L'ancre de miséricorde* en s'inspirant des aventures d'un pirate lui aussi authentique, Petit Morgat de Brest.

Avec son irrévérence coutumière, Hubert Monteilhet a fabriqué un roman épistolaire qu'illuminent *Les derniers feux* de l'Inquisition espagnole, en évoquant avec ironie les mœurs aristocratiques du début du XVIIIe siècle comme prétexte galant à un tragique marivaudage où se côtoient la farce et le burlesque.

Les cortèges du diable, sous-titré « ballade des sorcières du temps jadis », de German Espinosa traite du même sujet à la même époque en faisant dialoguer un philosophe (Spinoza) et un saint (Pierre Claver).

Quoiqu'il n'ait vécu que trente ans, de 1725 à 1755, *Mandrin* fut un contrebandier très populaire et ses audaces sont restées dans les annales de la petite histoire. Jules de Grandpré et Arthur Bernède nous ont laissé chacun une biographie très romancée de ce bandit bien-aimé, alors que Marie Brantôme transcrit *Belle-Humeur, bandit des lumières* et que Patrick Drevet nous offre généreusement *Le rire de Mandrin*. À propos de cet écrivain, on pourrait parler de « descripture ». À partir des dernières années de la carrière de Mandrin, nous avons droit, dans le sillage de ses randonnées, à une description physique, mentale et spirituelle de ce milieu du XVIIIe siècle français. Paysages, personnages sont vus avec acuité et nous sont présentés comme en un film.

De nouveau, Mandrin et son aîné, *Cartouche*, chef de bande criminelle sont portraiturés par Michel Peyramaure avec plus tard, *Vidocq*, en une trilogie intitulée *Trois bandits*.

D'autres bandits de grand chemin s'illustrèrent en des exploits semblables. D'abord, *Marion du Faouët* qui a tenté quatre auteurs différents : Catherine Borgella, qui la considère comme *Brigande et rebelle*, Yvonne Chauffin, Agnès Audibert et encore Jean-Pierre Imbrohoris, qui la reconnait comme *La femme de feu* et *La flibustière*. Ensuite *Gaspard le bandit* qui, contrairement à Mandrin, interdisait toute violence à ses complices d'après ce que nous raconte Jacques Bens.

Profils féminins

Citons pour mémoire *Olympe de Clèves* d'Alexandre Dumas qui se situe au début du règne de Louis XV, de même que *Au temps du bien-aimé* de Fernand Fleuret qui vaut surtout pour la minutieuse reconstitution de cette époque.

Les quelques titres qui suivent consistent en des portraits de femmes que l'imagination des romanciers a animés en cette période de haute galanterie où circulent déjà quelques courants féministes. Que ce soit *La Malouine* (Danielle Delouche) qui remplacera son frère jumeau dans la marine de l'époque, ou encore *La Bougainvillée* (1. *Le jardin du roi ;* 2. *Quatre-Épices*) où l'héroïne de Fanny Deschamps passe de la cour parisienne à l'Île Maurice, ou encore *L'évadée du dragon*, que présente Yvonne Singer-Lecocq, enfermée dans un couvent pour finir boutiquière de mode, toutes ces demoiselles proclament par leurs aventures exemplaires une certaine suprématie de la femme, tant dans l'imaginaire romanesque que dans la réalité des faits. Ce qui est encore plus vrai d'une authentique femme de tête, Jeanne Albert, l'épouse de Dupleix, gouverneur des Indes, dans *Le temps d'un royaume* de Rose Vincent, et son pendant exotique dont

Michel Larneuil nous esquisse le reflet dans *Le roman de la Bégum sombre* et sa suite, *Le mercenaire du Gange.* Et que dire de cette aventurière visionnaire qui participe à toutes les émancipations de l'époque et surnommée *La Carthagénoise* par le Colombien German Espinosa ?

Intermède antisémite

L'holocauste de la dernière guerre a eu des précédents. Ainsi, dans les années 1750, en Alsace, une foule de Juifs sont traqués par les Gentils. C'est ce que raconte, avec l'autorité de l'historien mais aussi l'émotion du romancier, François Debré dans *Le livre des égarés.*

La fin des Stuart

En 1745, à Culloden, un désastre met fin à l'espoir que les Écossais fondaient dans le prétendant Charles-Édouard, le dernier des Stuart, pour reprendre le trône à George II de Hanovre. Cet épisode historique a inspiré Walter Scott et Robert Louis Stevenson. Le premier, avec *Waverley,* son premier roman publié en 1814, entreprend une étude de caractère fort bien mis en relief sur la trame des aventures qui entourèrent cette révolte jacobite. Le second, plus sombre, met en scène *Le maître de Ballantrae*, drame de la rivalité de deux frères ennemis qui ont opté pour chacune des parties adverses.

Introduisons ici, à l'aube de la révolution industrielle dans le Londres de 1755, les récits débordant d'observations pittoresques de John Rawlings, *L'apothicaire de Londres*, tels que recensés par Deryn Lake, et se poursuivant par *L'apothicaire et l'opéra des gueux*, *L'apothicaire et la taverne du diable*, *L'apothicaire et l'espion français*, *L'apothicaire et le bassin d'argent*, *L'apothicaire et le banquet empoisonné*, *L'apothicaire dans le Devon*, *Meurtre à St-James Palace*, et *L'apothicaire et le manoir des ombres.*

Sir John Fielding (1721-1780) fut le fondateur de la première police urbaine de Londres. Juge au tribunal de Bond Street, ce magistrat exceptionnel est devenu le personnage principal d'une série de romans de Bruce Alexander. Aveugle, accompagné de son « Watson », le jeune Jeremy, on le rencontre par *Les audiences de Sir John*, *Le fer et le feu*, *L'onde sépulcrale*, *Venelles sanglantes*, *Le fourbe et l'histrion*, *La veuve et l'imposteur*, *Brigands et galants* et *La nuit des contrebandiers.*

Le Nouveau Monde

Traversons l'océan et allons vers les Amériques dont les États n'étaient pas encore unis. Nous y retrouvons, sur les traces de l'abbé Prévost et de

Chateaubriand, *Manon l'Américaine* que l'ethnographe Hubert Deschamps a suivie en Louisiane. Cette *Louisiana* dont Michel Peyramaure a écrit la vaste chronique historique qui couvre, selon le romancier, « les années misère » (1698-1725) et « les années colère » (1721-1769). Cependant s'étend *La nuit du Mississipi* (Pierre Danton) sur le fléau de l'esclavage encore régnant et *Un automne éclatant* de Diana Gaines nous fait vivre parmi les Quakers vers l'année 1740.

C'est à Porto Rico (1713) que font allusion de manière épique et baroque les *Chronique de la Nouvelle-Venise*, l'histoire de la plus grande bataille des Antilles qui n'a jamais eu lieu et qui explique tout grâce à Edgardo Rodriguez Julia.

La guerre de l'Indépendance (1775-1782), qui est le sujet du roman de l'ex-président Jimmy Carter *Le guêpier*, a été diversement racontée par Esther Forbes dans son *Des étoiles nouvelles : Johnny Tremain* et dans *Révolution*, transcrit par Richard Francis d'après le film éponyme.

De même dans *Les flammes de la tourmente* (1. *Aigues-Brunes* - 2. *La rivière de sang*) de Beverly Swerling et *La belle de Philadelphie* de Sarah Frydman. *Le rédempteur* de Douglas Glover fournit un récit assez terrible, plein de cruautés et de trahisons, qui plonge le lecteur dans la folie et la fureur de la guerre d'Indépendance, dans l'affrontement entre loyalistes et insurgés, Anglais et Américains, et surtout entre le monde des Blancs et celui des Indiens.

« Si nous sommes seuls, nous serons impuissants à chasser les Anglais » aurait dit Washington dès 1780 en prenant *La route de Yorktown* où Gilbert Forray raconte l'opportune ingérence des Français ; et c'est *L'aube de la liberté*, selon Ann Forman Barron. *Les habits rouges* (Howard Fast), les colonisateurs anglais, sont l'objet de la haine et de la violence de leurs frères de race qui s'en débarrasseront pour devenir Américains. Ce dernier récit, raconté par un gamin de quinze ans, est coloré et frais malgré la dureté et la brutalité des combats.

Charleston de John Jakes décrit la vie quotidienne d'une famille de pionniers de la Guerre d'indépendance à la Guerre de Sécession.

Plus au nord, au Canada, a lieu, entre 1755 et 1762, la déportation des Acadiens. Napoléon Bourassa, dans le gros roman *Jacques et Marie*, relate les événements que reprennent, sur un ton différent, Lionel Groulx dans *Au Cap Blomidon* et Antonine Maillet dans *Pélagie la Charette*. Le double roman d'Alain Dubos, *Acadie, terre promise* et *Retour en Acadie*, relate au quotidien le sort de quatre familles d'immigrants français parmi des milliers d'autres. La cession de la Nouvelle-France à l'Angleterre par le Traité de Paris (1763) constitue le drame décrit par Laure Conan dans *La sève immortelle* et dont Philippe Aubert de Gaspé a raconté les événements qui le précèdent dans *Les Anciens Canadiens*. Évoquant en surimpression le débat sur l'annexion du Canada aux États-Unis en traitant des mariages interraciaux, un roman centenaire de John Lespérance, *Les Bastonnais*, procure une sérieuse lecture sur l'attitude des Canadiens au cours des guerres canado-américaines entre 1774 et 1812.

Cinq autres récits se profilent en ce milieu du XVIIIe siècle. L'un traite du chef indien Pontiac, *L'homme avec qui mourait l'espoir* (Jean-Pierre Davidts) et qui lutta contre les Britanniques. Le second, *La guerre des autres* (Louise Simard et Jean-Pierre Wilhemy), rappelle qu'il y eut des mercenaires allemands mêlés à l'invasion américaine. *L'homme de paille* suit une troupe de théâtre en 1760 et révèle ainsi l'ambiance quotidienne du Québec de cette époque ; il a pour auteur Daniel Poliquin. *L'énigme de Sales Laterrière*, de son prénom Pierre, un aventurier français arrivé à Québec en 1766 qui fut directeur des forges de Saint-Maurice et mourut exilé à Terre-Neuve. Bernard Andrès a conçu cette immense biographie romanesque avec un talent rigoureux. Enfin, sous l'intendant fastueux et dépensier Bigot, une histoire agrémentée de sorcellerie, *Le chien d'or* de William Kirby.

Ne quittons pas l'Amérique sans revenir du côté sud, au Pérou, pour citer un très curieux roman de Thornton Wilder, *Le pont du roi Saint-Louis*, qui demeure une excellente chronique pleine de pittoresque et de chaleur humaine du début du XVIIIe siècle.

Tableaux du siècle

De retour en Europe pour deux événements relevant de la forme du nez de Cléopâtre et qui inspirent deux romancières. D'abord, *Les tours d'Elseneur* de Norah Lofts qui évoque, en 1766, le mariage d'une fille de George III d'Angleterre avec le prince héritier du Danemark, et la mise en récit d'une hypothèse curieuse selon laquelle deux femmes auraient sauvé l'Europe d'une invasion ottomane à la fin du XVIIIe siècle, ce qu'insinue Diane Ribardière dans *Les lionnes de Dieu*.

Un tableau d'ensemble de ce siècle jugé leste et preste se retrouve dans certains romans légers où la légende sertit l'histoire de ces prestiges empruntés aux peintres de l'époque. De Georges d'Esparbès, *La guerre en dentelles* dont le titre est déjà tout un programme, qu'incarne avec beaucoup d'humour et de fantaisie *Un diable de Français nommé La Tulipe*, roman de Benjamin Rochefort, dont deux épisodes (1. *Fanfan et la Du Barry* ;

2. *Le feu au cœur*) sont parus. Dans le même climat plutôt immoral sinon amoral, se présente en Angleterre *Fanny ou La véridique histoire des aventures de Fanny Troussecottes-Jones* de l'écrivaine américaine Erica Jong. Ce gros récit écrit avec allégresse et érudition est un excellent pastiche des romans picaresques de l'époque puisque l'héroïne combine les charmes et malices de la fille légitime ou illégitime de Fanny Hill et de Tom Jones.

Plus littéraire, le poète Henri de Régnier a laissé quelques romans tout imprégnés de l'esprit des lumières et du libertinage courant. *La double maîtresse, Les rencontres de Monsieur de Bréot, La pécheresse* et *L'escapade* ont fait l'objet d'une réédition récente sous l'intitulé générique « Romans costumés ».

Louis XV, le Bien Aimé

Durant quarante-trois ans (1725-1768), la fille du roi de Pologne, Marie Leczinska, fut reine de France et donna dix enfants à Louis XV, dont sept survécurent. Quoiqu'on en ait rapporté, cette dame avait *Le don d'aimer* d'après le témoignage de Geneviève Chauvel.

En contraste, l'inconstance du roi a inspiré plusieurs récits à saveur libertine.

Le Bien Aimé de Ménie Grégoire porte en sous-titre « Mémoires apocryphes de Jeanne-Antoinette Poisson, marquise de Pompadour ». Exploitant les archives de l'époque, l'auteur parvient à élaborer un plaidoyer « pro domo » de la favorite tout en énumérant ses actions très féministes face au roi incertain. Deux autres points de vue, l'un plus sentimental, selon le sous-titre « mémoires amoureux de la marquise de Pompadour », s'intitule *Le bal des ifs* (Franck Ferrand) ; l'autre, plus dramatique, car alors qu'elle est calomniée et en passe de perdre tout pouvoir, quelqu'un agit secrètement en sa faveur *Au nom de la Pompadour* (avec la complicité de Jean-Paul Desprat et de Pierre Lepère). Le même, Jean-Paul Desprat revient à son sujet dans un gros récit qui rappelle ses dix ans de « règne » pendant lequel elle s'engage à découvrir le secret de fabrication de la porcelaine de Sèvres pour disqualifier celle de Saxe. Un beau cas d'espionnage fort bien rendu par *Bleu de Sèvres 1759-1769*. On retrouvera évidemment cette dame dans *Le jardinier de la Pompadour* d'Eugène Demolder et sous le nom de *Madame Putiphar* du romantique Pétrus Borel.

Autre favorite à partir de 1760, Jeanne Bécu, comtesse du Barry, *La presque reine*, telle que l'appelle Pascal Lainé, ou *La Bourbonnaise*, comme la nomme Catherine Hermany-Vieille, qui souffrit fort d'être la suivante et dut se défendre des jalousies, des libelles et des moqueries : *Une traînée de poudre*, comme l'exprime Dominique Muller dans sa biographie romanesque qu'on pourra compléter par *Mademoiselle Chon du Barry ou Les surprises du destin*, étonnant pastiche de Frédéric Lenormand à propos de la petite sœur laide et boiteuse qui devint un témoin férocement fidèle de la Comtesse.

Entre-temps et entre autres, défilèrent à la cour et dans l'alcôve *Jeanne du bon plaisir ou Les hasards de la fidélité* (Pascal Laîné), la jeune demoiselle Murphy, modèle de Boucher et surnommée *Notre Dame des pommes de terre* (Duncan Sprott), mademoiselle Clairon, comédienne dont les mémoires, *La comédie galante* (Jacques Jaubert), contiennent quelques révélations.

Quant à ce curieux récit d'Henri Béraud, *Le vitriol de la lune*, ce sont les vingt dernières années du règne de Louis XV qui sont chroniquées avec des temps forts comme le supplice de Damiens et l'agonie du roi.

Signalons ici trois hommes qui firent parler d'eux. D'abord, le comte de Saint-Germain, célèbre entre 1750 et 1760, imposteur escroc ou authentique savant, dont on retrouve les exploits dans *L'initié* de Catherine Hermary-Vieille et dans *L'homme qui ne voulait pas mourir* de Gérard Messadié. Le propos de Jean-François Solnon est explicite : *Journal et mémoires d'Emmanuel duc d'Aiguebelle courtisan à la cour de Louis XV*. Quant à Jean-Michel Royer, il fournit, toujours dans la formule autobiographique, *Le double je : mémoires du chevalier d'Eon*. N'oublions pas *Le frère à la bague* par un historien compétent, Jean Claude Bologne, qui met en scène le petit frère de Voltaire qui est son antithèse vivante et qui doit faire face aux convulsionnaires de Saint-Médard. Pour ce qui est de Voltaire lui-même, on l'aperçoit évidemment dans *Madame Voltaire*, alias Madame du Châtelet, qui eut une liaison assez étrange avec lui, comme le rapporte Gilbert Mercier, et dans *La jeune fille et le philosophe* de Frédéric Lenormand. *Sophie la libertine* c'est Sophie Volland qui fut la principale correspondante de Diderot au moment de la composition de l'Encyclopédie (Peter Frange).

Un journaliste, Hubert Prolongeau, a eu l'idée de transformer le même Diderot en détective ou de le mêler à des affaires criminelles. Cela semble assez réussi selon Bernard Frank. Trois titres ont paru : *L'œil de Diderot*, *Le cauchemar de d'Alembert* et *La nièce de Rameau*.

La Grande Catherine

Peu avant la Révolution française, du côté de l'Est, sévit Catherine l'impératrice de toutes les Russies. Désignée par l'Histoire comme *La Sémiramis du Nord*, petite princesse allemande mariée à un tsar fantoche pas plus russe qu'elle, elle décide de faire l'Histoire en étant plus russe que les Russes eux-mêmes. Maurice Simachko raconte cette destinée exceptionnelle que l'on retrouve aussi dans *La tsarine aux pieds nus* d'Evelyne Deher et dans *Altesses impériales* d'Evelyn Anthony, alors que les reflets de son règne tumultueux éclairent cette dramatique chronique familiale et campagnarde que rapporte Pouchkine dans *La fille du capitaine* et ce complot obscur et troublant qu'incarne *Le prisonnier no 1* d'Henri Troyat.

Par ailleurs, c'est une réhabilitation de la princesse Tarakanowa, rivale de Catherine, qu'André Gillois nous livre dans *Le secret de la tsarine.*

« Mémoires d'un médecin »

Les dernières années du XVIIIe siècle, de 1770 jusqu'à la Révolution française, ont fait l'objet d'une passionnante série d'Alexandre Dumas dont le titre générique est *Mémoires d'un médecin*. Cet ensemble qui tient à peine dans cinq mille pages, quelles que soient les éditions, est une tétralogie dont les différents volets se nomment *Joseph Balsamo*, *Le collier de la reine*, *Ange Pitou* et *La comtesse de Charny.*

Le premier titre fait allusion au fameux comte de Cagliostro, étrange personnage dont Dumas trace un portrait ésotérique et mystérieux. Personnage idéal pour une intrigue étonnante où l'auteur a su « amalgamer tant de féerie magique et d'irréel humanisé avec des situations et des personnages authentiquement, historiquement réels » (Henri Clouard). Ce premier épisode sert d'introduction générale aux trois autres qui nous font délibérément entrer dans ce drame, cette tragédie que fut la Révolution française.

Le collier de la reine nous fait revivre, d'avril à août 1784, cette étrange affaire qui discrédita complètement Marie-Antoinette en tant que femme et souveraine. Un agent royaliste et chanteur de rues qui a vraiment existé inspira le troisième volet, *Ange Pitou*, où Dumas nous fait assister, entre autres, à la prise de la Bastille, alors que le dernier volet de ces *Mémoires d'un médecin*, intitulé *La comtesse de Charny*, couvre toute la période de la Révolution française jusqu'en 1793. De l'avis de plusieurs critiques, cette série est probablement la plus fascinante et la plus intéressante de toutes celles que Dumas a construites. Ces quatre romans tragi-comiques mettant en scène plus d'une centaine de personnages dont les deux-tiers appartiennent à la petite ou à la grande histoire sur plus d'un quart de siècle de durée, voilà ce que Dumas propose à notre lecture et, ce qui est sensationnel, c'est qu'il réussit à nous intéresser constamment, sans temps mort et, selon l'expression de Gilbert Sigaux, « en nous donnant quelque chose de plus que l'histoire ou quelque chose d'autre que le vrai. Mais quelque chose qui fasse comprendre l'une et rechercher l'autre ». Rappelons que Philippe Séguy donne en sous-titre à son roman *Le vent du sud*

« mémoires du comte de Cagliostro ». Cette incroyable duperie, qui fut un des éléments détonateurs de la Révolution, est reconstituée en un style vivace et pervers par Pierre Combescot avec *Les diamants de la guillotine*, au titre prophétique.

À cette époque « fin de siècle » appartiennent quelques faits-divers qui ont ému. Ainsi en est-il dans *Que passe la justice du roi : vie, procès et supplice du chevalier de La Barre*, que nous raconte Max Gallo, et pour *Les poisons de Beaubourg ou l'affaire Lamotte*, extraordinaire machination parisienne de 1777 archivée par Pascal Gemelli. Au service de Monsieur de Sartine, chef des affaires secrètes de Louis XV, le jeune Nicolas Le Floch quitte sa Bretagne natale en 1761 et devient commissaire au Châtelet. Jean-François Parot raconte ses enquêtes dans *L'énigme des Blancs-Manteaux*, *L'homme au ventre de plomb*, *Le fantôme de la rue Royale*, *L'affaire Nicolas Le Floch*, *Le crime de l'hôtel Saint-Florentin*, *Le sang des farines* et *Le cadavre anglais*.

Rumeurs de la Révolution

C'est durant les dernières années de Louis XV que se situent le roman alpiniste *Mont-Blanc* de René Rougeron, le drame racinien de Françoise Chandernagor *L'enfant des lumières*, le récit provençal *Les blanches années* par Jacqueline Bruller, le fameux *Scaramouche* de Rafael Sabatini et le roman de Claire Sorel *La taille douce*, alors qu'à la toute veille de la Révolution, en 1788, *Julie des Arques* de Georges Blond nous fait bien pénétrer cette atmosphère qui précède le désastre.

Bien documenté, le récit *Les chapeaux jaunes du pape* fait allusion à cette immense terre provinciale, le Comtat Venaissin, sorte de ghetto aéré cédé au Pape Philippe III le Hardi en 1271 et rétrocédé à la France en 1791. Laurence Benveniste en est l'auteur.

Avant d'indiquer les nombreux romans qui illustrent cette période tragique, citons trois ensembles qui font le pont entre la fin du XVIIIe siècle et le début du XIXe.

Dans une fresque couvrant quarante années, de la mort de Louis XV à la chute de Napoléon, où les chapitres en séquences fonctionnent comme un film pittoresque et dynamique que peuplent des personnages bien campés, Charles Exbrayat nous propose *Les bonheurs courts* (1. *La lumière du matin* ; 2. *Le chemin perdu* ; 3. *Les soleils de l'automne* ; 4. *La Désirade*). Florence Mothe, quant à elle, évoque une grande famille, *Les Wallenberg* (1. *Si Dieu ne manque* ; 2. *Les derniers feux du plaisir* ; 3. *La terrasse des feuillants*) où l'on retrouve Talleyrand lui-même.

Le diptyque de Nicolas Saudray consacré à l'Ordre de Malte est rempli de la nostalgie des crépuscules de civilisation. *Dieu est-il gentilhomme ?* chronique les années 1768 à 1791, alors que *Chevalerie du soir*, aussi nostalgique, subsiste jusqu'à 1815.

Pour ce qui est de *La dynastie des Sunderland-Beauclair* (1. *Le fondateur ;* 2. *Le séducteur ;* 3. *Le conquérant*), son auteur, Vintila Corbul, retrace la vie extraordinaire de Richard Sunderland, marquis de Beauclair, qui finit dans la peau d'un banquier cynique et génial en se livrant à des spéculations compliquées avec l'Amérique. La fin d'un monde y est sensible et les milieux tumultueux qu'il parcourt et traverse sont très bien décrits et témoignent d'une documentation solide.

Ajoutons ici la série de récits de Michel Folco, dont quatre sont parus. De la fin du XVIIe siècle au début du XXe, les membres des familles Pibrac et Tricotin y vivent des aventures hautes en couleurs et douleurs dans *Dieu et nous seuls pouvons*, *Un loup est un loup*, *En avant comme avant* et *Même le mal se fait bien.*

LE XIXe SIÈCLE

Plusieurs historiens reconnaissant les millésimes comme artificiels ont fait, par exemple, commencer le XVIe siècle en 1492, date importante puisque celle de la découverte de l'Amérique par Christophe Colomb. Ainsi le XIXe siècle commence pour eux en 1789, début de la Révolution française, pour se terminer en 1914, à l'orée de la Grande Guerre. Cela n'est pas si faux si l'on considère l'histoire des mentalités, la persistance d'un certain romantisme et la coupure entre les temps modernes et l'ère contemporaine que constitue la Révolution française.

1. La Révolution française

Pressentiments...

À la veille de cette révolution, *L'hiver d'un gentilhomme* de Pierre Moustiers oppose un aristocrate et un bourgeois en pleine ascension. Ce beau récit, objet d'une série télévisée française, permet de bien saisir le pouls de l'époque. Pour sa part, Georges Bordonove nous présente dans *La caste* les principaux membres d'une famille noble vendéenne avant cet événement, alors que *La belle que voilà* de Claire Sorel parcourt le triangle Paris-Amiens-Versailles pendant dix ans, entre 1783 et 1793, vivant un quotidien angoissant pour échapper à cette folie furieuse qui ébranle sa patrie.

Trois livres qui se suivent de Jacqueline Bruller forment un tout intéressant sur l'immédiate avant-révolution, avec sa poursuite à l'intérieur même de l'Histoire. *Rocaïdour*, *Les blanches années* et *Le soleil des loups* offrent une fantaisie romantique qui est en même temps une véritable révolution des mœurs.

Deux autres concernant *Louison ou l'heure exquise* et *Louison dans la douceur perdue*, par Fanny Deschamps, traduisent élégamment le passage du siècle des Lumières à celui des ténèbres représenté par *Le grand diable*

Mammon d'argent, selon le titre du récit d'Alain Leduc, qui contient un journal concernant les événements quotidiens de décembre 1788 à avril 1790.

Les enragés

C'est le titre d'un roman de Luc Willette qui considère la Révolution comme « le seul médecin de la misère des peuples ». Opinion défendue par *La baïonnette de Mirabeau* dont les lointains préparatifs sont consignés par Michel Durafour ou par le jeune menuisier *René Besson, un témoin de la Révolution*, dans un roman inachevé de Dumas qui s'arrête au massacre du Champ de Mars en juillet 1791.

Gabriel Riqueti, comte de Mirabeau, c'est *Le matamore ébouriffé* que nous présente Michel Chaillou, alors que William Luret et Jean Siccardi font le portrait de sa sœur libertine, *Louise de Mirabeau, la marquise rebelle.*

Antoine et Maximilien, ou La terreur sans la vertu désignent bien, dans le roman réfléchi de Dominique Jamet, Saint-Just et Robespierre.

Deux destins féminins s'inscrivent ici. L'un, fatal et violent, celui d'*Olympe* que raconte Geneviève Chauvel en suivant la jeune fille naturelle d'un marquis, Marie Gouze, plus connue en ses combats contre Robespierre et Marat sous le nom d'Olympe de Gouges. L'autre, plus souriant et heureux, celui de Madame Tallien, surnommée Notre-Dame de Thermidor, dont la vie romanesque à souhait est le sujet du roman de René Charvin *Merveilleuse Thérésa*, reconnue comme *La princesse des chimères* par Elisabeth de Chimay.

Plus anonymes puisque fictives, mais évocatrices de la décennie 1789-1799, *Mariette et Céline* vivent cette période au quotidien, loin des exploits et des faits saillants, d'après l'historienne Monique de Huertas.

Une œuvre secondaire mais quand même intéressante d'Alexandre Dumas trouve sa place ici. Les deux épisodes de *Création et rédemption (Le docteur mystérieux* et *La fille du marquis*), se déroulent entre 1785 et 1796, racontant l'histoire d'un compagnon fidèle de Danton qui s'oppose à Marat et à Robespierre et condamne Louis XVI, tout en vivant une idylle assez extraordinaire avec la jeune femme que cite le second titre. Du même prolifique auteur, *Les Blancs et les Bleus* relate les débuts du général Bonaparte en 1789 et sa montée au pouvoir malgré les menées royalistes des Blancs, alors que *Les compagnons de Jéhu* insiste surtout sur le 9 Thermidor (1794), journée où Robespierre fut renversé.

Tous ces « enragés », Hubert Monteilhet, avec sa coutumière ironie, préfère les nommer *Les bouffons* que décrit un jeune aristocrate de province venu à Paris, mêlé à une conspiration qui aboutira à la chute de Saint-Just et de Robespierre.

Marie-Antoinette, la mal aimée

C'est le titre qu'Hortense Dufour appose sur son immense biographie romancée de presque mille pages qui raconte, avec une érudition discrète, cette destinée qui se changea en destin.

Outre l'affaire du collier dont on a parlé plus haut, plusieurs idylles et aventures lui ont été attribuées. Que ce soit l'amour de jeunesse de La Fayette, qui aurait pu proclamer *J'ai aimé une reine* selon Patrick Poivre d'Arvor ; que ce soit le témoignage tardif d'Axel de Fersen dans le long récit qu'il fait à sa sœur, la veille de sa mort, et que nous transcrit Patricia Bouchenot-Déchin *Au nom de la reine* ; ou celui, plus intime, que forment « les mémoires secrets de la comtesse de la Motte-Valois » sa confidente qui s'intitulent *Le collier de Jeanne* (Gérard Carreyrou) ; ou encore les souvenirs de sa lectrice que transcrit Chantal Thomas dans *Les adieux à la Reine*, *Le jeu de la Reine* s'avérera fatal et mortel. Ce dernier roman de Jacques Bressler met en scène tant le domestique Blangey qui rêve de venger le peuple que le duc de Guiche qui voudrait bien préserver la royauté. Une autre tentative manquée est inscrite en clair dans un récit de Jacques-Philippe Giboury, *La reine de paille*. C'est aussi le cas de *Marie-Antoinette la rose égarée* de Gérard Messadié qui aurait, semble-t-il, tenu un journal du 17 juin 1769 alors qu'elle avait 13 ans jusqu'au mois d'octobre 1793, veille de sa mort. Ce sont *Les carnets secrets de Marie-Antoinette* édités par Carolly Erickson et enfin *Marie-Antoinette, le scandale du plaisir* de Claude Dufresne.

Catherine Rihoit avait raconté *La nuit de Varennes* à partir du film d'Ettore Scola.

Déjà, toujours avec Alexandre Dumas, *Le chevalier de Maison-Rouge* tente, par un complot, de faire évader Marie-Antoinette et Louis XVI du Temple. C'est le même épisode sous forme de récit-confession qui nous est livré dans *Destin de reine* de Victoria Holt. Or, le destin fut tragique tel que nous le raconte, dans *Les soixante-seize jours de Marie-Antoinette à la Conciergerie* en deux volets : *La conjuration de l'Oeillet* et *Un procès en infâmie*.

Par ailleurs, *La lettre à Alexandrine* (Catherine Decours) porte en sous-titre : « écrite dans les derniers jours de Marianne Charlotte Corday D'Armont ».

Il s'agit en effet de « L'Ange de l'assassinat », selon Michelet, qui tua Marat dans son bain si l'on s'en tient au témoignage du peintre David et à celui de la romancière Jacqueline Dauxois, bien documenté, dont la biographie romanesque s'intitule simplement *Charlotte Corday.*

Le Dauphin

Parenthèse et hypothèse. Qu'est devenu le petit dauphin Louis-Charles, duc de Normandie, qui aurait pu régner sous le nom de Louis XVII ? Ni *Le petit roi d'ombre* de Victor Margueritte, ni *Le roi perdu* d'Octave Aubry, ni *Un beau captif* de Frédéric Lenormand n'arrivent à satisfaire le lecteur non plus que *Le roi sans couronne* de Jacqueline Monsigny qui fait valoir Naundorf.

Peut-être la version la plus émouvante de cette courte odyssée réside-t-elle dans le récit de Françoise Chandernagor intitulé *La chambre* où l'enfant fut enfermé à huit ans, après la mort de son père où dans le passionnant roman *Un roi sans lendemain* de Christophe Donner.

Quant à Marie-Thérèse d'Angoulème, sœur du précédent, elle survécut jusqu'en 1851 d'abord en exil puis à la cour, lors de la Restauration. Patrick Ravignant nous raconte son destin dans *La comtesse des ténèbres.*

Destins héroïques

Sous cet intitulé qui transporte l'imagination du lecteur après avoir aiguisé celui des auteurs, quelques romans mettent en vedette des jeunes hommes pleins de fougue qui traversent activement les événements historiques de l'époque.

Le triple serment du chevalier d'Avranches, selon Charles Fouque, narre les aventures d'un jeune royaliste que le hasard fait assister à tout. *Vive le son du canon* nous fait rencontrer un Français d'Amérique qui vient en 1792 demander à Louis XVI des armes pour reprendre la Louisiane ; il sera aux premières loges durant l'assaut des Tuileries tel que le rapporte Claude Vermorel. Quant au jeune homme qui figure dans *Esther et le diplomate* de Frédéric Vitoux, il hérite de la difficile mission de représenter la France révolutionnaire et régicide en Italie.

La carrière du jeune Julien Théroigne, âgé de dix-huit ans en 1793, commencera au *Palais Royal.* Richard Sennett raconte son évolution de jeune tisserand à comte sous Louis XVIII.

Toutes ces tentatives pour endiguer le torrent révolutionnaire ne méritent donc pas toutes d'avoir été entreprises par *Les chevaliers de l'illusion* selon le terme de Noelle Greffe.

L'ombre de la guillotine

Quelques personnages imaginaires ou authentiques se retrouvent dans *Pauline Aimée* de Myriam et Gaston de Béarn. Dépouillant leurs archives familiales, les deux auteurs de *Gaston Phébus* évoquent, dans ce premier volet, leur trisaïeule, Pauline de Tourzel, qui vécut la Révolution française et ses séquelles.

Par ailleurs, *La messagère secrète* de Jacques Cadis offre une sombre intrigue doublée d'un récit d'espionnage. Gérard Néry nous raconte, dans *Le lys écarlate*, le destin d'un jeune vicomte qui devra passer à travers persécutions et incompréhensions pour survivre en un monde qui se métamorphose.

C'est un personnage qui a vraiment existé, Hérault de Séchelles, que confesse Jérôme Garcin alors qu'il attend la mort, âgé de 34 ans, en écrivant à sa maitresse « *C'était tous les jours tempête* ».

Le portrait romanesque d'une jeune femme noble qui refuse l'évasion pour faire face à l'échafaud, tel est *Un amour de Delphine* de Nicolaïdès Galangau.

Sur un registre aussi héroïque et mystique, la romancière allemande Gertrud von Le Fort a décrit *La dernière à l'échafaud* qui inspira « Dialogue des Carmélites » de Georges Bernanos.

Une suite de tableaux ouvrant sur l'avenir constituent un roman subjectif, à la fois ironique et sympathique, bien dans la manière de son auteur Anatole France qui publia, en 1912, *Les dieux ont soif*. Tandis que *Le cercle de pierre*, que déchiffre Cyril Gely, provoque une réflexion amère sur les événements et sur le sens de l'Histoire quand elle témoigne d'autant d'exactions, de persécutions et d'exécutions.

La vision manichéenne entre aristocrates et révolutionnaires a donné lieu à plusieurs romans, souvent d'aventures. Ainsi se pose la curieuse énigme de *La Maison Belhomme* de François Pédron. Qu'était cette maison refuge des aristocrates en sursis de guillotine ? Ce récit documenté y répond.

Dans un de ses romans mineurs, Charles Dickens a traité le sujet. *Deux villes, un amour* (ou, en d'autres éditions, *Le conte de deux villes* et *Espoir et passions*) entremêle une idylle héroïque et des épisodes cruels. Mais la palme revient à la baronne Orczy qui, dans une douzaine de romans animés et agités par son héros, « Le Mouron Rouge », multiplie dans des épisodes à la Dumas les interventions à la fois périlleuses et de haute voltige d'un aristocrate anglais et de ses amis pour sauver ses collègues français. Vision souvent fantaisiste qui tourne facilement au roman d'aventures, au roman d'espionnage et même au roman policier. Cet ensemble élabore cependant une chronique assez fidèle de la Révolution. Dix volumes ont été traduits en français dont nous donnons les titres par ordre de parution : *Le Mouron Rouge, Le serment, Les nouveaux exploits du Mouron Rouge, La capture du Mouron Rouge, Le rire du Mouron Rouge, Le triomphe du Mouron Rouge, La vengeance de Sir Percy, Les métamorphoses du Mouron Rouge, Le Mouron Rouge conduit le bal* et *Mam'selle Guillotine.*

Les Chouans

Depuis 1793, la Vendée en Bretagne s'est soulevée contre Paris. *Le dernier Chouan* de Georges Bordonove nous livre un panorama de cette équipée, alors que Balzac, alors à ses débuts, écrit l'un de ses chefs-d'œuvre, *Les Chouans*, où pointent l'admiration et l'influence de Walter Scott. Dommage qu'il n'ait point continué dans cette voie, tant cette unique incursion dans le domaine est réussie.

On citera ici le très beau roman de Willy de Spens, *Les derniers Chouans*, qui mérite d'être lu dans le sillage de son illustre devancier.

Ajoutons quatre autres romans singuliers sur le même sujet : *L'or des Chouans* où Pierre Duhamel raconte avec truculence la chouannerie du Berry ; un gros roman de près de 600 pages rédigé en 1850 par le grand romancier victorien Anthony Trollope, *Vendée* ; deux récits colorés d'Ernest Pérochon coiffés du même titre, *Au cri du chouan* ; et enfin, cette guerre terrible telle que vécue par *Les chouannes* d'après Evelyne Deher.

La guerre de Vendée

Quatre-vingt-treize, c'est donc l'année du soulèvement vendéen et le titre d'un beau roman de Victor Hugo.

La chasse aux loups et sa suite *Le grand cortège* d'Yves Viollier rapportent un épisode pathétique de ce soulèvement avec la fougue et le courage des rebelles, ancêtres de l'auteur.

Citons ici *Le chevalier des Touches* de Jules Barbey d'Aurevilly pour saisir de l'intérieur les enjeux patriotiques et les passions politiques qui sévissaient entre royalistes et républicains.

De Georges Bordonove, nous retrouvons la famille de Chablun, déjà mise en scène dans *La caste*, à l'occasion de multiples rencontres, *Les armes à la main*, qui ont lieu et place dans les mêmes provinces de Vendée et de Bretagne à la même période.

Pour une vue panoramique de ce soulèvement, Michel Hérubel a décrit *Les Vendéens* (1. *Hedwige et Saint-Jacques ;* 2. *La conspiration*).

Par un Vendéen authentique, Jean Huguet, un solide récit en deux volets, « L'An I de la Vendée » : *Les tambours de la Bourguignonne* et *Emilia.*

Ajoutons pour mémoire quelques récits provinciaux de qualité : *La dame aux ronces* qui symbolise l'Auvergne en cette époque grâce à Jean Anglade ; *La Maöve* de Jean Mabire, du nom d'un bateau qui mouille sur les côtes de Normandie ; *Le pain rouge* qui se fabrique dans le Nord de Marie-Paul Armand ; *Les naufragés de la liberté* du Lyonnais Louis Bourgeois ; *Les vendanges de Brumaire* racontées par Michel Suffran ; *Le vin de la liberté* par David Hazio ; *Les volontaires du roi* que captent sur le vif Arnaud de Lagrange et Bernard Lugan ; *Les diamants de l'Argonne* que nous fait découvrir Yves Amiot ; et, de retour en Bretagne, *Et les lys refleuriront* pour Patrick de Gneline pourvu qu'agissent *« Les Vire-Couettes dans la Grande Guerre, 1793-94 »* de Reynald Secher.

Panoramas

Une fresque de deux mille pages qui se lit comme le plus entraînant des romans policiers, tel se présente, organisé par Robert Margerit, cet ensemble intitulé tout simplement *La Révolution* (1. *L'amour et le temps ;* 2. *Les autels de la peur ;* 3. *Un vent d'acier ;* 4. *Les hommes perdus*). Œuvre d'historien et de psychologue, ce panorama où sont mêlés personnages réels et imaginaires se prolonge jusqu'au début du Second Empire.

Quant à la trilogie de Michel Peyramaure « Les dames de Marsanges » (*Orages lointains*, *La montagne terrible*, *Demain après l'orage*), elle choisit de faire découvrir la Révolution à partir de la France profonde et d'un microcosme révélateur parce que distancié.

Signalons ici un fort volume dont l'édition est établie et annotée par Raymond Trousson, « Le roman noir de la Révolution », qui contient cinq romans dont *Les chouans* (Balzac), *Le chevalier des Touches* (Barbey d'Aurevilly) et *Les dieux ont soif* (France) plus deux autres, peu accessibles, *L'émigré* de Sénac de Meilhan et *Sous la hache* d'Elémir Bourges.

Citons, dans la préface de cette anthologie romanesque (p. 45) le constat de Gilles Laponge : « Si les historiens et les philosophes se sont jetés sur la Révolution comme la misère sur le pauvre monde, les romanciers l'ont ignorée ; quand on aura cité Balzac, Hugo, Dumas, Dickens et quelques autres, on aura fait le tour. Pas de *Guerre et paix*, pas de *Chartreuse de Parme* pour la grande tragédie ».

Et ajoutons les deux ensembles de Juliette Benzoni qui traversent toute la Révolution : *Le gerfaut des brumes* (1. *Le gerfaut* ; 2. *Un collier pour le diable* ; 3. *Le trésor de Haute-Savane*) et *Le jeu de l'amour et de la mort* (1. *Un homme pour le roi* ; 2. *La messe rouge* ; 3. *La comtesse des ténèbres*). François Cérésa intitule *Les enfants de la Révolution* sa trilogie dont les deux premiers volets s'intitulent *Fière Éléonore* et *La comtesse blessée.*

Séquelles...

Pour clore cette partie consacrée aux romans traitant de la Révolution française, citons encore *Fabien de la Drôme* de Jean-Daniel Roob, roman d'aventures sur fond historique issu d'une série télévisée, *L'homme au cheval gris* de Frédéric Hulot. Par le biais d'un témoin fictif, il nous fait parcourir les événements de 1784 à 1818. Il faut également mentionner *Adèle d'Aiguebrune*, et sa suite *L'heure d'Elise* de Pascale Rey, et enfin *Le hussard blond* de Jacqueline Bruller où nous suivons un jeune aristocrate romantique dans l'amorce de son destin.

Et ce sont *Les émigrés du roi* de Colette Davenat, *La cocarde noire* d'Isaure de Saint-Pierre ou encore *Les princesses vagabondes* (Frédéric Lenormand), ce récit où le dérisoire se mêle au tragique en racontant les destins variés des quatre filles de Louis XV, les sœurs du roi décapité : Adélaïde, l'aînée autoritaire, la mondaine Sophie, Victoire la botaniste et la carmélite Louise.

N'oublions pas la confession apocryphe de Philippe-Égalité, ci-devant duc d'Orléans, otage de choix qui devient *Un aristocrate à la lanterne* selon Pierre Moustiers.

Ici se place l'un des derniers romans historiques qu'ait écrit Alexandre Dumas, *La San Felice*, suivi de *Emma Lyonna*, œuvres injustement oubliées aujourd'hui et qu'admira Jean Giono. Ce vaste roman épique narre, entre 1798 et 1801, la révolution napolitaine contre le roi Ferdinand, revanche de la pensée libre (carbonarisme) étouffée par le despotisme. Étrange roman qui suit les événements de près et participe, grâce à la verve de l'auteur, à la vitalité interne qui caractérisait ses précédents ouvrages.

Avant de passer à la geste napoléonienne, signalons, de Luc Estang, *Il était un p'tit homme* (1. *À la chasse aux perdrix* ; 2. *Boislevent*), chronique qui débute en novembre 1805 et nous fait suivre les aventures d'un jeune Chouan en ce début de siècle.

Échos hors France

Un épisode peu connu de l'histoire polonaise en ses résistances à l'ogre russe dont un temps fort se situe en 1793, tel est le propos que fend *Un sabre dans les nuages* de Marc-Alfred Pellerin.

Un roman curieux de l'écrivain cubain Alejo Carpentier décrit les ressacs de la Révolution à la Guadeloupe et se retrouve sous le titre universel *Le siècle des Lumières.*

Un étonnant récit très documenté à propos d'une fantastique expédition de 15 000 Français sous la direction d'un général du Directoire qui, le 22 août 1798, ont failli réunifier L'Irlande : c'est *L'année des Français* de Thomas Flanagan.

De l'autre côté de l'Atlantique, *Notre Mississipi* de Claude Vermorel constitue, avec *Vive le son du canon* déjà cité, un diptyque intitulé *Un bateau pour la Louisiane* et raconte ce dernier fief français entre 1792 et 1803, date à laquelle Napoléon le vendit aux États Unis.

Rappelons enfin qu'en 1789 a lieu le fameux incident maritime qui a été célébré par trois films après l'avoir été par trois romans : *Les mutins du Bounty* de John Barrow (publié dès 1831) ; la trilogie de Charles Nordhoff et James Norman Hall, *Les révoltés de la Bounty, Dix-neuf hommes contre la mer* et *Pitcairn* ; et enfin *L'île* de Robert Merle. Qu'advint-il de ces mutins ? L'auteur, Rowan Metcalfe, descendante de Fletcher Christian poursuit leurs traces jusqu'en 1831 avec *Passage de Vénus.*

Terminons par un récit vivant et coloré où le séisme de la Révolution est vu de Palestine et de Constantinople *Dans l'orient désert* du diplomate Francis Huré.

2. L'épopée de Napoléon

On se doute que le personnage et les exploits de Napoléon furent l'objet ou le prétexte de plusieurs romans historiques ou prétendus tels. Outre les nombreux feuilletons sentimentaux qui n'entrent pas dans le cadre de notre inventaire, quelques œuvres d'inégale longueur, valeur et couleur ont le mérite d'embrasser l'ensemble de la carrière ou de la destinée de l'empereur.

D'abord Max Gallo qui semblerait avoir voulu justifier l'exclamation de l'Empereur : « Quel roman, que ma vie ! ». En quatre volumes, il orchestre son destin en accompagnant ses propres textes, déclarations, lettres, édits, couvrant ainsi la totalité de ses faits et gestes, même privés. C'est vraiment un accompagnement au jour le jour qui est proposé au lecteur et ce Napoléon revit dans *Le chant du départ* (1769-1799), *Le soleil d'Austerlitz* (1799-1805), *L'empereur des rois* (1806-1812) et *L'immortel de Sainte-Hélène* (1812-1821).

Rappelons qu'antérieurement Gallo avait déjà abordé son sujet par l'intermédiaire d'un vieillard de 1832 qui débutait ainsi ses « mémoires » : « J'avais dix-sept ans en 1789... » : c'était *La route Napoléon*.

Moins élaborés que la tétralogie que nous venons de citer mais couvrant chronologiquement la vie de l'Empereur, les deux tomes de la chronique romanesque *Napoléon* de Michel Peyramaure : *L'étoile Bonaparte* et *L'aigle et la foudre*.

Autre panorama de la part du romancier américain Thomas Costain : *La route ensorcelée* à partir d'une intrigue amoureuse entre un militaire correspondant de guerre anglais et une jeune Française royaliste émigrée dont le dessein semble dirigé par l'épopée napoléonienne.

Par ailleurs, *La légende de l'Aigle* de Georges d'Esparbès consiste en une suite de croquis et de vignettes fortement colorés et exhaussés en fragments d'épopée.

C'est une fresque (1790-1815) que nous offre Geneviève Gennari avec *L'étoile Napoléon*, tandis qu'Anthony Burgess se permet une vision romanesque dans le droit fil de l'Histoire où interviennent les libertés permises à l'art d'un écrivain qui, fortement hanté par son sujet, outrepasse le temps et l'espace et devient ainsi l'artisan d'un mythe. C'est *La symphonie Napoléon*.

Les grandes dates

En respectant la chronologie, évoquons d'abord l'énigmatique figure de *Désirée*. La romancière Annemarie Selinko a construit ce roman à propos de cette personne, que le Larousse précise comme née à Marseille en 1777 et décédée, reine de Suède, en 1860 et autour de laquelle se greffent beaucoup de légendes dont une, authentique, sa rencontre amoureuse avec Bonaparte, que celui-ci demanda en mariage alors qu'elle n'avait que 15 ans. Ce qu'elle livrera dans ses *Mémoires insolents de Désirée Clary* tels que rapportés par Colette Piat.

Autre témoin de jeunesse qui devait poursuivre avec verdeur « ce petit moricaud au plumet jaune », *Thérèse Sans-Gêne* que nous présente Colette Piat.

En 1795, à la mort de Robespierre, Nabulione Buonaparte débarque à Paris. Un roman ironiquement intitulé *Le chat botté* de Patrick Rambaud retrace le moment inaugural de la destinée impériale.

Du 10 mars 1796, au moment où Barras désigne Bonaparte comme commandant de l'armée d'Italie, jusqu'au 16 mai 1797, à Venise, ce roman documenté évoque cette « furia francese » en un reportage mouvementé. Philippe Bornet l'intitule donc *La furia*.

La campagne d'Italie du printemps 1796 est racontée par un jeune provincial de 17 ans, *Sautecœur*, triptyque d'André Barret. Entre l'Italie et l'Égypte une équipée du jeune général devant les *Mirages d'Égypte* : *les murailles d'Alexandrie* rapportée par Daniel Vaxelaire.

La campagne d'Égypte (mai 1798-août 1799) nous est rapportée avec pittoresque par *Lavalette, grenadier d'Égypte* du même Michel Peyramaure, cependant qu'Alexandre Torquet raconte les émotions du jeune chef d'armée devant *Les sultanes de Bonaparte*.

Ce qui, entre parenthèses, ne lui laissait guère le temps de rencontrer Joséphine qui cueillait et effeuillait *Les roses de Malmaison* (René Chauvin). Cette même Joséphine, future impératrice, aurait tenu un journal intime depuis sa Martinique natale dès 1777. Sandra Gulland nous le procure en trois volets : *Vies et secrets de Joséphine B.*, *Passions et chagrins de Madame Bonaparte* et *Le dernier bal de l'impératrice*.

Fanny Deschamps évoque de son côté une passion brûlante pour *Pauline de sa jeunesse*. En ne prêtant qu'aux riches, le romancier populaire Arthur Bernède date de 1792 la naissance de *L'aiglonne*, fruit d'une liaison rapide qu'il aurait eue avec une dame d'honneur de Marie-Antoinette.

L'ensemble de cette équipée, qui fut tout à l'honneur du futur empereur, surtout en ce qui concerne son souci d'être accompagné par des savants géomètres, géographes ou zoologistes, est drôlement rendue par le récit de Frédéric Lenormand *L'odyssée d'Abonnaparti*, en n'oubliant pas *Champollion l'Égyptien* de Christian Jacq, *Le secret de Champollion* de Jean-Michel Riou, ni *Bonaparte et la malédiction des pharaons* de Danièle Calvo-Platero, ni *Chant d'adieu*, de G. Y. Dryansky. À la même époque, un autre exploit scientifique permet de fixer la mesure universelle à partir du mètre. Rapporté par Denis Guedj, *La mesure du monde : la méridienne* en fait état. Après la campagne d'Égypte, le futur empereur aurait voulu se présenter comme le nouveau messie en Palestine, ce qu'insinue *La bataille des anges* d'Olivier Weber.

C'est au moment du Directoire qu'a lieu ce qu'Ilya Ehrenbourg désigne comme *La conspiration des égaux* élaborant un communisme primitif grâce à Gracchus Babeuf.

Puis c'est l'Empire, dont les débuts sont mis en scène par Alexandre Dumas dans son dernier feuilleton, *Le chevalier de Sainte-Hermine*, récemment exhumé de l'oubli par Claude Schopp.

La révolte de Cadoudal et l'exécution du duc d'Enghien (1804) résultent, selon Georges Ohnet, de *La serre de l'aigle*.

L'Europe diplomatique et libertine de 1806 est évoquée avec la force et la concrétude du musée Grévin dans un roman qui transcrit le journal de voyage tenu par un diplomate américain en terre prussienne : *La belle vie ou les aventures de Mr. Pyle, gentilhomme* de l'historien italien Alessandro Barbero.

L'expédition d'Espagne qui fut source d'inspiration morbide pour le Goya des « Désastres de la guerre » est racontée en trois romans de Joseph Peyré : *Les lanciers de Jerez*, *Les remparts de Cadix* et *L'alcade San Juan*, ou par *L'or des sabres* que dévoile Georges Vignaux, ou encore par *Le canon* de C. S. Forester.

La fin d'une vie de marin et de son petit navire qui ont connu des heures tragiques et n'aspirent plus qu'au repos, tel est le sujet, situé entre le siège de Toulon et la bataille de Trafalgar, qu'aborde Joseph Conrad, le célèbre écrivain, dans *Le Frère-de-la-Côte*.

Méconnu en France malgré trente romans qui sont pour l'Espagne ce que sont pour la France et l'Angleterre Balzac et Dickens, Benito Pérez Galdós intervient ici avec *Trafalgar* qui rapporte la célèbre bataille navale où Nelson, en 1805, rencontra à la fois sa propre mort et une victoire éclatante sur la flotte franco-espagnole.

Les aventures du brigadier Gérard et *Les exploits du brigadier Gérard* de Conan Doyle constituent une suite de souvenirs racontés avec humour par un Gascon plein de solide bon sens qui nous fait voir l'épopée napoléonienne par des côtés inattendus. Ainsi en est-il de *Anthelme Collet* tel que nous le présente Georges Coulonges en un style trépidant servant une ironie amère qui tourne parfois à la farce tragique. L'auteur a voulu camper un personnage que le Flambeau de « L'Aiglon » traitait de minuscule. Il y réussit dans ces épisodes où son héros arriviste, désinvolte, réagit tellement vite que le lecteur doit suivre sur un rythme fou cette aventure truculente et un peu narquoise. Pour sa part, le cinéaste Jacques Doniol-Valcroze s'est amusé à écrire un feuilleton, *Les fiancés de l'Empire : les hauteurs de Wagram*, où évoluent avec grâce et passion les deux filles d'un ci-devant révolutionnaire, alors que Gilles Lapouge rappelle une étonnante histoire dans *La bataille de Wagram*.

La même année, 1809, six semaines plus tôt, avait eu lieu une première défaite – 43 000 morts en trente-deux heures de combat – à Essling. Balzac avait écrit à Madame Hanska « J'entreprends de vous initier à toutes les horreurs, à toutes les beautés d'un champ de bataille. Ma bataille, c'est Essling... À la première page, le canon gronde, il se tait à la dernière ; vous lirez à travers la fumée, vous devez [...] vous rappeler la bataille comme si vous y aviez assisté ». Ce vœu inaccompli de 1833, Patrick Rambaud l'a achevé de manière digne dans *La bataille*, cent soixante-quatre ans après.

De Pologne en 1809 (avec épilogue en 1814 à l'île d'Elbe), une rencontre destinée à l'échec qu'Octave Aubry a racontée par *Le grand amour caché de Napoléon – Marie Walewska*.

Insérons ici un roman faustien peu connu de Dumas qui se passe en 1810-1811, *Le trou de l'enfer*, qui évoque la « Tugenbund » (Ligue de Vertu), société secrète patriotique allemande cherchant à libérer le pays de l'envahisseur français.

La campagne de Russie

On connaît le cadre de *Guerre et paix* de Léon Tolstoï : les campagnes qui opposèrent l'Empereur et la Russie, d'abord en 1805-1806 (Austerlitz) et surtout en 1812-1813 (Borodino, Moscou). Une intrigue vraiment symphonique peut se résumer par les aventures de deux familles nobles, les Bolkonsky et les Rostov ; quant au personnage central, c'est le porte-parole de l'auteur sous les traits de Pierre Bézoukhov qui assistera aux amours du prince André pour Natacha Rostov et surtout aux retentissements de l'invasion napoléonienne. Chef-d'œuvre de la littérature mondiale, ce roman se présente comme une très large fresque où les grands ensembles aussi bien que les détails relèvent déjà d'une technique cinématographique ; une observation psychologique intense permet de suivre l'évolution des personnages qui demeurent vivaces dans la mémoire et, peu à peu, se dégage une philosophie de l'Histoire propre à l'auteur, à savoir que les grands événements ne naissent pas tellement de la tête des nations, mais plutôt de la masse populaire.

Le premier roman de Theodor Fontane, *Avant la tempête : scènes de l'hiver 1812-1813*, *Le tambour de Borodino* de Claude Manceron, *L'or de la Bérézina* de William de Bazelaire, *Il neigeait* de Patrick Rambaud et, sur un ton plus humoristique, *La grogne de l'empereur* de William Camus font revivre, sur divers registres, cette Campagne de Russie. C'est à la même époque, à Moscou, au moment où Napoléon investit cette ville, que débute l'existence romanesque d'un jeune Français qu'on appellera, dans le roman d'Henri Troyat, *Le Moscovite* (suivi de *Les désordres secrets* et *Les feux du matin*). Cette trilogie du romancier d'origine russe participe au talent habituel de cet auteur et fait revivre l'événement d'une façon intérieure. Quant au capitaine, puis major Quentin Margont et ses comparses, ils sont convoqués tant par le prince Eugène de Beauharnais que Joseph Bonaparte pour résoudre quelques énigmes en marge de la Grande Armée en campagne. *Chasse au loup* a lieu en Autriche en 1809, *Les proies de l'officier* en 1812 et *La mémoire des flammes* en mars 1814. Ces récits dynamiques sont signés Armand Cabasson, membre du Souvenir napoléonnien.

En filigrane, la déroute est au centre de *La maison de l'empereur* du psychiatre Quentin Debray et est scandée par *Les sabots de la liberté* de Michelle Clément-Mainard.

Le déclin

Sous la plume de deux auteurs alsaciens désignés sous la signature Erckmann-Chatrian, le roman historique devient « roman national ». Leurs nombreux récits valent d'être lus tant par leur qualité savoureuse que par le point de vue patriotique chaleureux et simple des héros qui sont des gens du peuple. Il y a en effet, chez ces auteurs, une volonté populaire exaltant les petits, les obscurs, les sans-grade qui font l'Histoire plus que les grands de ce monde. Cette philosophie de l'Histoire ressemble beaucoup à celle de Tolstoï et a permis quelques récits qui se déroulent à l'époque que nous étudions : *Histoire d'un conscrit de 1813*, *Waterloo* et *L'invasion.*

À peine un printemps de Claude Manceron raconte le même épisode frustrant que Joseph Roth par *Le roman des Cents-Jours*, alors que *La grande ombre* d'Arthur Conan Doyle est le récit presque initiatique d'un jeune Écossais qui fait ses premières armes à Waterloo. Alexandre Barbero a fixé minutieusement la défaite française, le 18 juin 1815 : *Waterloo.*

Signalons un autre roman de Conan Doyle, *L'oncle Bernac*, que celui-ci, mécontent, qualifie de « misérable petit récit napoléonien » alors que l'historien Jean Tulard considère ce même roman comme son meilleur.

N'oublions pas Jean Burnat et son magnifique grognard, *C'est Dupont, mon empereur* avec, comme sous-titre, « mémoires inédits du grenadier Nicéphore Dupont natif de Melle (Vendée) ».

Entre la bataille d'Eylau (1807) et celle de Waterloo, quatre jeunes gens voient leurs destins se nouer de façon quasi alchimique. *Les adieux à l'Empire*, d'Olivier Barde-Cabuçon dresse une fresque épique sur huit années de guerre et de paix qui se situe, selon l'éditeur, entre Dumas et Eco.

Cent complots pour les Cent-jours raconte la période qui va d'avril 1814 à juin 1815 par l'entremise et l'entreprise romanesque du général Henri Paris.

Permettons-nous de citer ici, comme le fait d'ailleurs Georges Lukács, le chef-d'œuvre de Stendhal, « La chartreuse de Parme », pour sa brillante « ouverture » sur Waterloo et l'énorme digression consacrée au même événement que Victor Hugo insère dans « Les misérables » (début de la IIe partie).

L'auberge de l'abîme d'André Chamson rapporte de façon saisissante l'aventure d'un rescapé de la dernière bataille de Napoléon, tandis que *Les taillons ou la terreur blanche* du même auteur reprend un épisode peu connu des séquelles de la Révolution et de l'Empire en 1815.

L'absent, par Patrick Rambaud, évoque intimement l'exil à l'île d'Elbe en 1814.

Autant le *Pontcarral* de l'historien Albéric Cahuet raconte les vrais malheurs d'un colonel bonapartiste sous l'Empire, autant *Moi, Cadot, maréchal de l'Empire* du journaliste Michel Domange est inventé, mais seuls les spécialistes pourront dire lequel de ces deux livres sonne comme de l'histoire officielle.

Napoléon II, dit « L'Aiglon », fut assassiné au théâtre par Edmond Rostand en 1900 et subit le même sort dans *Le fils de l'Aigle* de Pierre Nezeloff, alors que ce destin singulier est rapporté avec piété et vérité chez *Le fils de l'Empire* de la romancière italienne Francesca Sanvitale.

Citons ici l'autobiographie transcrite par Isabelle Bricard de *Moi Léon, fils de l'empereur*, l'un des bâtards authentiques de Napoléon (1806-1881).

Les livres ci-après participent tous de près ou de loin à l'épopée napoléonienne qui devait se terminer en 1815. *Le maître des canons* d'Alain Marx sacrait le général Masséna que Napoléon appelait « l'enfant chéri de la victoire » ; Suzanne Chantal, dans *Les larmes de cristal*, décrit bien, à travers l'histoire d'une jeune aristocrate française mariée à un Portugais, les drames que provoque à Lisbonne l'invasion française. Quant à *Chevalerie du soir* de Nicolas Saudray, c'est à la fois la suite de *Dieu est-il gentilhomme ?* et une étrange portion de l'histoire occulte qui traite de l'attitude des chevaliers de Malte par rapport à l'Empereur.

Napoléon, de par son parcours, ses brillantes victoires et son déclin non moins éclatant, a tramé, pour ainsi dire, son mythe de son vivant et sa légende s'est répercutée en d'étranges rumeurs, falsifications et utopies.

Six ouvrages illustrent cette « zone d'influence posthume ». Dans *Échec à l'empereur*, le Polonais Waldemar Lysiak fournit les plaisirs de l'uchronie et du suspense. On veut enlever Napoléon pour lui substituer un double : un moine polonais. L'histoire d'une conspiration organisée par Castlereagh, ministre britannique de la Guerre dans le gouvernement Pitt en 1806.

Stefan Zweig disait : « Un chef-d'œuvre de vraisemblance appuyé sur une documentation supérieure, mise au service d'une impartialité rare ». Il citait *Le sosie de l'Aigle*, un curieux récit publié en 1932 par Jean Deincourt, qui réussit à faire revivre l'Empire par les yeux d'un sosie de l'empereur.

N'oublions pas, dans la foulée, un vieux roman de 1836 signé Louis Geoffroy, *Napoléon apocryphe* ou l'histoire telle qu'elle n'a pas eu lieu de 1812 à 1832, date de sa mort, réédité récemment sous le titre *Napoléon et la conquête du monde, 1812-1832*, avec en sous-titre « Histoire de la monarchie universelle » et en deuxième sous-titre, entre parenthèses, l'intitulé originel.

Plus retors est le *Journal secret de Napoléon Bonaparte* de Lo Duca qui en abusa plusieurs lors de sa publication en 1948. Il s'agit donc d'un écrit intime commencé au Caire en 1798 et poursuivi jusqu'à Sainte-Hélène. Joignons-y *Il était une fois Napoléon* de Joseph Delteil, qui bénéficie de la maligne spontanéité de l'écrivain.

Entre autres suppositions affirmées comme faits, il y a *L'armée de Sainte-Hélène* de Davide Pinardi, un commando décidé à libérer l'empereur à Noël 1820, et *Un rêve de Napoléon* où il est certain qu'un vaisseau pirate est à proximité, à quelques heures de sa mort le 5 mai 1821 (Pierre Viallet). *La mort de Napoléon* de Simon Leys est celle d'un sosie alors que le vrai est revenu en France.

Concluons cette étrange série d'œuvres plutôt légendaires avec *Mémoires de Napoléon* de Robert Colonna d'Istria, un écrivain corse qui aurait retrouvé ce manuscrit dans les archives de sa famille. Espèce d'anti-mémorial de

Sainte-Hélène où il y a, selon le transmetteur, « plus de vérité que de certitudes », c'est un dossier que l'empereur a laissé en prescrivant d'attendre six ou sept générations avant de le publier. De la même invention, Patrick Ravignant soumet à la curiosité du lecteur le *Journal secret de Napoléon Bonaparte.* Depuis le 12 juin 1792 jusqu'au 20 avril 1821, de la chute de la monarchie à Sainte-Hélène, le petit caporal, le premier consul, l'empereur, le grand proscrit aurait écrit son journal intime (?). Postfacée par Jean Tulard, une belle méditation sur le pouvoir et la gloire est fournie par Odette Dossios-Pralat dans *Napoléon se souvient : les feuillets de Sainte-Hélène.*

Quatre séries de romans maritimes anglais décrivent les paysages, histoires et politiques d'alors.

La première et la plus célèbre est due à C. S. Forester qui raconte, de 1794 à 1823, les aventures d'Horatio Hornblower qui, d'*Aspirant de marine*, titre du premier tome, devient amiral de la flotte anglaise. Onze volumes dont nous fournissons l'ordre de lecture proposé d'après la chronologie interne et non selon la parution : 1. *Aspirant de marine* ; 2. *Lieutenant de marine* ; 3. *Seul maître à bord* ; 4. *Au cœur de la mêlée* ; 5. *Trésor de guerre* ; 6. *Retour à bon port* ; 7. *Un vaisseau de ligne* ; 8. *Pavillon haut* ; 9. *Le seigneur de la mer* ; 10. *Lord Hornblower* ; 11. *Mission aux Antilles.*

Une deuxième série couvre la période 1768-1815 et met en cause Richard Bolitho qui deviendra lui aussi amiral après avoir combattu les Français et les Espagnols sur mer. Alexander Kent a publié 27 volumes dont 20 ont été traduits : 1. *Cap sur la gloire* ; 2. *En ligne de bataille* ; 3. *Ennemi en vue* ; 4. *Capitaine de pavillon* ; 5. *Armé pour la guerre* ; 6. *Capitaine de Sa Majesté* ; 7. *Combat rapproché* ; 8. *À rude école* ; 9. *Mutinerie à bord* ; 10. *En vaillant équipage* ; 11. *Cap sur la Baltique* ; 12. *L'aspirant Bolitho contre les naufrageurs* ; 13. *Le feu de l'action* ; 14. *Victoire oblige* ; 15. *Honneur aux braves* ; 16. *Flamme au vent* ; 17. *À l'honneur, ce jour-là* ; 18. *Toutes voiles dehors* ; 19. *Un seul vainqueur* ; 20. *Une mer d'encre.*

Un troisième ensemble de vingt volumes de Bernard Cornwell met en vedette le lieutenant Richard Sharpe dont la première aventure est *L'aigle de Sharpe*, suivi de *Le trésor de Sharpe* et *La Compagnie de Sharpe.*

Enfin, 20 épisodes dûs à Patrick O'Brian exaltent la Royal Navy durant les guerres napoléoniennes à travers son capitaine Jack Aubrey et son médecin Stephen Maturin. Élaborés avec la précision documentaire des meilleures historiens, ces romans ont été salués « comme les meilleurs romans historiques jamais écrits » tant pour l'évocation quotidienne de la vie à bord des vaisseaux que pour la reconstitution du climat d'alors grâce aux dialogues de ses deux principaux personnages contrastés. L'ensemble de cette étonnante série a été traduit en français ; dans l'ordre de publication et de lecture : 1. *Maître à bord* ; 2. *Capitaine de vaisseau* ; 3. *La surprise* ; 4. *Expédition à l'île Maurice* ; 5. *L'île de la désolation* ; 6. *Fortune de guerre* ; 7. *La citadelle de la Baltique* ; 8. *Mission en mer ionienne* ; 9. *Le port de la trahison* ; 10. *De l'autre côté du monde* ; 11. *Le revers de la médaille* ; 12. *La lettre de marque* ; 13. *Le rendez-vous malais (Mission en Malaisie)* ; 14. *Les tribulations de la Muscade ;* 15. *L'exilée ;* 16. *Une mer couleur de vin* 17. *Le Commodore* ; 18. *Le blocus de Sibérie* ; 19. *Les cents jours* ; 20. *Pavillon amiral.* Citons ici, du côté corsaire, la série de David Donachie qui implique les frères Harry et James Ludlow à bord du Bucéphale : *Une chance du diable, Trafic au plus bas, Haut et court, Un parfum de trahison.* Et terminons avec le plus célèbre, le capitaine Thomas Kydd dont les débuts sont narrés dans *Enrôlé de force* de Julian Stockwin et se poursuivent sur cinq autres épisodes (en cours de traduction).

En plus privé, toujours sur mer, précisément le 17 juin 1816, flotte pour treize jours le radeau de « la Méduse » immortalisé par Géricault et raconté de façon authentique par *Le lieutenant de la frégate légère* de Catherine Decours dans *La malédiction de la Méduse* d'Éric Emptaz.

3. Vers de nouvelles libertés

« Ceci n'est pas un roman historique » nous avertit Aragon au seuil de *La semaine sainte.* Il s'agit de cette semaine de 1815, entre le 18 et le 25 mars, qui voit Napoléon franchir les dernières étapes du retour de l'île d'Elbe, pendant que Louis XVIII fuit de Paris et gagne la frontière. Aragon a voulu simplement dire que l'essentiel de son roman n'est pas un événement en tant que tel, mais la reconstitution tant matérielle que spirituelle d'un certain nombre de personnages qui ont vécu cette aventure. Parmi eux, le peintre Théodore Géricault qui sert de porte-parole à l'auteur. Très beau récit à la fois réaliste et poétique, tant par la manière dont il est traité psychologiquement que par le niveau du style.

Le Congrès de Vienne mit en vedette le fameux Talleyrand. Le roman de l'Américaine Rosie Waldeck, *De pourpre et d'azur*, décrit cet événement politique important. C'est le lieu de citer, raconté par lui-même, *Le Diable boîteux ou les passions de M. de Talleyrand*, pour copie conforme, François Boulain et *Le cuisinier de Talleyrand* que dépeint Jean-Christophe Duchon-Doris.

Ce même événement est au centre des cahiers intimes d'une jeune fille qui en est témoin en fournissant une chronique romancée mais authentique fournie par Xavier de Laval avec *Les aigles du Danube*.

Les quatre volumes de *La symphonie du destin* de Sarah Frydman évoquent quatre vies de femmes plus ou moins célèbres entre 1797 et 1872, ce qui couvre une partie de la chronologie que nous explorons. Cette entreprise qui propose l'histoire d'une dynastie matriarcale commence avec *Élisabeth*, amie de Goethe et femme affranchie qui donnera naissance à *Antonia*, la malheureuse épouse du poète Clemens Brentano, et à *Marie d'Agoult* qui sera l'égérie de Liszt. De cette union éphémère naîtra *Cosima*, l'épouse de Richard Wagner. Plus biographies romancées que romans historiques, ces quatre ouvrages bien documentés constituent un nostalgique pèlerinage dans la vie culturelle de l'époque.

Autre grande dame contemporaine, Laure, duchesse d'Abrantès qui a laissé des « mémoires » reconnus et qui rencontra les gens importants d'alors. Mourant en 1838, elle aurait pu dire comme Sylvie Simon *Mon cœur a plus d'amour que vous n'avez d'oubli*.

Un peintre célèbre de cette période est raconté par Lion Feuchtwanger dans *Le roman de Goya*. Livre coloré et brillant qui replace dans leur contexte historique et psychologique les plus célèbres tableaux de cet artiste espagnol si singulier.

Lorenzo, c'est Lorenzo da Ponte, l'ami de Casanova et surtout le librettiste de Mozart, abbé, franc-maçon, coureur de jupons banni de Venise, chassé d'Antioche, réfugié à Londres et qui mourra à Philadelphie en 1838. Claude Mossé s'en fait l'historiographe avec la collaboration de Nicole Pallanchard. Casanova est présenté en prédateur dans *Un charmant défaut* qu'évoque Arthur Japin.

L'historien anglais Christopher Nicole élabore, dans *Les mémoires secrets de Lord Byron*, un étonnant pastiche de ce fameux manuscrit qui fut brûlé par l'éditeur peu après la mort du poète. Cela fournit un excellent « portrait » à la première personne, tumultueux et non conformiste comme son modèle, tout comme *Le manuscrit de Missolonghi* qui est lui aussi un journal « autobiografictif » que Frederic Prokosch a construit d'après les documents d'époque.

C'est dans la conjoncture de la guerre d'indépendance grecque que mourut le poète, guerre où les Turcs n'eurent pas le beau rôle si l'on se fie aux données historiques et au roman de Jules Verne *L'archipel en feu* ou à celui de Michel de Grèce *La Bouboulina*, patriote pétulante et « pasionaria » de ce conflit, ou encore à *L'enlèvement de Vénus*, un récit rongé par les mythes de Giancarlo Marnori.

Plus qu'une suite à « Lucien Leuwen » de Stendhal malgré le titre *Le rouge et l'or*, le roman de Jean Français est une poursuite à la Dumas dans une Espagne romantique qui offre un très agréable divertissement aux rebondissements allègres et surprenants.

Outre-Atlantique, *Le Chouan de Saint-Domingue* (de Bernard Gilles et Serge Quadru) relate, en se fondant sur des faits authentiques, les exploits de Toussaint Louverture. On retrouve ce héros dans la trilogie de l'écrivain Madison Smartt Bell, *Le soulèvement des âmes*, *Le maître du carrefour* et *La pierre du bâtisseur*, tout en demeurant, selon Jean Métellus, *Toussaint Louverture le précurseur*.

Près de la Nouvelle-Orléans, s'affirmait *Moi, Laffitte, dernier roi des flibustiers* (de Georges Blond) qui écumait *La baie des maudits* (Alain Dubos). La destinée mouvementée de cet aventurier capturé aux Antilles en 1813, mais aidant le général Jackson à sortir les Anglais de la Louisiane l'année suivante, était déjà un véritable roman.

À travers les océans, règne *Surcouf : le roi de la mer* ou *Surcouf roi des corsaires* dont les romanciers populaires Louis Noir et Arthur Bernède font un personnage légendaire à partir de documents et d'archives réels. Autre histoire de pirates : *L'auberge de la Jamaïque* de Daphné Du Maurier décrit un endroit très hospitalier pour les gens du métier.

Plus au nord, les nouveaux Américains attaquent les frontières canadiennes, ce qui nous est rapporté par *Les fiancés de 1812* de Joseph Doutre.

De retour aux Antilles avec *Dominique, nègre esclave* de Léonard Sainville qui observe *Les semailles du ciel* (de Jean-Louis Cotte) sur les terres enchanteresses de la Martinique, pendant que ses frères de race sont persécutés au Dahomey et exportés comme esclaves par un forban brésilien, *Le vice-roi de Ouidah* de Bruce Chatwin.

Curieuse conjoncture, d'autant plus qu'elle est réelle, que nous rapporte Raymond Borel dans *La garde meurt à French Creek*. Il s'agit d'un groupe de grognards réchappés de Waterloo qui émigrent en Amérique et y fondent une petite colonie. En 1821, ils célèbrent la petite cité prospère et, à cette occasion, revêtent leurs uniformes. C'est alors que le titre prend son sens...

Figure populaire qui a inspiré Balzac pour son Vautrin, *Vidocq*, le forçat devenu policier, ressuscite sous la plume d'Arthur Bernède, tandis que

Bernard Gilles et Serge Quadru, avec *La malandrine*, racontent une de ses aventures.

Le chevalier de Landreau (1787-1832) est un vrai héros de roman par les aventures qu'il a réellement vécues, et c'est Georges Bordonove qui réussit là, sous forme romancée mais constamment en référence avec la réalité, le portrait d'un esprit attachant et combien moderne par son esprit contestataire et qui fait partie de ces oublis multiples de l'histoire.

Autre sujet peu connu : entre 1831 et 1832, plusieurs garçons de la vallée alpine des Barcelonnettes émigrèrent pour aller vivre une aventure commerciale au Mexique de l'époque. Cette reconstitution est fort bien menée dans *Les « Barcelonnettes »* (1. *Les jardins de l'Alameda ;* 2. *Terres chaudes*) d'Alain Dugrand et Anne Vallaeys.

D'un simple fait-divers, la vie d'un groupe réfugié au cœur des Cévennes par peur du choléra vers 1835, Jean Carrière a fait surgir une véritable épopée de *La caverne des pestiférés* (1. *Lazare* ; 2. *Les aires de Comeizas*).

Autres réfugiés en masse, les Irlandais qui fuient la grande famine en leur pays (1845-1852) et émigrent en Amérique. Ce que rapporte Ann Moore en sa trilogie *Grace O'Malley, Loin de l'Irlande, En attendant l'aube* et Willliam Carleton dans *Le prophète noir.*

De retour à Paris en 1832 pour *Les complots de la liberté* de Michel-Antoine Burnier et Patrick Rambaud. Il s'agit d'une très habile reconstitution d'une époque à la fois romantique et romanesque, renouvelant avec agrément nos connaissances sur ces jeunes gens que furent Alexandre Dumas, Victor Hugo et Stendhal. Au rythme des événements, s'incrustent en brèves vignettes des scènes historiques réelles qui authentifient le reste du récit. Tout cela procède de l'enquête journalistique et du roman d'aventures, sur un ton que le père Alexandre n'eût point désavoué.

Même année, le soulèvement de la Vendée par celle qu'on a surnommée *La louve de Mervent* en un roman de Michel Ragon qui narre cette équipée et qu'on retrouve tout au long des mémoires apocryphes : *Moi, la duchesse de Berry* édités par Pierre Serval, car c'est bien d'elle qu'il s'agit, Marie Caroline de Bourbon, mère du jeune Henri V qu'elle tenta en vain d'installer sur le trône de France.

Autre étrange dame, extravagante et aventureuse, cette Londonienne de 30 ans quittant la vie politique pour le Liban après de sinueux itinéraires. Lady Hester Stanhope (1776-1839) a inspiré plusieurs auteurs. Brian Cleeve titre selon son prénom, *Hester*, alors que Denise Brahimi lui redonne son surnom, *La reine de Palmyre*, Pierre Benoît sa situation, *La châtelaine du Liban*, et Jean-Baptiste Michel ses initiales, *Lady H.* Par ailleurs, cette singulière personne qui a beaucoup écrit a droit elle aussi à ses « mémoires » grâce à Marie Seurat : *Mon royaume de vent. Souvenirs de Hester Stanhope.*

Côté peuple, on peut suivre le héros de Jacques-René Martin, un jeune compagnon du Tour de France Camille Lafrance, dit Casse-Pierre avec *La XIIIe centurie* ; *Les enchaînés* et *La barricade sanglante.*

Du côté américain, un récit bien documenté raconte la liaison scandaleuse de Thomas Jefferson avec une esclave mineure, *La Virginienne* de Barbara Chase-Riboud, cependant que *Mandingo* de Kyle Onstott constitue un violent réquisitoire contre l'esclavagisme américain des années 1830.

Autre incident sur le même sujet, *Le nègre de l'Amistad* dont l'épopée tant maritime que territoriale en 1839 fournira un interlocuteur valable à John Quincy Adams. Un récit tumultueux dû encore à Barbara Chase-Riboud dont on retrouve les incidents dans *Les mutinés de l'Armistad* de William Owens.

Le romancier américain Gore Vidal, à partir d'un personnage épisodique, a publié *Burr : l'irrésistible ascension d'Aaron Burr, vice-président des États-Unis.* Au lieu de nous donner une biographie même romancée de ce personnage pionnier de la nation américaine (1756-1836), l'auteur a préféré la formule du roman qui lui permet, tout en conservant l'authenticité du héros, de décrire l'époque où celui-ci vécut. Par découpages, témoignages, mémoires de l'époque, il nous donne un gros récit presque cinématographique qui bouge, vit et se lit très bien.

Rébellion au Canada

Trois écrivains canadiens-français ont raconté les événements de 1837 qui virent la rébellion de leurs ancêtres contre les occupants anglais. Par ordre de publication, dès 1864, Georges Boucher de Boucherville, dans *Une de perdue, deux de trouvées*, nous rapporte cet événement sous forme d'un gros roman d'aventures, alors que Robert de Roquebrune, dans *Les habits rouges*, nous offre une version romanesque, assortie d'une intrigue sentimentale et pleine de délicatesse, tout en se gardant de faire l'apologie d'une cause ou d'un homme ; attitude que reprend Gustave Proulx avec *Le combat magnifique*, publié à Québec en 1973.

D'une façon inattendue, on retrouvera dans l'œuvre de Jules Verne, sous le sigle des « Voyages extraordinaires », un récit assez dramatique inspiré par les écrits de Louis-Joseph Papineau, *Famille-sans-nom*, qui, selon la remarque de Francis Lacassin dans une préface à ce roman, semble préluder au « Vive le Québec libre » du général De Gaulle.

Dans le sillage de cette rébellion, Léo-Paul Desrosiers, dans *Nord-Sud*, nous offre, par le biais d'une intrigue sentimentale, la reconstruction détaillée de cette période de la vie canadienne vers 1840, où les patriotes déçus songent à émigrer vers la Californie.

En amont, deux récits de Louise Simard et de Sylvie Chaput : *De père en fille* qui décrit socialement le Canada français jusqu'en 1832 et *Les cahiers d'Isabelle Forest*, orpheline qui tomba amoureuse de Philippe-Aubert de Gaspé junior.

En aval, *La route de Parramatta* où récidive Louise Simard en suivant, en 1840, les 58 patriotes exilés en Australie.

Et au-delà, tout au long de sa vie (1796-1862), *Le roman de Julie Papineau* en deux tomes (dont le deuxième est sous-titré « L'exil ») tel que rapporté par Micheline Lachance.

Chroniques russe, anglaise et italienne

En 1825 meurt Alexandre Ier, petit-fils de la grande Catherine et vainqueur de Napoléon. C'est la version officielle qui prévaut, mais il semblerait qu'il aurait disparu pour laisser place à son jeune frère Nicolas et aurait survécu quarante ans en Sibérie. Ce que raconte avec astuce Jean Baptiste Michel dans un récit intitulé *De toutes les Russies*.

On peut placer ici deux fresques du romancier Henri Troyat qui se déroulent successivement sur presque un siècle. Il s'agit de *La lumière des justes* (1. *Les compagnons du coquelicot* ; 2. *La Barynia* ; 3. *La gloire des vaincus* ; 4. *Les dames de Sibérie* ; 5. *Sophie ou la fin des combats*). Entre 1814 et 1857, la vie ardente de son héroïne Sophie sert de fil conducteur ou plutôt de fille conductrice à une très belle histoire d'amour, sur trame sociologique élaborée, dans la veine des longs feuilletons d'autrefois avec le style en plus. L'autre saga, *Les héritiers de l'avenir* (1. *Le cahier* ; 2. *Cent un coups de canon* ; 3. *L'éléphant blanc*), se passe exclusivement en Russie et prend son point de départ à peu près où se termine le précédent. Somme romanesque, il constitue une émouvante odyssée qui se conclut avec la fin du servage vers la liberté provisoire qu'apportera la Révolution d'octobre 1917.

Depuis trente ans, le journaliste britannique George MacDonald Fraser nous livre, sous forme de mémoires (apocryphes bien sûr), une série originale qui comporte environ douze titres dont deux ont été traduits en français : *Flashman hussard de sa majesté* et *Flashman le prisonnier de Bismarck*. Immoral, séducteur et cynique, ce héros, ou plutôt cet anti-héros parce qu'il s'agit d'un coquin et d'un poltron, court à travers l'Europe et dans les colonies à partir de 1842. Vraiment il court parce qu'il s'enfuit constamment et croise sur son chemin Louis de Bavière, Bismarck, Wagner, Karl Marx et même Lola Montès. Cela donne du Dumas à la moderne, plus un piquant d'humour anglais et d'« hamour ».

Avec *La mort sur un plateau d'argent* et *La tabatière empoisonnée* débute une série de Rosemary Stevens consacrée à l'Arbitre des élégances de la cour de George III, George Bryan dit Beau Brummel.

Élaboré dès 1934 et publié après la guerre, de 1951 à 1958, le triptyque de Jean Giono, *Le hussard sur le toit*, *Le bonheur fou* et *Angelo*, auquel on peut ajouter *Mort d'un personnage*, raconte, sur une trentaine d'années, tant en Italie qu'en France, les péripéties que traverse avec bonheur et fougue généreuse son héros Angelo Pardi, petit-fils de Stendhal et homologue de Fabrice del Dongo. Le premier volet narre l'épidémie de choléra qui dévasta la Haute-Provence en 1838, le deuxième nous fait revivre l'Italie de 1848, alors que le troisième revient sur la jeunesse du héros. Cet ensemble allègrement écrit avec un rare bonheur et une joie de raconter qui est contagieuse, réussit, grâce à un style savoureux, à remplir ce programme que s'était donné Alexandre Dumas père, « élever l'histoire à la dignité du roman ».

Revenons à la France et retrouvons Michel-Antoine Burnier et Patrick Rambaud dans un autre roman habilement construit à partir des chroniques et des archives, qui s'intitule tout simplement *1848*. Avec autant de talent que dans leur précédent roman, *Les complots de la liberté*, un autre récit rapide et nerveux dont la fiction sert de trame, alors que les événements servent de drame.

Du 22 février au 25 juin de la même année, s'instaure la Deuxième République. C'est *Le printemps de Paris* décrit avec enthousiasme et chaleur par Barret et Gurgand.

À la même époque, *L'épingle noire* de Dominique Saint-Alban offre un habile divertissement où déambulent de sympathiques personnages.

Répondant au majuscule *Coup d'État* de Napoléon III en 1851, rapporté par Pierre Moinot, un épisode historique minuscule, une insurrection en Provence, est le sujet intitulé *Et la montagne fleurira* par Luc Willette.

Ce Second Empire, instauré par Napoléon III, est décrit en largeur et en profondeur par la trilogie qu'entreprend Jean-Pierre Dufreigne dont le premier tome annonce *Un si charmant jeune homme* et, en ce qui concerne la métamorphose de Paris, par un récit de Michel Ragon dont le titre trahit la nostalgie anticipée : *Un si bel espoir*.

Autres chroniqueurs vivants de cette période : André Billy avec *Le duc des Halles* et Alexandre Arnoux avec *Roi d'un jour* et Hugues Rebell qui évoque *La femme qui a connu l'empereur* relevant, comme la plupart des livres de cet auteur, du tableau des mœurs comme celui d'Isaure de Saint-Pierre évoquant la comtesse de Castiglione comme *La dame de cœur : un amour de Napoléon III.*

À l'autre bout du monde, du côté de l'Inde, une fresque articulée sur vingt-cinq ans, entre 1851 et 1876, dans le décor à la fois misérable et prestigieux de l'époque impériale britannique, esquisse des idylles et des aventures guerrières dont sont témoins les *Pavillons lointains* de Mary Margaret Kaye. Le même auteur avait publié auparavant *L'ombre de la lune* qui narrait la révolte des Cipayes en 1857 répercutée par *Le vent du diable : l'histoire du prince Nana Sahib* sous la plume de Manohar Malgonkar.

Ce même épisode se retrouve dans *La femme sacrée* de Michel de Grèce, l'histoire d'une femme exceptionnelle déchirée entre son amour pour un Anglais et sa haine légitime contre les envahisseurs de son pays.

Cependant, aux États-Unis, précisément en Californie, aboutit en 1849 l'invraisemblable odyssée d'un aventurier suisse qui fût devenu milliardaire n'eût été l'entrée des territoires californiens dans les États-Unis. Blaise Cendrars en a fait un petit chef-d'œuvre avec *L'or*. Tandis que Michael Blake a tenté avec *Le paradis des héros* de nous fournir les « mémoires apocryphes » (mais qui semblent authentiques) du même général Custer. Rédigés au cours du dernier mois de sa vie, ils acquièrent un sens prémonitoire émouvant.

La Guerre de Sécession

Un peu plus tard, nous assistons, par roman interposé, à la Guerre de Sécession ou Guerre civile américaine qui eut lieu du 14 avril 1861 au 9 avril 1865. L'antagonisme entre les Yankees du Nord et les Confédérés du Sud était évidemment de nature économique, mais l'institution de l'esclavage constituait une autre division encore plus profonde. Quelques romans très colorés ont bien décrit cette situation. D'abord ce classique de 1851 encore lu de nos jours, *La case de l'Oncle Tom* de Harriet Beecher-Stowe, récit courageux et émouvant qui dénonce l'esclavage en allant contre une loi qui l'encouragea. Plus anecdotique, *2 000 dollars pour Melinda* de John Boyd raconte les mésaventures quand même sympathiques d'un commerçant juif anti-esclavagiste qui devient passeur pour les Noirs du Sud jusqu'au Canada. *Loin de Savannah* de Lonnie Coleman est un large tableau documenté du Sud avant la guerre, autant que ce magnifique roman de Robert Penn Warren, *L'esclave libre*.

Parmi les prodromes de ce conflit entre Sud et Nord il y a lointainement l'état d'esclavage qu'Alex Hailey a cruellement dépeint dans *Racines* et plus immédiatement, en 1859, la pendaison de John Brown, le célèbre abolitionniste que son fils Owen nommait le *Pourfendeur de nuages*, ainsi que nous le rapporte Russell Banks. Le prestigieux prix Pulitzer a couronné en 2004, un grand roman d'Edward P. Jones : *Le monde connu* qui fait le point sur la situation et donne à entendre la voix de nombreux protagonistes qui s'affrontent déjà.

Ici se place tout naturellement le best-seller international *Autant en emporte le vent* de Margaret Mitchell. L'ouvrage vaut d'être lu pour le souci documentaire des faits rapportés, ce que le film a fatalement estompé au profit de l'idylle romantique par ailleurs très bien rendue.

On sait désormais que Julien Green avait esquissé dès 1934 les premières pages de *Les pays lointains* (dont une centaine de pages ont paru à la suite de l'édition originale du tome I de son « Journal ») mais qu'il abandonna devant le succès de Margaret Mitchell. Heureusement, il a repris son projet dans une trilogie tardive : *Les pays lointains*, *Les étoiles du Sud* et *Dixie*.

Pour une vue panoramique de la guerre de Sécession, une autre trilogie moins intimiste et plus politique de John Jakes : *Nord et Sud*, *Guerre et passion*, *Le ciel et l'enfer*, à laquelle il a ajouté *Violence et passion*.

De nombreux récits, très inégaux, ont évoqué avec des bonheurs divers ce drame national. Ainsi Jules Verne qui, dans *Nord contre Sud*, insiste sur la discrimination raciale et la persécution des Noirs. *Les Bleus et les Gris* de John Leekley, *Les Sudistes* de Gerry Morrison et *Où souffle la haine* de Jack Hoffenberg racontent des épisodes de ce funeste conflit, comme les trois romans de Frank G. Slaughter : *L'épée et le bistouri*, *Maritza* et *Sangaree*.

Par ailleurs, *Le régiment noir* d'Henry Bauchau narre le même épisode que le film « Glory », cependant que *Les cèdres de Blanc-Jardin* de Belva Plain flambent *Comme un feu éternel* (Elisabeth Nell Dubus) *Dans la vallée de l'ombre et de la mort* (Kirk Mitchell).

Pointe de diamant évoque la croisière désespérée des marins de la Shenandoah qui essaient de couper le ravitaillement aux Nordistes. Ce gros récit dramatique est dû à H. Branch et F. Waters.

Enfin, pour les lectrices curieuses ou furieuses devant la cruelle réponse de Rhett Butler à Scarlett O'Hara « Que vais-je devenir ? » il y a l'hypothèse séquentielle du roman *Scarlett* d'Alexandra Ripley.

En flash-back, *La veuve du sud* raconte les morts inhumés dans sa plantation lors de la Bataille de Franklin (Tennessee) en 1864 selon Robert Hicks.

Insistons sur deux œuvres de qualité : *La conquête du courage* de Stephen Crane qui vaut, au-delà du récit de bataille, par l'étude psychologique d'un jeune soldat, tour à tour poltron et héroïque, une espèce d'initiation tragique qui se traduit en conquête de la maturité et en attaque contre la guerre ; c'est dans le même esprit que se présente *Andersonville* de MacKinlay Kantor (Prix Pulitzer 1955). L'inhumanité de l'homme pour l'homme et la vanité de la guerre y sont éloquemment décrits, en insistant sur l'un des épisodes les plus sombres : la construction de la ville du titre qui est en fait un camp de prisonniers où moururent 13 741 soldats, ainsi qu'en témoigne un cimetière voisin. Si le roman de Stephen Crane reste le classique de la Guerre de Sécession, *Andersonville* est sans doute le roman le mieux documenté qu'elle ait inspiré à ce jour. Signalons aussi *Retour à Cold Mountain* de Charles Frazier qui s'est mérité le National Book Award et des millions de lecteurs. Sa trame odysséenne poursuit un soldat sudiste qui déserte pour retrouver sa fiancée en son Nord natal.

Préférant le roman à la biographie, Gore Vidal, dans son immense *Lincoln*, reconstitue autour de la figure du président la vie politique et mondaine de Washington, la difficile conduite de la guerre, les démêlés avec le Congrès, les intrigues et les tentatives de réunion auxquelles il se vouait. Le romancier nous raconte Lincoln en faisant témoigner sa femme Mary, son secrétaire d'État, son principal rival à la présidence, quelques-uns de ses ennemis et, enfin, son secrétaire particulier qui prend peu à peu conscience de la grandeur et de la stature du président en se rendant compte que sans lui il n'y aurait pas de nation.

En plus des effets généraux et généreux que provoque l'assassinat du président le 14 avril 1865, se retrouve une conséquence particulière sur le couple *Henry et Clara* invités dans la loge où il mourut, ce que nous raconte avec précision le romancier Thomas Mallon.

Un récit conventionnel mais plein de talent de Barbara Ferry Johnson en deux volumes, *Mississipi* et *Belle Fontaine*, décrit les séquelles de la guerre dans une Louisiane profondément meurtrie. Se souvenant de son *Spartacus*, Howard Fast, dans *La route de la liberté*, nous fait suivre un groupe de Noirs affranchis qui regagnent leur plantation abandonnée par les maîtres, tandis que Louis Bromfield, avec *Le delta sauvage (Mississipi)*, dépeint la déception à la fin du conflit. Cependant, tout n'est pas réglé puisque plus de mille esclaves se révoltent dans la Virginie de 1880. Arna Bontemps raconte cet épisode dans *Tonnerre noir*.

Toujours du côté des esclaves, une fresque qu'on a qualifiée d'envers d'*Autant en emporte le vent*, le gros roman de Margaret Walker qui raconte avec beaucoup d'intensité le drame de ses ancêtres avec *Jubilee*.

Citons ici les deux premiers volumes de l'immense entreprise de Maurice Denuzière, *Louisiane* et *Fausse-Rivière*, qui se déroulent entre 1830 et 1895 et couvrent ainsi les événements dont nous venons de recenser quelques reflets romanesques.

Un chapitre entier ne suffirait pas à citer les récits et romans inspirés par la conquête de l'Ouest américain. Une formule romanesque dite « western », de Fenimore Cooper à Zane Grey et à Louis L'Amour, a été utilisée dans des milliers de livres que le cinéma a éclipsés hors des États-Unis.

La construction du chemin de fer transcontinental, les pionniers et la cavalerie fédérale d'une part, les Indiens et les hors-la-loi d'autre part, en somme le règne du « cowboy » est historiquement avéré avec ses incidents, exploits et personnages.

Le rêve californien de David Nevin en témoigne ainsi que la trilogie (pulitzérisée) de Conrad Richter aux titres opportunément évocateurs : *Les arbres*, *Les champs*, *La ville*.

Ajoutons *Ruée vers l'ouest* d'Edna Ferber, *Colorado* de Louis Bromfield, *Alamo* de Steve Frazee et terminons par deux portraits : *Le héros du Far ouest* (Wyatt Earp), d'après Stuart N. Lake, et *Pleure, Geronimo*, selon Forrest Carter.

Un autre épisode tragique de cette période (1862-1867) est décrit par Kurt Palka avec *Les roses rouges du Mexique*. L'aventure de Maximilien d'Autriche et de son épouse Charlotte, la fille du roi des Belges, qui par la volonté de Napoléon III, deviennent empereur et impératrice du Mexique. Cette funeste excursion est aussi le sujet d'Eric Deschodt dans *Eugénie les larmes aux yeux*, d'Annie Gall dans *Adieu donc, belle Eugénie*, d'Erwan Bergot dans *Rendez-vous à Vera Cruz* et de Paco Ignatio Taibo II, en un superbe roman d'aventures, *Le trésor fantôme*, où il retrace la résistance du président errant Benito Juarez.

Outre un récit très romanesque de Robert Christophe qui brode sur *La trahison du Colonel Lopez*, on retiendra surtout ce véritable opéra bouffe qu'en a tiré le grand écrivain mexicain Fernando del Paso en nous donnant *Des nouvelles de l'Empire*, vaste fresque quasi surréaliste où culmine la folie de Charlotte qui, comme on le sait, dura 60 ans après son retour du Mexique.

Plus réaliste et mieux documenté, Michel de Grèce nous a fait récemment le portrait de *L'impératrice des adieux*.

4. Fin de siècle

Revenons en Europe, du côté de l'Italie, avec des romans très documentés dont deux sont ornés de préfaces et d'arbres généalogiques. *Les enfants de Toscane* de Dominique Auclères, *Les princes de Francalanza* de Cortanzede Federico de Roberto et *Les vice-rois* de Gérard de Cortanze racontent les heurs et malheurs de familles aristocratiques au milieu du siècle, en des récits passionnants qui accompagnent ce chef-d'œuvre de la littérature italienne contemporaine qu'est *Le guépard* de Tomasi di Lampedusa, très belle chronique nostalgique de la vie sicilienne que le film de Visconti a magnifiquement illustrée.

Du côté de la Pologne qui s'insurge contre les Russes qui veulent déporter sa jeunesse, la révolte de 1862 se manifeste dynamiquement par *Les faucheurs de la mort* (Alexandre de Lamothe) et plus calmement dans *Le manoir* (Isaac Bashevis Singer).

En France, les années 1870-1871 sont difficultueuses. C'est *La débâcle* de l'armée française à Sedan et celle du régime impérial de Napoléon III. Le roman homonyme d'Émile Zola raconte la réalité pernicieuse de la guerre. Les frères Paul et Victor Margueritte ont laissé une véritable chronique en quatre tomes : « Une époque » dont les intitulés sont *Le désastre*, *Les tronçons du glaive*, *Les braves gens* et *La Commune*. Ce dernier volume, souvent réédité, évoque le cruel épisode parisien en 73 jours où furent fusillés plus de 20 000 communards. *Le canon Fraternité* de Jean-Pierre Chabrol exprime avec fougue et vigueur sur presque 500 pages l'épopée que fut le siège de Paris.

Citons aussi le récit-pamphlet de Georges Darien *Bas les cœurs*, le récit *L'insurgé* de Jules Vallès et, plus récemment, certains romans situés autour de cet événement-avènement de la Troisième République : un bon feuilleton criminel de Pierre Mondet, *On a volé l'or de la Commune* ; le destin tragique d'une éminente victime estimée de Victor Hugo, *Gustave Flourens, le chevalier rouge* par Richard-Pierre Guiraudou et Michel Rebondy, et celle de *Blanche la rouge* d'après Francis Pornon. Sans oublier cette *Fille de la colère : le roman de Louise Michel*, dû à Michel Peyramaure. Laissons enfin les humbles témoins de cette guerre civile agir comme *Les chiens de Dieu* (Paul Aurousseau) et réclamer par *Le cri du peuple* (Jean Vautrin). *Les boulets rouges de la Commune* (Georges Coulonges).

En poursuivant la chronologie

Les maîtres de Falkenhorst de Mark Rascovich décrit l'aristocratie prussienne durant la Guerre de 1870, tandis que *La marche de Radetzky* de Joseph Roth dépeint le déclin de la monarchie austro-hongroise dont Claude Anet a fixé l'un des épisodes les plus émouvants avec *Mayerling* dont le cinéma s'est emparé plusieurs fois à cause de la forte charge émotive que contient ce récit d'un double suicide.

Valse d'automne reprend cette tragédie et l'encadre minutieusement du décor matériel et de la mentalité aristocratique qui prévalait à Vienne en ces années 80. Cette chronique élégante et cruelle est due à Frederic Norton.

Autre valse, *La valse inachevée*, un élégant roman autour d'Elisabeth d'Autriche (Sissi) dû à Catherine Clément, sans oublier *Le livre de raison d'un roi fou : Louis II de Bavière*, journal intime imaginé par André Fraigneau.

Les fêtes d'automne de François Debré évoque la poussée antisémite qui, en France, suivit la défaite de 1870 et rend bien l'atmosphère qui aboutira a la célèbre Affaire Dreyfus du début du XXe siècle.

Cette même tendance se retrouve aussi à Vienne où un collègue du docteur Freud doit protéger le compositeur Gustav Mahler en un récit quasi-policier de C. S. Mahrendorff, *Et ils troublèrent le sommeil du monde*, et sa suite *La valse des anges déchus*, où circulent Mahler, Klimt, Schnitzler et Hoffmannsthal.

Toujours en cette brillante ambiance impériale, du Congrès de Vienne à la Grande Guerre, Lajos Zilahy campe les ancêtres des Dukay dans ce qu'il considère comme *Le siècle écarlate.*

En Chine vit *Le dernier mandarin* qui fait face aux « démons étrangers » installés dès 1850 à Shanghai et Hong Kong. André Le Gal raconte les révoltes qui grondent et aboutiront à la Guerre des Boxers (1899), qui est décrite dans *Le palais des plaisirs divins* d'Adam Williams.

Mil neuf cent, ça et là

Selon Cynthia Harrod-Eagles, c'est durant ses insomnies que la reine Victoria octogénaire aurait tenu son *Journal secret d'une reine* se remémorant en toute sincérité « son siècle » déjà écoulé.

Si loin pour mourir de Maurice Pasquelot a pour sujet l'aventure tragique de quelques 16 000 marins russes lors de la guerre russo-japonaise de 1904-1905 qui furent anéantis par la flotte de l'amiral Togo.

La romancière hongroise Maria Fagyas a construit deux récits à partir de faits authentiques survenus au début du siècle, d'une part *Draga* qui raconte les entours de l'assassinat du roi de Serbie et de son épouse en 1903, et *Le lieutenant du diable* qui est basé sur une cause célèbre de 1909.

Du côté américain...

Empire de Gore Vidal ambitionne, et y réussit, à raconter les États-Unis de 1898 aux abords de 1914, au moment où cette puissance régionale et continentale est en train, sur les plans industriel, politique et militaire, de se muer en puissance mondiale. McKinley, Teddy Roosevelt et Hearst sont en vedette.

Les bâtisseurs de Howard Fast participe à notre exploration, du fait qu'il s'agit d'une excellente description documentaire à partir de l'immigration d'une famille française en Amérique dont le drame couvre les années 1906 jusqu'à 1929.

Deux notes exotiques : *Les années créoles* de Michel Tauriac (1. *La catastrophe* ; 2. *La fleur de la passion* ; 3. *Sangs mêlés*) ont pour point de départ la terrible éruption de la montagne Pelé en 1902 à la Martinique.

Cependant qu'au Mexique surgissent, grâce à James Carlos Blake, *Les amis de Pancho Villa* ou *Les cavaliers de la colère* de Earl Shorris, où le célèbre révolutionnaire rejoint *Le vieux gringo* de Carlos Fuentes.

LE XXe SIÈCLE (1914-1939)

Avant d'aborder le XXe siècle, il faut d'abord constater que d'implicites règles ont longtemps limité le roman historique au posthume. On arrêtait donc la liste aux débuts de la Grande Guerre 1914-18, vu que beaucoup de survivants existaient encore et écrivaient alors une chronique où la mémoire immédiate n'avait pas encore fait place au souvenir. Comme disait Alphonse Allais : « Plus ça va, moins il y a de gens qui ont connu Napoléon. »

On peut tenter désormais d'inclure dans la formule du roman historique l'entre-deux-guerres, la raison invoquée plus haut de la survivance ne jouant plus.

Mais on constatera que nous changeons parfois de registre et que, en exceptant les romans d'écrivains célèbres qui transcrivent leur vécu et que nous citerons simplement entre guillemets, le roman proprement historique glisse de plus en plus dans la chronique romancée, dans le roman social et dans des sous-genres (je préfère des sous-formules) comme le roman de guerre, la politique-fiction et le roman d'espionnage.

Chroniques

Indiquons, avant de cristalliser autour de faits majeurs (Grande Guerre, génocide arménien, révolte irlandaise, révolution russe, guerre d'Espagne), les romans-chroniques qui débutent avant 1914 pour se poursuivre au-delà de l'entre-deux-guerres.

« Je crois que ce XXe siècle connaîtra l'aventure du progrès. » « Je crois qu'il sera plutôt un grand artiste, doué pour exprimer l'amour des hommes et de leur temps. » Extrait d'un dialogue liminaire de janvier 1900 tiré du roman *Le miroir des années* que Louis Bourgeois prolonge jusqu'en 1918.

C'est le cas du gros récit de Lajos Zilahy, *Les Dukay*, qui narre l'histoire d'une famille hongroise entre 1900 et 1939. Cosmopolites, le comte et ses cinq enfants font visiter l'Europe au lecteur, décrivant ainsi ce que Stefan Zweig a nommé « le monde d'hier ». Une suite a été traduite, *L'ange de la colère*, qui perpétue leur histoire entre 1939 et 1950.

Autre chronique transylvaine, sous le titre générique *Écrit sur le mur*, *Vos jours sont comptés*, *Vous étiez trop légers* et *Que le vent vous emporte* par le comte-ministre hongrois Miklos Banffy.

La maison du peuple raconte les débuts du mouvement socialiste en France de 1903 à 1914. C'est signé Louis Guilloux.

Dans une tonalité aristocratique, la trilogie *Les princes de sang* (*Un château en Bavière*, *Le temps des aventuriers* et *L'ombre de la guerre*) de Marion et Thibaut d'Orléans, descendante et héritière, remonte l'arbre généalogique qui s'étiole de 1919 à 1945.

Autre immense évocation que *La gloire et la renommée* de Jaroslaw Iwaszkiewicz qui débute en Ukraine avant la Grande Guerre pour se terminer à Varsovie avec la Seconde Guerre mondiale. Trente ans d'évocations européennes forment une chronique qui en recense les richesses et les paysages dans la ligne Proust-Henry James.

Comment ne pas accorder ici une place à cette fresque de 11 volumes (élaborés entre 1940 et 1953) qui dresse le portrait politique du monde de 1913 à 1949 ? Point de titre générique à cette série mais le même protagoniste, Lanny Budd, dont nous suivons l'apprentissage depuis l'âge de 13 ans alors que la guerre le chasse d'Europe. Au fil des ans, ce riche fils d'un fabricant d'armes américain voyagera à travers le monde, sera mêlé à près de toutes les manifestations communistes ou fascistes, deviendra l'agent personnel du président Roosevelt. L'auteur de cette longue chronique quasi documentaire est l'écrivain américain Upton Sinclair et les six premiers tomes ont été traduits en français : *La fin d'un monde*, *Entre deux mondes*, *Les griffes du dragon*, *La grande porte*, *Mission secrète* et *La moisson du dragon*.

Deux curiosités romanesques

Citons le tout début de la première qui compte mille pages en deux volumes : « Le 25 juin 1914, le sansonnet d'André Gide eut la diarrhée. L'écrivain inquiet, en nota la couleur, l'odeur et la consistance. » S'ensuit, durant un mois, jusqu'au 27 juillet de la même année, un compte rendu multiforme de ce qui se passe en Europe tant dans la banalité des événements quotidiens touchant des gens célèbres que dans la stratégie inconsciente (relevant de l'instinct de conservation) de personnages de fiction qui jouent dans le plausible et le probable. Cette entreprise mosaïque et kaléidoscopique est de Jean Guerreschi : *Montée en première ligne* suivie de *Comme dans un berceau* qui couvre la période du 27 juillet jusqu'au 31 août 1914.

La seconde curiosité se retrouve dans un roman polonais d'Andrzej Kusniewicz, *Le roi des Deux-Siciles*, dont l'action se passe dans une petite ville de l'empire austro-hongrois le 28 juin 1914, jour de l'assassinat de l'archiduc François Ferdinand à Sarajevo, et se prolonge durant un mois reflétant dans ce microcosme le désarroi de la fin d'une époque.

La Grande Guerre

La guerre de 1914-18 a donné lieu à plusieurs romans dont quelques-uns sont demeurés des best-sellers : « Les croix de bois » (Roland Dorgelès), « Le feu » (Henri Barbusse) et, plus tard, « Ceux de 14 » (Maurice Genevoix) et « Invasion 14 » (Maxence Van der Meersch) eurent en effet beaucoup d'audience en France tandis qu'« À l'ouest rien de nouveau » d'Erich Maria Remarque ou « Les quatre cavaliers de l'Apocalypse » de Vincente Blasco-Ibanez étaient traduits dans toutes les langues et inspirèrent des films assez remarquables.

Ces chroniques écrites par des combattants-témoins racontaient en termes naturalistes violents les horreurs et les erreurs de la guerre en hurlant « Jamais plus ! »

D'une manière à la fois plus sobre et plus fouillée, se présentent tant « Prélude à Verdun » et « Verdun » de Jules Romains que « L'été 1914 » de Roger Martin du Gard où chaque journée peut occuper plusieurs chapitres, ou encore « Août quatorze » d'Alexandre Soljenitsyne, premier nœud de « La roue rouge » suivi des deuxième et troisième nœuds, « Novembre seize » et « Mars dix-sept ».

D'inégale valeur selon les signataires, le recul fait ressortir le documentaire de la fiction ou la fiction du documentaire en érigeant une autre variété du roman historique que les Américains nomment « war novels ».

Il n'est pas question d'annexer abusivement qui ou quoi que ce soit dans la formule que nous explorons, certains romans outrepassant toutes catégories, mais simplement de couvrir un sujet aussi vaste que l'est l'Histoire.

Citons donc, venus de tous horizons, des épisodes de cette Grande Guerre tels que romancés par des écrivains de tous pays comme il s'en publie encore de nos jours dans le sillage de l'Armistice du 11 novembre que la Seconde Guerre Mondiale n'a pas effacé.

Américains, John Dos Passos pour « Trois soldats », Humphrey Cobb sur *Les sentiers de la gloire* et Dalton Trumbo avec *Johnny s'en va t'en guerre*. Allemands, Ernst Junger pour « Orages d'acier » ou Hans Werner Richter dans les *Empreintes sur le sable*. Anglais, William Boyd *Comme neige au soleil* ou Sebastian Faulks sur *Les chemins de feu*. Français, Roger Vercel avec son *Capitaine Conan*, Gabriel Chevallier pour *La peur* ou Henri Pollès *Sur le fleuve de sang vient parfois un beau navire*. Russes, Dabritsa Tchossitch durant « Le temps de la mort » et Cholokov dans la dernière partie du roman « Le Don paisible ».

Soulignons ici deux trilogies : *Nach Paris*, *Le boucher de Verdun* et *Les défaitistes* de Louis Dumur, dont les titres décrivent bien les motivations de l'écrivain ; *Le chemin de tourments* d'Alexis Tolstoï, qui comprend *Deux sœurs*, *L'an 1918* et *Sombre matin* dont le second volume coïncide avec la fin de la guerre. Enfin, la tétralogie d'Alfred Döblin *Novembre 1918* : *Bourgeois et soldats*, *Peuple trahi*, *Retour du front* et *Karl et Rosa*.

N'oublions pas Ernst Glaeser dont *Classe 1902* montre la jeunesse allemande désemparée par la guerre, *La paix* les suites décevantes du traité de Versailles et *Le dernier civil* la montée hitlérienne.

Un roman au titre sobre et sombre, *Après* de Erich Maria Remarque, résume (au sens anglais de suspense) la situation.

Un ouvrage de la collection Omnibus intitulé « Les grands romans de la guerre de 14-18 » collige, en plus des œuvres de Barbusse, Dorgelès et Junger déjà citées, *L'équipage* de Joseph Kessel, *Éducation héroïque devant Verdun* d'Arnold Zweig et *La randonnée de Samba Diouf* de Jérôme et Jean Tharaud.

On y ajouterait, pour compléter, *Mort d'un héros* de Richard Aldington, « Le grand troupeau » de Jean Giono, « L'adieu aux armes » d'Ernest Hemingway, *Un long dimanche de fiançailles* de Sébastien Japrisot, *La Terre promise* et *Une dynastie américaine* de John Jakes, *L'année de la victoire* de Mario Rigoni Stern et deux « Série Noire » très spéciales : *Le boucher des hurlus* de Jean Amila et *La der des ders* de Didier Daeninckx.

Plus récemment, en France, en ce début du XXIe siècle, quatre œuvres remettent en mémoire ce conflit : *Les enfants de la patrie* en quatre volumes (1. *Les pantalons rouges* ; 2. *La tranchée* ; 3. *Le serment de Verdun* ; 4. *Sur le chemin des dames*), une suite romanesque de Pierre Miquel.

Morts pour la France de Max Gallo (1. *Le chaudron des sorcières*, 1913-15 ; 2. *Le feu de l'enfer*, 1916-17 ; 3. *La marche noire*, 1917-44). À travers la vision qu'en a un jeune écrivain américain qui arrive à Paris en 1914, devient journaliste, puis correspondant de guerre, puis combattant en 1917 quand son pays entre en lice, c'est toute la Grande Guerre que l'auteur fait revivre en un feuilleton dynamique avec épilogue en 1944.

Une autre trilogie, signée Jean Vautrin, raconte l'épopée vécue par *Quatre soldats français* qui vont lier amitié dans les tranchées (*Adieu la vie, adieu l'amour*), survivre aux obus et aux gaz en évoquant *La femme au gant rouge* et cheminer dans *Les années faribole.*

Enfin, à partir d'un monument aux morts corréziens où figurent 27 noms de soldats morts pour la patrie durant la Grande Guerre, Claude Duneton a pieusement et romanesquement écrit leur humble vie en ce « roman vrai » qui les ressuscite en leur temps. Ce livre se nomme sobrement *Le monument.*

Le génocide arménien

Durant cette guerre atroce qui n'en finit pas, deux événements tragiques rencontrent leur aboutissement : le génocide arménien en 1915 et la révolution d'octobre 1917 en Russie.

Avant donc que ne surgisse la Révolution russe, il est une tragédie majeure dont il faut tenir compte : le massacre des Arméniens par les Turcs. Sur les flancs de la « Montagne de Moïse », les villageois résistent plus d'un mois aux assauts des Ottomans, c'est ce que raconte Franz Werfel dans *Les 40 jours du Musa Dagh.* Achevé peu après la montée au pouvoir d'Hitler, ce roman épique sécrète une atmosphère prémonitoire de même qu'*Un poignard dans ce jardin* de Vahé Katcha en étale les signes précurseurs à travers l'histoire d'une famille arménienne entre 1884 et 1916.

Un été sans aube d'Agop J. Hacikyan et Jean Yves Soucy, *La terreur* de Gérard Guégan et *Le crépuscule des anges* de Pascal Tonakmalcian, *Il était une fois en Arménie* d'Antonia Arslan et *La huitième colline* de Louis Carzou sont des romans cruels où peintures de mœurs, anecdotes vraies et atrocités composent une symphonie tragique et pathétique.

Mettons à part, pour sa formule de conte fantastique, ce puissant récit d'Edgar Hilsenrath, *Le conte de la pensée dernière*, qui fournit une évocation de cet événement « Là où le Christ a été crucifié la deuxième fois ».

Intermède irlandais

Avant de rejoindre octobre 1917 en Russie, signalons le coup d'état en Irlande, le jour de Pâques 1916. *Rédemption* de Léon Uris, déjà cité, en fournit le contexte avant et après, alors que Liam O'Flaherty en décrit le déroulement vécu par *Insurrection.* De son côté, la grande romancière Iris Murdoch a tenté la même évocation dans « Pâques sanglantes », alors que Rearden Conner a traduit cette conjecture par *L'épopée dans l'ombre* et que les souvenirs affluent dans *Irlande* de Frank Delaney.

La révolution russe

Les deux dernières décennies du règne du dernier tsar, Nicolas II, sont racontées, en plus de 500 pages, en un gros roman de Mark Aldanov au titre ironique, *Avant le déluge.*

Des bribes de l'histoire quotidienne à la cour se retrouvent chez la jeune *Daria des tempêtes* (Bertrande de Rivière), chez la poétesse *Elga* (Mikhail Zenkevitch) et la petite princesse allemande Alexandra qui deviendra tsarine pour vivre *Les derniers feux de Saint Petersbourg* (Claude Barma et Catherine Moinot) ou chez la fille aînée du tsar sur *La montagne de neige* (Catherine Gavin).

Claude Anet compare la Révolution à un phénomène incontrôlable *Quand la terre tremble,* Joseph Kessel évoque *Les rois aveugles* face à ce moine étrange dont Paul Mourousy nous livre *La confession de Raspoutine* et Laure Saint-Pierre tente une réhabilitation dans son *Raspoutine, le fol en Christ.*

À l'intérieur du roman-cycle *Tant que la terre durera* d'Henri Troyat qui recouvre un demi-siècle, on peut détacher *Le sac et la cendre* qui décrit les préludes et les débordements de la Révolution russe depuis 1914 jusqu'à 1920. *La traversée de Terioki* d'Alan Fisher insiste sur les préparatifs de 1916 alors qu'*Une fille de la noblesse* et *Sur les traces de l'empereur,* deux romans signés respectivement Natasha Borovsky et Roberto Pazzi, évoquent l'incarcération du tsar et la fin de son règne.

Le troisième volet de la superbe trilogie judéo-russe de Scholem Asch, qui se déroule de 1900 à 1920 tant à *Pétersbourg, Varsovie* et *Moscou* (titres de chacun des volumes), forme, de l'avis de Stefan Zweig, « un véritable kaléidoscope épique » concernant la Révolution.

L'interrègne entre les révolutions de février et d'octobre 1917 est aperçu comme *Le temps des Troubles* par Nikolaï Chadrine.

Deux autres curieux romans ont pris cet événement comme sujet. Michael Moorcock, délaissant la science-fiction, se fait l'éditeur d'un mémoire ukrainien minutieux, détaillé jusqu'à l'anecdote, sur la guerre civile et le quotidien de la vie des habitants d'Odessa. Cela s'intitule étrangement *Byzance 1917. Les témoins* de M. W. Waring est une évocation très romanesque (une jeune Américaine ayant épousé un aristocrate russe) qui débute en 1903 pour se terminer en 1917 sur un dernier coup de feu à la dernière page.

Par ailleurs, deux ans de lecture et trois de rédaction ont permis à Robert Littell de produire un gros roman de 500 pages, *Les larmes des choses*. « Mon souci principal a été de montrer comment quelqu'un d'aussi sincère que [Zander] a pu être attiré par les Bolcheviks puis révolté par ceux-là même ; de suggérer comment la plus grande expérience politique du XXe siècle a pu mal tourner... » Notons que le sous-titre de ce récit fort documenté s'apparente au titre original anglais : « roman de la Révolution russe ».

Citons ici trois romans avoués d'espionnage qui se déroulent à cette époque : *L'homme de Saint Pétersbourg* (Ken Follett) qui est un noble envoyé par le tsar en Angleterre et contré par un anarchiste, *Maria Toumanova* (Hans Herlin), qui est à la recherche de l'or des tsars et enfin Lénine lui-même dont l'odyssée de la Suisse à la Russie en passant par l'Allemagne est relatée par *The Petrograd Consignment* (Owen Sela).

Signalons aussi *L'espionne du diable* à qui Michel Bar-Zohar fait rencontrer les Turcs dans l'immédiat après-guerre et qui aperçoit fatalement celui qu'on a appelé Lawrence d'Arabie, ou encore *La dame noire des frontières* de Gustave Le Rouge, qui fut écrit à l'époque même.

Avant de quitter la Russie et sa révolution, citons quelques grandes œuvres littéraires qui l'ont prise comme sujet avec ses prémices et ses promesses et souvent avec ses retombées qui ne sont pas des remontées. Ainsi « Le docteur Jivago » (1954) de Boris Pasternak voit son destin se métamorphoser lors de la Révolution. « Le chemin des tourments » (1920-1941) d'Alexis Tolstoï, trilogie qui couvre les événements survenus de 1914 à 1920. De même « Le Don paisible » (1928-1940), le premier roman historique soviétique (de Michel Cholokhov, prix Nobel 1965), relate la décennie 1912-22. *Un été extraordinaire* (1948) de Constantin Fedine, c'est celui de 1919 qui voit l'avènement de la nouvelle Russie.

En cette même année 1919, à l'occasion de la guerre civile dans les pays baltes, un roman de Patrick de Gneline propose *L'aigle et l'étoile*, affrontement cruel entre deux amis, l'un colonel fidèle au tsarisme, l'autre devenu « camarade » gagné au bolchevisme.

L'entre-deux guerres

Quelques romanciers, s'installant dans le temporel dans la lignée de Balzac ou de Zola, se sont fait les chroniqueurs de cette période qui va d'une guerre à l'autre et même au-delà et en-deçà.

Rappelons pour mémoire : Jules Romains et ses « Hommes de bonne volonté » (en 27 volumes) qui tentent de transformer l'histoire du 6 octobre 1908 au 7 octobre 1933 et dont nous avons cité les deux volets qui concernent la Grande Guerre ; John Dos Passos et sa trilogie « USA » (« 42e parallèle », « 1919 », « La grosse galette ») qui présente l'expansion américaine d'avant-guerre, le contraste qui s'établit à la suite et enfin la désintégration des années 30 ; Manès Sperber enfin qui raconte le nazisme et le communisme en Europe de 1920 à 1945 dans sa trilogie que, seul, il pouvait écrire en tant que témoin du totalitarisme : « Et le buisson devient cendre », « Plus profond que l'abîme » et « La baie perdue ».

Inventaire de la société moderne, tel se veut l'ensemble des 16 volumes de René Behaine « L'histoire d'une société », alors que Robert Francis prétend couvrir *L'histoire d'une famille sous la troisième république* en 5 épisodes, sans oublier les fresques (j'allais dire les frasques) de famille que relatent tant « La chronique des Pasquier » (10 volumes par Georges Duhamel) que « Les haut-ponts » (de Jacques de Lacretelle en 4 tomes).

On peut trouver des tas d'instantanés pour cet entre-deux guerres dans certains romans-cycles tels deux tétralogies : celle de Joseph Kessel (« Le tour du malheur »), tableau naturaliste de la jeune génération d'après 1914, et celle de Jean Davray (« Le bruit de la vie »), évocation chronique de la période 1936-1940, ou le roman-fleuve de Paul Vialar *La mort est un commencement* (8 volumes) qui couvre l'entre-deux guerres.

Mention doit être faite des étranges récits de Léon Bopp, en particulier les mille pages de « Liaisons du monde » qu'on a qualifié d'énormes feuilletons documentaires dont Henri Clouard dit « foire politique et sociale du moment... vie française d'entre les deux guerres [qui] y dormira dans l'attente des chercheurs de l'an 2000 » (« Histoire de la littérature française », tome 2, p. 382).

La tentative la plus intéressante, à notre point de vue, semblait être celle de l'écrivain anglais Richard Hughes, célèbre par son roman « Un cyclone à la Jamaïque ». Ayant pour titre général *The Human Predicament* (qu'on pourrait traduire par *La (fausse) situation humaine*, l'auteur a précisé ce qu'il avait voulu faire dans une interview de 1973 : « Vivre la guerre de Hitler, la bataille d'Angleterre et ne rien écrire là-dessus, c'est gaspiller votre vie, si vous êtes un écrivain. C'est comme si l'on avait vécu le siège de Troie et que l'on eût fait semblant de ne pas savoir ce qui se passait. »

Malheureusement décédé en 1977, il n'a laissé que deux romans qui atteignent à peine l'année 1934. Le premier, *Le renard dans le grenier*, publié en 1961, nous fait assister, entre autres choses, au putsch de 1923, soit à travers un jeune Anglais, Augustin, qui est un Fabrice stendhalien, soit en prenant lui-même la parole comme Tolstoï dans *Guerre et paix*. Le second, paru en 1973, s'intitule *La bergère des bois* et nous fait suivre le héros aux États-Unis à l'époque de la prohibition puis en Allemagne après être revenu en Angleterre. Le livre se termine par une évocation de « la nuit des longs couteaux » et de l'accession définitive d'Hitler et de ses sbires en Allemagne.

Autres chroniques couvrant l'entre-deux guerres : celle d'Ernst von Salomon dont *Le destin de A. D.* est exemplaire de celui de milliers d'Allemands du régime de la république de Weimar à celui des camps, de 1918 à 1947.

Racontant les destins parallèles de cinq familles entre la défaite allemande de 1918 et celle de 1945, Anna Seghers affirme que *Les morts restent jeunes* malgré *La révolution confisquée* et *La mise au pas* qui en constituent les deux étapes.

Le cavalier polonais de Wladislaw Grzedzielski parcourera cette même période et rencontrera tous les grands de ce monde.

En Italie, deux romand décrivent la montée du fascisme et les années mussoliniennes : *Impasse de la Duchesse* de Sveva Casati Modignani et *La nuit italienne* de Nicole Fabre.

Guerre d'Espagne

La guerre d'Espagne a fait couler beaucoup de sang et beaucoup d'encre, tant par le fratricide qu'elle supposait que par les ingérences étrangères et les échos internationaux qu'elle a suscités en tant que prélude alors inconcevable de la Deuxième Guerre mondiale.

Pour une vue panoramique de 1920 à 1960, la trilogie de Torrente Ballester *Les délices et les ombres*, évidemment censurée par les franquistes, offre dans le détail des événements les blessures et les cicatrices de cette guerre civile. *Le Seigneur arrive*, *Au gré des vents*, *Pâques amères* sont les intitulés de ce riche récit qui fut en plus un succès télévisuel.

Pour l'atmosphère confuse et ardente des premiers jours à Madrid, un tableau assez atroce qui semble documentaire par le procédé des insertions journalistiques sur fond de monologue « joycien », tel se présente *San Camilo, 1936* de Camilo José Cela.

Témoignages vécus que celui d'Alice Rivaz écrit au jour le jour (*Nuages dans la main*) et les deux récits vibrants de tendresse de Michel del Castillo, *Tanguy* et *Le colleur d'affiches*, qui racontent les souffrances et les aliénations de jeunes.

Plus romanesques mais fidèles au climat équivoque qui présida à cette guerre civile s'étalent *Les amandiers fleurissaient rouge* de Christian Signol et dévale *Une charrette pleine d'étoiles* de Frédéric H. Fajardie qu'aurait pu conduire *L'homme de choc* de Joseph Peyré.

Mentionnons trois récits d'écrivains devenus célèbres qui témoignent à leur façon de cette tragédie espagnole, soit par les « Aventures d'un jeune homme » (John Dos Passos), soit en évoquant ceux « Pour qui sonne le glas » (Ernest Hemingway), soit enfin en chantant, envers et contre tous, « L'Espoir » (André Malraux).

Signalons aussi quelques romans écrits par des Espagnols : *Mala pata* d'Etienne Roda-Gil, *Les derniers étendards* d'Angel Maria de Lera, *Gloire incertaine* de Joan Sales, *Le charnier natal* de Castillo Navarro et *Utopia* de Stefan Andrès.

Mais la chronique la plus complète et la plus détaillée demeure l'ensemble de huit volumes (en français) de l'écrivain José Maria Gironella. Le premier volet, *Les cyprès croient en Dieu*, raconte avec impartialité, à partir de 1931, les préambules de la révolution ; *Un million de morts* débute à l'aube du 30 juillet 1936 et nous plonge dans la lutte sans merci ; *Quand éclata la paix* (en deux parties : « Les morts vont vite » et « La grande déception ») nous mène jusqu'à décembre 1941, au moment où les Américains entrent en guerre, en nous décrivant les séquelles équivoques de la tragédie. Cette vaste fresque demeure fort intéressante en dépit des complications et des digressions, du nombre des personnages, des oppositions et conflits inhérents au caractère même des protagonistes. La trame historique est fidèlement poursuivie au point qu'on croirait lire un documentaire.

Ajoutons que l'auteur devait clore cet ensemble en décrivant les événements de son pays après la Seconde Guerre mondiale dans une autre œuvre aux titres suggestifs, *Condamnés à vivre* (en deux tomes : *Quand l'Espagne reprend son souffle* et *Routes incertaines*).

Ailleurs en Europe durant l'entre-deux guerres, un récit romanesque de Madge Swindells intitulé *Edelweiss* suit un groupement d'étudiants allemands anti-nazis au début des années 30.

Dans la Rhénanie de 1934-35, d'autres résistants parqués déjà dans des camps de concentration tentent de s'évader vers *La septième croix* d'Anna Seghers.

Chronique ouverte à tous les événements des années 1932-36, la trilogie de Jean-Pierre Chabrol, *Les rebelles*, *La gueuse* et *L'embellie*, est le reflet de ce que pensent les humbles face à ces symptômes sociaux et politiques.

Ainsi en est-il de *La grande vie* de Roger Bordier, alors que *L'enchaînement* de Philippe Boegner est un tableau sévère de l'immense et criminelle tartufferie diplomatique des années 1938-40.

Citons, en fin de ce chapitre, des romans d'espionnage qui couvrent des événements de l'entre-deux guerres.

D'abord l'un des meilleurs, *Une dynastie d'espions* de Dan Sherman qui joue sur le temps comme le proclame le titre. En voici un résumé assez fidèle : Sur soixante ans et trois générations, s'établit un système de troc entre un Américain et un Russe. Cette ingénieuse idée est le pivot autour duquel gravitent les protagonistes qui posent des gestes en contrepoint symétrique d'une période à l'autre par élans d'amour, de conscience ou d'audace. L'ensemble de ces événements, complexe mais solidement imbriqué par des approches dignes de Conrad ou de James, fournit un très bon thriller dont la traduction n'a pas trahi le style efficace et sensoriel. On a l'impression étrange qu'en toute liberté, le grand-père de John Dancer durant la guerre 1914, son fils Allen qui rallie la C.I.A. dans l'entre-deux guerres et, enfin, le petit-fils Jessie, vétéran du Vietnam, se sont passé héréditairement un secret ou un virus qui change leurs vies en destins.

Une semblable saga anglo-américaine a été réalisée par John E. Gardner avec sa trilogie *The Secret Generation*, *The Secret House* et *The Secret Families* (pas encore traduite).

En décrivant *Un carnaval d'espions*, Robert Moss a simplement voulu mettre au jour la tentative de soviétiser le Brésil selon le rêve de Staline. De 1913 à 1936, il nous fait vivre avec l'agent double exceptionnel qui sabotera l'opération.

C'est entre 1934 et 1945 que s'activent *Les soldats de la nuit* d'Alan Furst dont le héros bulgare, envoyé par les Russes en Espagne, déserte à Paris où il fera partie de la Résistance avant de retourner en son pays.

Ainsi s'achève notre incursion dans cette formule diverse, ondoyante et multiple du genre romanesque appelée conventionnellement roman historique.

On a perçu comment cette terminologie s'appliquait de moins en moins, faute de distanciation suffisante. Plusieurs œuvres de ce chapitre ont été citées pour sécuriser la mémoire du lecteur cultivé, mais qui prétendrait que « L'espoir », « Orages d'acier » ou « La roue rouge » sont des romans historiques ?

Durant la Deuxième Guerre mondiale, comme durant la guerre froide jusqu'à la chute du mur de Berlin et depuis, des centaines de romans continuent à leur façon ce qui sera peut-être le « roman historique » au troisième millénaire. Mais cet ensemble appartient désormais, comme nous le disions au début de ce chapitre, au roman de guerre, à la politique-fiction et au roman d'espionnage[1].

« Ceci est une autre histoire », comme l'écrivait Kipling.

Quoique nous n'ayons tenu compte que des romans écrits ou traduits en français, le lecteur attentif aura sûrement constaté quelques lacunes majeures concernant des romans qui outrepassent, en aval ou en amont, les nécessaires et conventionnelles limites que sont les dates et les périodes de l'histoire chronologique. Voici donc un chapitre complémentaire qui achèvera l'inventaire.

[1] En préparation par l'auteur de cet ouvrage : *Le roman d'espionnage et de politique-fiction.*

À TRAVERS L'HISTOIRE

Ce dernier chapitre recense des romans qu'on l'on pourrait désigner comme synchroniques, panoramiques ou diaséculaires parce qu'ils occupent une longue durée, fournissent plusieurs lignées ou générations et donc autant de personnages.

Il s'agit de gros récits, souvent en plusieurs volumes, qui outrepassent un siècle, soit en rejoignant des origines, soit en dépassant le présent. Ces sommes, bilans, synthèses sont en général pourvus de tableaux généalogiques sinon de notices biographiques. Ils seront ordonnés ici en fonction de leur début chronologique.

Panoramas

Citons d'abord les grands machins panoramiques souvent soutenus par une thèse patriotique comme *Le long voyage* élaboré en six volumes (1908-1921) par le Danois Johannes V. Jensen, grand admirateur de sa propre race scandinave. À partir d'un Prométhée nordique et, dirait-on, darwinien, qui inaugure la civilisation jusqu'à la conquête du Nouveau Monde à la fin du quinzième siècle, l'auteur interprète l'histoire du monde en croyant au progrès humain par la sélection naturelle. Cette œuvre connut un succès considérable dans les pays germaniques jusqu'à la fin de la Deuxième Guerre mondiale.

Autres gros véhicules qui n'ont pas les qualités du premier : *Les mystères du peuple* d'Eugène Sue, vaste épopée mélodramatique, au lyrisme déclamatoire, qui narre la vie du peuple depuis les druides jusqu'en 1848 et *Les ancêtres* du politicien et historien allemand Gustav Freytag qui, en huit volumes, fournit à ses compatriotes la conscience d'eux-mêmes et de leurs mérites en vue de l'unification du pays (la publication de cette chronique est de 1872-1881). Cette saga familiale est relatée depuis les origines au IVe siècle jusqu'à la date d'édition.

Beaucoup plus récemment (1997), sans trop tomber dans la pédagogie écologique, Philippe Tabary a écrit *Terre courage*. Une vingtaine de tableaux échelonnés sur 3000 ans relate l'histoire d'un paysage et des hommes qui l'ont habité de toutes les manières possibles, de l'âge de fer à l'agriculture technique d'aujourd'hui.

Ratissant encore plus large, *Chamula* d'Alain Surget, un roman à la fois épique et lyrique. De la mer des Caraïbes quelque 90 siècles avant notre ère jusqu'à l'an 1711 durant la conquête espagnole, un survol à la fois mythologique et historique d'une tribu encore vivante dans les hautes plaines du Mexique.

Ainsi en est-il de *Ségou* de Maryse Condé pour l'Afrique en chroniquant l'ancien empire du Mali en une double fresque : *Les murailles de la terre* et *La terre en miettes*.

Le spécialiste incontesté de ces reconstructions de la préhistoire à nos jours, à partir de recherches archéologiques, ethnologiques, sociologiques ou politiques, fondues dans un énorme moule romanesque de mille pages, demeure l'Américain James Michener. Que ce soit l'histoire de ses ancêtres les Juifs (*La source*), celle de l'Afrique du Sud (*L'alliance*) ou de pays européens (*Pologne* et *Ibéria*) ou encore la chronique multiséculaire d'une portion de son pays natal, les États-Unis (*Colorado Saga*, *Texas*, *Chesapeake*), et des entours (*Caraïbes*, *Hawaï*, *Alaska* et *Mexique*), ce diable d'homme érige des livres monumentaux, fort documentés, qui mêlent les événements majeurs à la petite histoire, brassent les générations et les dynasties, explorent la géographie, relatent les essors, les progrès ou les décadences, animent de génération en génération des protagonistes typés en fonction des périodes et des époques reconstituées.

En digne émule, Pamela Jekel a réussi avec *Columbia* un roman panoramique qui recense 9000 années de la préhistoire à nos jours autour de la rivière Columbia qui traverse le Nord-Ouest américain. Trame romanesque fort bien construite avec personnages représentatifs des « moments » évoqués. Elle a récidivé avec *La rivière sans fin* qui évoque la Swannie avec les entours de la Floride et de la Georgie de 1790 à 1927.

Un autre grand récit américain de Janice Woods Windle, admiré par Michener lui-même, raconte *Les roses du Texas* de 1754 à 1940. Il s'agit de trois lignées de vraies femmes (« true women » dans le titre original) qui font partie de la légende de cet État.

Depuis une vingtaine d'années, le romancier anglais Edward Rutherfurd semble reprendre le flambeau de James Michener. Trois grands livres symphoniques ont établi sa réputation.

D'abord *Sarum* qui est le nom antique de Salisbury, l'une des plus vieilles villes d'Angleterre, voisine de Stonehenge. Presque mille pages bien tassées pour cette grande fresque qui raconte l'histoire du pays qui l'entoure, depuis la préhistoire jusqu'à nos jours, en poursuivant la destinée de cinq dynasties familiales à différents moments temporels. Une vaste chronique bien documentée et toujours vivante pour les amateurs de longs romans sans longueurs.

Ensuite *Russka* qui propose, de 180 ap. J.-C. à avril 1992, à travers les histoires croisées de quatre familles, un tableau panoramique de la Russie. Carte et arbre généalogique permettent de cheminer à travers ce roman historique qui survole ce continent écartelé entre l'Orient et l'Occident.

Enfin, *Londres, le roman* : « Partie prenante de l'histoire d'Angleterre », une longue et vigoureuse chronique romanesque de Londinos il y a deux mille ans jusqu'au Londres d'aujourd'hui. À travers le destin pittoresque d'une dizaine de familles, une fresque traversée par le temps et la Tamise.

Du côté russe, à l'occasion du tricentenaire, un diplomate, Vladimir Fedorovski, a relaté *Le roman de Saint Petersbourg* en choisissant hauts faits, anecdotes et détails qui en font un pittoresque divertissement. Du même, dans la foulée, *Le roman du Kremlin*.

Pour garder *La mémoire d'Abraham*, tant la sienne que celle de sa famille et celle du peuple juif, Marek Halter s'est inventé une lignée qui, de l'an 70 à 1943, de la chute de Jérusalem aux ghettos de Varsovie, raconterait l'histoire, les histoires, celles d'une famille qui deviendrait la sienne. Dépassant le document épisodique ou anecdotique, ce roman immense, prodigieux, infini, ou peut-être simplement éternel, exprime toute la mémoire d'un peuple et retrace deux millénaires d'errance à travers le monde.

Dans l'âme de cette mémoire, se présente aussi *Le dernier commandement* que Didier Nebot impose à son héros en le faisant survivre depuis l'inquisition espagnole en 1496 jusqu'à la Grande Guerre en 1914. Dix vies et quatre siècles d'errance qui rejoignent le mythe.

Et encore cette épopée familiale sur six générations depuis Athènes en 1848 jusqu'au Neguev de 1982, *Monsieur Mani* du grand écrivain israélien Abraham B. Yehoshua.

Grâce à un appareil critique impressionnant, avertissant le lecteur de la véracité de base des faits rapportés, deux journalistes, Édouard Chambost et Pierre Danton, ont voulu recréer, dans *Shalom*, à partir de 1654, l'itinéraire de familles juives chassées du Brésil et devenant les premiers pionniers de New Amsterdam, future ville de New York.

Curieuse entreprise que de raconter en sept siècles la survivance du catharisme. C'est ce qu'a tenté Paul-Alexis Ladame qui souhaite qu'arrive un temps *Quand le laurier reverdira*, ce qui donne un ton insolite à cette reconstitution ingénieuse où la fiction vient supporter la réalité quand font défaut les archives.

Joignons-y ce récit qui part d'un réel possible pour aborder un réel historique et s'évaporer dans la légende sans qu'on sache jamais où se trouve la ligne de partage. Il s'agit de *Le secret de Montségur* de Raymond Escholier et Maurice Gardelle.

Dès 1932, Henri Béraud avait écrit dans une langue drue et savoureuse trois romans qui se suivent : *Le bois du templier pendu*, *Les lurons de Sabolas* et *Ciel de suie*, esquissant une vivante chronique des heurs et malheurs des paysans depuis l'an de grâce 1309 jusqu'à la Révolution française où ils se libèrent peu à peu de leur misère ainsi que le souhaitait un quatrième roman, *Les blés seront beaux cette année*.

Selon Francis Fèvre, *Le Chemin de France*, c'est celui que suit au fil des siècles un village lorrain, balayé par les tempêtes de l'histoire. Du Gaulois Carantilla et du centurion Marcus jusqu'à la guerre de Trente Ans, en passant par les invasions barbares, les procès en sorcellerie, les luttes fratricides de la Réforme ou la révolte des Gueux, les habitants du village nous font partager dix-sept siècles d'histoire.

En trois volets, *Les dames du faubourg*, *Le lit d'acajou* et *Le génie de la Bastille*, Jean Diwo a tissé une agréable tapisserie qui illustre, de façon romanesque par gentes dames interposées, la petite histoire du faubourg Saint-Antoine à Paris. Le premier volet retrace les événements de 1671 à 1789, le deuxième de la Révolution à l'Empire, le troisième jusqu'à la Grande Guerre.

De Max Gallo, une trilogie intitulée *Bleu, blanc, rouge* (*Mariella, Mathilde, Sarah*) qui narre l'histoire de France de 1792 à la fin du XXe siècle.

Du côté anglais

Les Herries (1. *Rogue Herries* ; 2. *Judith* ; 3. *Forteresse* ; 4. *Vanessa*) de Sir Hugh Walpole constituent une œuvre fort attachante se déroulant sur plus de deux siècles, de 1700 à 1930, et racontant l'évolution d'une famille campagnarde anglaise dont la dernière étape met en relief tout l'ensemble.

Nonobstant l'astuce artificielle du voyage dans la mémoire temporelle, la fresque écossaise de Diana Gabaldon a sa place ici. Les six volumes parus,

Le chardon et le tartan, *Le talisman*, *Le voyage*, *Les tambours de l'automne*, *La croix de feu* et *Un tourbillon de neige et de cendre* éclairent les mœurs et coutumes du XVIIIe siècle en Écosse.

Le grand romancier écossais John Buchan a publié en 1921 un curieux recueil en quatorze épisodes historiques qui prennent leur essor chez les Vikings du Xe siècle pour se terminer avec l'assassinat de Lincoln. Cette suite a pour titre *The Path of the King* mais n'a pas encore été traduite.

Selon le même procédé, Norah Lofts a élaboré *The Suffolk Trilogy* qui raconte l'histoire d'une maison et dont les deux premiers tomes ont paru sous les titres *Quand les pierres ont une âme* et *De l'aube au crépuscule*.

La même romancière nous propose aussi avec le même talent *La légende des Gilderson*, dont le premier chapitre est daté de l'an 350 après J.-C. et dont l'action de l'avant-dernier se situe en 1975. Le pari de la romancière consiste à retracer la chronique d'une famille anglaise propriétaire d'une taverne durant cette longue période ; une vingtaine de chapitres forment autant de repères pour décrire cette durée vitale, en tenant compte du niveau d'évolution des mentalités. Enfin, avec *Le retour d'Annabelle*, elle reconstitue l'histoire d'un manoir anglais, sous forme de biographies fictives de personnages ayant vécu de 1740 à 1815.

Pour que ne se perde pas cette tradition anglaise, de surcroît, le romancier Adam Thorpe a publié en 1992 *Ulverton*. Raffinant sur ses antécédents, il module, en onze vignettes, la chronique de la petite ville du titre de 1650 à 1988. L'originalité de cette entreprise vient de son ou de ses styles, car chaque chapitre est écrit de façons diverses : sermon élisabéthain, récit victorien, lettre façon « Liaisons dangereuses », monologue à la Joyce, scénario cinématographique. Séquences événementielles par lesquelles on sent le passage de l'Histoire.

Du côté de l'Amérique, des trois Amériques, en insistant surtout sur celle du Sud, la trilogie *Mémoire du feu* d'Eduardo Galeano narre en un premier tome *Les naissances*, raconte ensuite *Les visages et les masques*, du XVIIe siècle au XIXe siècle, pour terminer par notre époque, *Le siècle du vent*.

Quant à Carlos Fuentes, dans une perspective réincarnationniste – « Il faut plusieurs vies pour faire une seule personne » –, il consigne avec vigueur toute la mémoire du monde hispanique où passé et présent forment une trame continue, se répondent d'un point à l'autre de l'histoire, d'un point à l'autre de l'univers. Superbe roman baroque de plus de 800 pages qui a nom *Terra nostra*.

Auteur d'une « Histoire du Portugal », Suzanne Chantal était mieux renseignée que quiconque pour retracer un siècle et demi (1809-1960) de l'histoire de ce pays en évoquant la vie nationale sous ses aspects sociaux et politiques au rythme de la vie de tous les jours, dans *Ervamoïra*.

Antérieurement, au même pays, s'était construit dès le XVIe siècle *Le domaine* (Aquilo Ribeiro) dont nous suivons, entre bucolique et politique, la chronique jusqu'au début du XXe.

Retour en Amérique, mais toujours en portugais, puisque *La forteresse verte* d'Errol Lincoln Uys raconte, de 1491 à 1960, l'histoire du Brésil. Digne travail de l'ancien assistant de James Michener. Dans le même esprit, sur une période plus courte, du XVIIe au XXe siècles, Joao Ribaldo Ribeiro s'écrie *Vive le peuple brésilien !*

Et rappelons qu'il y eut au Nord une importante immigration hollandaise, que New York s'est appelée d'abord New Amsterdam, pour suivre ces colons dans la vallée de l'Hudson de la fin du XVIIe siècle à nos jours, *Au bout du monde* donc, comme s'intitule le roman de T. C. Boyle consacré à cette aventure. Encore mieux : cette immense fresque entreprise par Beverly Swerling, une véritable *Saga de New York* qui débute par *Le secret des Turner*, couvrant la période 1661-1737, et continue par *La cité des rêves et De toute éternité*.

Autres pays

Citons ici *Les Australiens* de Michael Talbot en deux volets, *Les aventuriers du bout du monde* et *La terre promise*, qui retracent l'histoire du continent à partir de sa « découverte » par les Anglais en 1787.

Trois familles, sept générations, cent cinquante ans d'histoire, entre 1824 et 1969, voilà ce que nous offrent, à travers rencontres, entreprises et luttes, des hommes et des femmes auxquels Nancy Cato fait voir *Les étoiles du Pacifique* en un fragment moderne de l'histoire de l'Australie.

En six tomes, Jules Roy a reconstitué l'épopée (?) de la France en Algérie, depuis la conquête en 1830 jusqu'au départ tragique de 1962. Cet ensemble s'intitule *Les chevaux du soleil* (1. *Les chevaux du soleil* ; 2. *Une femme au nom d'étoile* ; 3. *Les cerises d'Icherridène* ; 4. *Le maître de la Mitidja* ; 5. *Les âmes interdites* ; 6. *Le tonnerre et les anges*). La trame historique est respectée et vivifiée par une foule de personnages tant réels que fictifs.

Vaste pèlerinage dans le passé suisse, tel se présentent les quatre volumes écrits par Maurice Denuzière. *Helvétie*, qui commence avec Madame de

Staël, *Rive-Reine* qui s'envole dans le romanesque des inventions techniques de l'époque, *Romandie* où Vaudois et Genevois de 1847 écoutent Mendelsohn pour le tricentenaire de la Réforme et *Beauregard* entre 1848 et 1865.

Déjà cité plus haut, rappelons que l'ensemble commencé avec *Louisiane* par Maurice Denuzière se déploie de 1830 à 1945 (1. *Louisiane ;* 2. *Fausse-Rivière ;* 3. *Bagatelle ;* 4. *Les Trois-Chênes ;* 5. *L'adieu au Sud*).

« En Irlande, il n'y a pas d'avenir, mais seulement le passé qui se répète sans cesse ». Cette phrase résume l'esprit dans lequel Léon Uris a composé *Trinité* (1. *Caroline* ; 2. *Shelley*) qui rapporte la vie de trois familles, de 1840 à 1916, et *Rédemption* qui prend le relais jusqu'à nos jours, éclairant ce phénomène politique contemporain qu'est le malaise irlandais.

Autre saga sur cinq générations à partir du milieu du XIXe siècle. Destins croisés de tous ces hommes et femmes, catholiques et protestants, s'affrontant farouchement, mais *Les morts portent toujours le chapeau* comme l'affirme Briege Duffaud.

À travers l'histoire d'une prostituée de luxe, kidnappée dans son village à treize ans, *Elle s'appelle Papillon* décrit de Hong Kong depuis sa fondation par les Britanniques (1842) jusqu'à sa restitution à la Chine. Œuvre d'un natif, Shu-Ching Shih.

Transposée à la télévision, ayant obtenu une large audience tant au Québec qu'ailleurs, la trilogie de Louis Caron, *Les fils de la liberté* (1. *Le canard de bois ;* 2. *La corne de brume ;* 3. *Le coup de poing*) constitue une « épopée populaire consacrée à une famille québécoise qui, de 1837 à nos jours, par récits parallèles, permet une expression nostalgique et patriotique en transposant des souvenirs qui sont vécus en échos grâce à cette technique romanesque.

Plaçons ici la tétralogie de Jacques Gauthier *Chroniques d'Acadie* (1. *Clovis* ; 2. *Oscar* ; 3. *Tranquille et Modeste* ; 4. *S'en vont chassant*) qui relate l'histoire de deux familles ennemies sur quatre siècles, de 1590 à 1991.

Par ailleurs, en un seul livre au titre optimiste, *Il y aura toujours des printemps en Amérique*, le journaliste Louis-Martin Tard réussit à narrer l'histoire du Québec en mettant en scène une famille et ses descendants sur quatorze générations, de 1633 à nos jours.

Thèmes et variations

Formules thématiques fécondes que celles d'un objet qui traverse les siècles. Jean Raspail a raconté, à propos de *La hache des steppes*, la généalogie de ceux qui la possédèrent et s'en servirent. Aventures qui se succèdent durant trois millénaires et nous amènent aux limites du fantastique engendré par le recul tant spatial que temporel.

Fantastique inquiétant qui se teinte de métempsycose, tant chez Julien Green dans *Varouna* où sur une durée de mille ans nous suivons le destin de personnages possédant une petite chaîne à laquelle s'attache un mauvais sort, que chez Virginia Woolf dont l'étrange récit *Orlando* exprime bien que le temps psychologique et le temps réel ne se recouvrent pas. Orlando a vécu sous Elizabeth Ire, il continue de vivre dans un corps féminin au XVIIe siècle, puis c'est l'époque victorienne où il ou elle public un poème commencé au XVIe siècle qui recevra un prix littéraire en 1928, date où est publié ce roman.

Autre roman de Jacques Mazeau, qui mise sur la réincarnation, *La malédiction de Bellary* débute en 1213 pour se terminer en 1794. Au fil des générations, réapparaissent les mêmes personnages dans un climat violent de sexe et de magie.

Entre chanson de geste, généalogie fictive et grand récit d'aventures, *L'anneau d'argent* est le talisman passe-partout qui relie douze personnages d'une même famille sur dix siècles d'histoire, de Guillaume le Conquérant à la Seconde Guerre mondiale, un roman qui parcourt l'histoire de France sous la conduite d'Aymeric de Dampierre.

Prologue il y a trois millions d'années... Afrique il y a cent mille ans... Vallée du Jourdain il y a dix mille ans... Rome en l'an 64 de notre ère... Allemagne en l'an 1520... L'Ouest américain, 1848... quelques lieux et temps pris au hasard de cette chronique de *La pierre sacrée* de Barbara Woods, qui transforme le destin de ceux qui la croisent...

Par Iain Pears, l'auteur de *Le cercle de la croix*, un autre roman historique, *Le songe de Scipion*, qui a pour cadre la Provence, mais à trois époques différentes : au Ve siècle quand l'Empire romain s'affaisse, au XIXe siècle durant la grande peste et au XXe à l'apogée du nazisme. Un manuscrit ancien (qui fournit le titre) est le commun dénominateur de cette histoire fabuleuse.

De l'hiver 1372 à l'automne 1924, quelle est donc cette fatalité qui poursuit *Les dames de Brières*, que souligne Catherine Hermary-Vieille dont la chronique se complète par *L'étang du diable* et *La fille de feu* ?

Onze vies de femmes, de mères en filles, de 1709 à nos jours, dont la commune dénominatrice est l'origine mystérieuse de leur ancêtre à toutes : Marie, arrivée de nulle part. Cela se traduit par *Un feu brûlait en elles* de Jean-Guy Soumy.

Aussi, de l'auteur yougoslave Ivo Andritch (Prix Nobel de littérature 1961), *Il est un pont sur la Drina*, ouvrage pittoresque qui raconte l'histoire de ce pont au cours des siècles.

« Le 25 septembre 1264, au petit jour, le duc d'Auge se pointe sur le sommet du donjon de son château pour y considérer, un tantinet soit peu, la situation historique. » Voici comment débute le roman de Raymond Queneau, *Les fleurs bleues*. S'ensuit une admirable fantaisie sur les structures de l'histoire, puisque à ce duc d'Auge correspond en notre temps un autre personnage qui rêve d'être l'autre. Le présent se dissout donc dans le passé, le passé s'anticipe dans le présent, puisque le duc rêve d'être le personnage du XXe siècle qui rêve d'être celui du XIIIe. Un très beau jeu savamment construit qui dilate la formule.

Autre performance intéressante, celle d'arriver à une vision romanesque totalisante dans le déroulement d'une double intrigue à quelques siècles de distance. C'est ce qu'a tenté Jean-Louis Curtis avec *Le mauvais choix*, deux récits entrecroisés dont le point commun sonne le prophétisme, l'un se déroulant autour de l'Édit de Milan en l'an 313, l'autre en un avenir proche où l'Europe est inféodée à l'U.R.S.S.

C'est en un autre va-et-vient entre le passé archéologique de l'Antiquité grecque et la France de 1847 que s'inscrit la correspondance d'un jeune étudiant à un professeur hongrois au sujet d'inscriptions anciennes non déchiffrées : *L'écriture de Samos* (Michel Melot).

De la Sicile de l'Antiquité aux camps de concentration de l'Allemagne nazie en passant par la Perse de Cyrus en compagnie de Xénophon, c'est à un grand voyage dans le temps et dans l'espace que nous invite le Suédois Eyvind Johnson (Prix Nobel de littérature en 1974) vers *Les nuages sur Métaponte*.

Décor historique en trompe-l'œil pour *Le cavalier de minuit* qui poursuit, de Prague au XVIe siècle à Vienne au XXe siècle, une mission où le golem, le KGB et le tableau de Bocklin « L'île des morts » sont confrontés par l'habileté du romancier Joseph Macé-Scaron.

Citons également, de Simone de Beauvoir, *Tous les hommes sont mortels*, qui est en fait une savante divagation sur le thème de l'immortalité qui pourrait toucher certains êtres. En l'occurrence, un prince du début du XIVe siècle boit un élixir qui agit en lui permettant de se retrouver de nos jours.

Plus récemment, un pavé de plus de mille pages de Pierre Pelot, *C'est ainsi que les hommes vivent*, fait alterner deux histoires dans le même lieu, la campagne lorraine. L'une se passe de nos jours et met en scène un amnésique qui recherche ses origines, l'autre en plein XVIIe siècle durant la Guerre de Trente Ans.

Un cas d'école

Comment qualifier la tentative de Jean d'Ormesson pour *La gloire de l'Empire* ? Exercice d'érudition malicieuse, méditation sur l'histoire, canular géant, un esprit borgésien préside sûrement à cette talentueuse reconstitution d'un empire plausible et surtout d'un héros qui absorbe en lui-même une douzaine de personnalités classiques, dans une trajectoire prévisible. Sans aucune référence factuelle précise, mais dans un pullulement sensible d'échos et de souvenirs sertis dans le filigrane du texte, l'auteur crée l'impression du « déjà vu » et du « déjà entendu ». C'est le triomphe paradoxal du roman historique qui n'en est pas un et plutôt de l'histoire fictive ou de la fiction historique corroborée par une virtuosité mystificatrice.

Le même écrivain nous a ensuite proposé une trilogie romantique, *Le vent du soir*, *Tous les hommes en sont fous* et *Le bonheur à San Miniato*. Cette histoire dans l'Histoire constitue une large fresque où évoluent quelque 150 personnages de quatre lignées différentes, remontant à la fin du XVIIIe siècle, qui représentent chacune un continent différent. Fiction historique ou histoire fictive ? L'auteur, non sans malice, brasse une foule de faits authentiques avec une érudition confondante et fait rencontrer à ses protagonistes – parfois inspirés de personnages réels – des êtres non moins réels que Humphrey Bogart, Rudolph Hess ou Maurice Chevalier. Cartes géographiques et tableaux généalogiques aident le lecteur à suivre ces destinées parallèles – qui parfois s'entremêlent – et procurent une impression d'authenticité à un récit par ailleurs d'une exceptionnelle vivacité.

Récidivant avec l'amusement canularesque du normalien académicien, à mi-chemin entre l'Histoire et le Mythe, l'*Histoire du Juif errant* comportait un sujet tout désigné pour l'auteur de *Dieu, sa vie, son œuvre* et suivait les traces d'Alexandre Dumas avec son *Isaac Laquedem, ou le roman du Juif errant.*

Un Borges hongrois

Sous le titre ésotérique *Le bréviaire de Saint Orphée* en neuf volumes (1939-1982), le Hongrois Miklos Szent Kuthy a laissé une symphonie métaphorique qui instaure une méditation de l'histoire comme mythe, non pas selon un point de vue idéaliste qui discréditerait les faits ou données objectives, mais en une démarche cherchant à installer de façon continue le cosmos dans la subjectivité (selon le préfacier R. Sctrick). Celui qu'on a surnommé le Borges de la littérature hongroise bâtisseur mégalomane de cette cathédrale de papier est accessible pour le moment en quatre traductions françaises : *En marge de Casanova*, *Renaissance noire*, *Escorial* et *Europa minor* en attendant la suite de ce puzzle kaléidoscopique.

Cette désinvolture vis-à-vis la logique, ou plutôt la chrono-logique, nous permet d'ouvrir une parenthèse sur une formule peu souvent employée : l'uchronie. À l'utopie qui n'est d'aucun lieu, s'expose l'uchronie qui n'est d'aucun temps.

Quelques exemples récents

Si Napoléon était né dans une Corse encore italienne, nous aurions eu *Le feld maréchal von Bonaparte* que Jean Dutourd nous présente avec malice et avec un sous-titre, « Considérations sur les causes de la grandeur des Français et de leur décadence ».

Si le chevalier de la Barre n'avait pas été exécuté en 1766, nous aurions *Les nouvelles aventures du chevalier de la Barre* écrites par un romancier anglais, en l'occurrence Pierre Jean Rémy.

Si la révolution d'Octobre n'avait eu lieu et si l'une des filles du tsar Nicolas, *Alexandra*, lui avait succédé, que serait devenue la Russie de nos jours ? Exercice réussi par Vladimir Volkoff et Jacqueline Dauxois.

Si De Gaulle était mort dans l'écrasement de son hélicoptère au retour d'Allemagne, la guerre civile aurait-elle eu lieu comme dans *L'Algarabie* de Jorge Semprun ?

Si Lindberg avait été élu président des États-Unis en 1940 ? Philip Roth raconte *Le complot contre l'Amérique*.

Uchronies

Beaucoup de romans apparentés à l'anticipation ou à la science-fiction, version conscience-friction, ont été uchroniquement pensés et écrits.

L'Europe chrétienne ayant disparu, ravagée par la peste au Moyen Âge, l'Islam et la Chine sont devenues les civilisations dominantes, découvrant l'Amérique, etc. C'est *La chronique des années noires* selon Kim Stanley Robinson.

L'invincible Armada l'a été, Philippe II a continué d'être quasi empereur du monde, nous raconte *Pavane* (Keith Roberts).

Le Sud gagne la Guerre de Sécession dans *Autant en emporte le temps* (Ward Moore).

Hitler émigre à New York en 1919, devient illustrateur de bandes dessinées et obtient à titre posthume en 1955 le grand prix de science-fiction pour *Rêve de fer* (Norman Spinrad).

Les Allemands ont réussi à envahir l'Angleterre qui doit composer avec eux ainsi qu'en témoigne le titre *SS-GB* que Len Deighton donne à son roman.

Les Japonais ont gagné la guerre et occupent les États-Unis dans *Le maître du haut-château* (Philip K. Dick).

Autant d'hypothèses qui jouent avec l'histoire et relèvent de l'allusion pascalienne sur *Le nez de Cléopâtre*, un singulier recueil de Robert Silverberg, ou carrément du voyage dans le temps comme l'illustre à foison Poul Anderson dans *La patrouille du temps*, ou encore dans un concept actif de projection-prospective comme la psycho-histoire d'Isaac Asimov en son cycle *Fondation*.

Plus réaliste, sinon naturaliste, le courant « steampunk », au début des années 80, a reconstitué rétrospectivement le Londres du XIXe siècle à vapeur. *Les voies d'Anubis* de Tim Powers en sont le spécimen le plus probant. Bientôt d'autres auteurs, tels Connie Willis (*Le grand livre*) et Paul J. McAuley (*Les conjurés de Florence*) déjà cités, évoqueront des époques plus lointaines. Le souci d'authenticité historique dans le moindre détail dont ils font preuve méritait qu'on rappelle ici ces romans qui sont des souvenirs altérés, des détours dans des temps possibles, des évocations fantasmatiques dégageant cependant une curieuse familiarité dans nos mémoires. Un exemple récent (1997), parmi d'autres, s'établit chez Vonda McIntyre en son récit *La lune et le Roi-Soleil*, splendide recréation du Versailles de 1693 qui rivalise avec les romans historiques concernant cette période.

Terminons par un ingénieux roman policier de Joséphine Tey dont le titre admirable, *La fille du temps*, est issu d'un vieux proverbe : « Truth is the daughter of time ». Un inspecteur de police, immobilisé à l'hôpital à la suite d'une blessure, fait une enquête dans le passé et tente de savoir ce qu'il est advenu des enfants d'Édouard que l'histoire fait assassiner par Richard III en 1483. La conclusion assez sensationnelle de cette enquête oblige le lecteur à retourner à ses livres d'histoire pour voir jusqu'à quel point l'hypothèse est exacte. Ce qui, plus souvent qu'on ne le croit, est le propre du roman historique bien construit et bien documenté qui fait concurrence à la réalité ou à la vérité rapportée par les livres d'histoire.

ORIENTATION BIBLIOGRAPHIQUE

1. Études historiques et critiques ;
2. Quelques numéros spéciaux de périodiques ;
3. Extraits de livres ;
4. Articles et préfaces ;
5. Livres, articles et préfaces sur un auteur.

1. Études historiques et critiques

Bernard, Claudie. 1996. *Le passé recomposé : le roman historique français du dix-neuvième siècle.* Paris : Hachette. 320 p.

Bien avant que ne devienne populaire la formule du roman historique, cette recette de best-seller possède des ancêtres distingués et très littéraires. De Vigny à Vallès, en passant par Mérimée, Balzac, Gautier, les cent dernières pages présentent la mise en œuvre alors que la première partie, en trois volets, livre une réflexion triple sur la rencontre des deux termes : la représentation romanesque de l'histoire et cette question peut-être ironique : un monument aux morts en papier ? Essai pertinent et bien documenté, mais limité par son sous-titre.

Bourget, Jean-Loup. 1992. *L'histoire au cinéma : le passé retrouvé.* Paris : Gallimard. 172 p. (Découvertes Gallimard ; 141. Cinéma).

L'Histoire de ce genre particulier a su créer des films grandioses et ses thèmes sont souvent liés à l'histoire antique et biblique, à ses héros légendaires (Robin des Bois, d'Artagnan, etc.).

Carrère, Emmanuel. 1986. *Le détroit de Behring : introduction à l'uchronie : essai.* Paris : P.O.L. 125 p.

Exposition des règles d'une discipline *réinventée* par le philosophe Charles Renouvier, en 1876, et qui consiste à « penser l'Histoire au conditionnel passé ». L'auteur analyse une série de livres disparates, signalés par J. van Herp et P. Versins, ou rencontrés au hasard de ses lectures. Un travail d'amateur sans doute (comme le proclame l'auteur) mais stimulant et novateur, concernant au premier chef les amateurs d'histoire et d'utopie.

Cichocka, Marta. 2007. *Entre la nouvelle histoire et le nouveau roman historique : réinventions, relectures, écritures.* Paris : L'Harmattan. 418 p. (Littératures comparées).

Une analyse des marques de l'historicité dans le domaine romanesque, notamment latino-américain. Différents éléments sont traités : les références spatiales et temporelles, le choix du sujet, les personnages, les modalités de l'écriture et les stratégies de l'écriture, les éléments paratextuels.

Couégnas, Daniel. 2000. *Le roman historique : récit et histoire* / Sous la dir. et préface de Dominique Poyrache-Leborgne et Daniel Couégnas. Nantes : Pleins Feux. 350 p. (Horizons comparatistes).

Une vingtaine de prestations par autant d'universitaires plutôt condescendants vis-à-vis une formule dite de « mauvais genre ».

Descotes, Maurice. 1967. *La légende de Napoléon et les écrivains français du XIXe siècle.* Paris : Minard. 281 p. (Bibliothèque de littérature et d'histoire ; 9).

Recension des écrits du XIXe siècle consacrés à Napoléon, une des figures les plus populaires dans l'histoire universelle.

Durand-Le Guern, Isabelle. 2008. *Le roman historique.* Paris : Armand Colin. 127 p. (Collection 128. Lettres, linguistique).

Présentation d'une formule romanesque très populaire chez le lectorat ordinaire, mais très souvent boudée par les critiques universitaires. Ce petit livre traite en six pages de ce que les gens lisent vraiment en fait de romans historiques.

Frimbois, Jean Pierre. 1989. *Les 100 chefs-d'œuvre du film historique.* Alleur : Marabout. 221 p. (Marabout service ; 1051. Cinéma).

Collection offerte aux amateurs « accrochés » ou intéressés à un genre ou à une catégorie de films, voici une petite collection agréablement offerte. Chacun des cent films représentatifs est traité sur deux pages avec fiche technique, thème, commentaire et photo. Les définitions sont un peu larges, mais suggèrent d'utiles reconnaissances et d'éventuels revisionnements.

Gengembre, Gérard. 2006. *Le roman historique.* Paris : Klincksieck. 160 p. (50 questions).

Cet ouvrage privilégie la recherche théorique (L. Maigron, G. Lukács, C. Bernard) et élabore une définition structurelle et quasi sociologique de cette formule romanesque. L'auteur tente de sortir du romantisme pour survoler la production jusqu'à nos jours, en citant pêle-mêle un grand nombre de titres et exemplaires. Ouvrage utile pour comparer définitions, descriptions et interprétations.

Guillaumie, Marc. 2006. *Le roman préhistorique : essai de définition d'un genre, essai d'histoire d'un mythe*. Limoges : Presses universitaires de Limoges. 335 p. (Médiatextes).

L'essai traite de la présence de la Préhistoire dans la littérature en analysant différents thèmes traités. Analyse des thèmes et des formes récurrents dans les œuvres publiées en français entre 1870 et 1914. Étude des enjeux philosophiques, religieux, sociaux et politiques et la présence de la Préhistoire dans la littérature et les médias.

Henriet, Eric B. 2004. *L'histoire revisitée : panorama de l'uchronie sous toutes ses formes*. Amiens : Encrage ; Paris : Les Belles Lettres. 415 p. (Interface ; 3).

L'uchronie est au temps ce que l'utopie est à l'espace, un temps qui n'a jamais existé ou un temps meilleur. Cet essai érudit et passionné répertorie cette variante des récits temporels, tant dans le passé que dans le futur, ce qui rejoint très souvent la science-fiction.

Histoire... par la bande : bande dessinée, histoire et pédagogie, L'. 1993. Dirigée par Odette Mitterand avec la collab. de Gilles Ciment. Paris : Syros ; Min. de la jeunesse et des sports. 159 p.

Contributions de spécialistes sur la bande dessinée et les utilisations pédagogiques qu'il est possible d'en tirer dans l'enseignement de l'Histoire. On aborde aussi divers aspects de la bande dessinée : l'écriture du scénario, l'adaptation littéraire, la narration par l'image, les abus de l'image, le cinéma et la bande dessinée, etc.

Krulic, Brigitte. 2007. *Fascination du roman historique : intrigues, héros et femmes fatales*. Paris : Autrement. 243 p. (Passions complices).

Enjoué et complice, cet essai est aussi fascinant que le sujet qu'il traite. Plein de références et d'à propos, il constitue une excellente introduction et fournit des perspectives originales. Quelques analyses de Scott, Vigny, Dumas et autres sur un ton universitaire.

Lafortune, Monique. 1995. *Les romans québécois au XIXe siècle : le roman historique et le roman d'aventures*. Laval : Mondia. ix, 68 p. (Les essentiels).

Lemire, Maurice. 1970. *Les grands thèmes nationalistes du roman historique canadien-français*. Québec : Presses de l'Université Laval. xii, 281 p. (Vie des lettres canadiennes ; 8).

Thèse de doctorat qui se lit comme un roman, tant l'auteur a su dominer l'immense champ de sa recherche, témoin l'exhaustive bibliographie, en émaillant son texte d'exemples et de citations, en regroupant les thèmes événementiels de notre histoire et en décrivant ce mouvement nationaliste qui se servit du roman comme véhicule pour pénétrer les lecteurs du sentiment profond de la patrie. Étude lucide, sans complaisance et critique sans inadvertance. Fondamental pour le sujet.

Lévêque, Laure. 2001. *Le roman de l'histoire, 1780-1850.* Paris ; Montréal : L'Harmattan. 402 p. (Critiques littéraires).

À partir du roman romantique naturellement égocentrique commence à s'épanouir, tant chez Balzac, chez Stendhal, que chez Hugo, un roman qui réécrit l'Histoire.

Lukács, Georges. 2000. *Le roman historique* / Préface de Claude-Edmonde Magny. Paris : Payot & Rivages. 410 p. (Petite bibliothèque Payot ; 388).

Publié en 1934 par le philosophe hongrois marxiste, cet ouvrage constitue un livre capital tant pour la littérature en général que pour la critique littéraire telle que rénovée de nos jours après tant de querelles et de diatribes. Le titre est justifié par le traitement du sujet qu'il implique, mais il recouvre une matière de beaucoup plus d'envergure, ce qui le classe comme très important pour toutes les formes de la littérature. La préface expose parfaitement la thèse et le propos de l'auteur.

Maurois, André. 1930. *Aspects de la biographie.* Paris : Grasset. 260 p.

Excellent ouvrage qui situe bien un genre difficile : *la vie romancée* dont l'auteur lui-même et l'Autrichien Stefan Zweig ont commis plusieurs échantillons d'assez bonne qualité. Essai précieux sur le genre biographique issu de six conférences sur le sujet prononcées en 1928.

Michaux, Madeleine. 1998. *Enseigner l'histoire par le récit : CE2/CM, cycle 3.* Paris : Armand Colin. 173 p.

Cet ouvrage permet au professeur d'exploiter des supports en histoire (roman, récit, chant, etc.) en vue d'offrir aux étudiants un autre regard sur l'histoire, tout en leur apportant une validation historique critique. L'objectif vise à fournir des outils tenant compte de l'évolution de l'histoire tout en respectant les processus d'apprentissage.

Nélod, Gilles. 1969. *Panorama du roman historique.* Paris : Sodi. 497 p. (Style et langage).

Ce gros bouquin qui a l'allure mais non le style d'une thèse de doctorat confirme bien son titre. Après une introduction où sont discutées les définitions, un tour d'horizon nous fait parcourir les naissances de cette formule depuis Walter Scott avec ses continuateurs français romantiques de Vigny à Dumas, sans oublier les feuilletons de cape et d'épée.

Chaque pays est ainsi exploré et l'érudition de l'auteur semble n'avoir rien oublié. Une autre partie traite des archéologues et artistes qui se sont exprimés sous cette forme. Ouvrage très satisfaisant tant par sa construction que par son intégrité vraiment panoramique.

Queffélec, Lise. 1989. *Le roman-feuilleton français au dix-neuvième siècle.* Paris : Presses universitaires de France. 127 p. (Que sais-je ; 2466).

Petit ouvrage érudit sur un sujet peu souvent abordé. Un chapitre important sur l'histoire littéraire, où beaucoup d'écrivains ont survécu, présente ce phénomène sociologique et culturel qui subsiste encore.

Schleret, Jean-Jacques. 1992. *Les feuilletons historiques de la télévision française : de Thierry la Fronde à Maria Vandamme* / Jean-Jacques Schleret et Jacques Baudou. Paris : Huitième Art. 216 p.

L'histoire du feuilleton historique des années 50 à nos jours est retracée, avec un répertoire chronologique de 83 feuilletons ou séries historiques dont les mythiques *Compagnons de Jéhu* et *Gaspard des Montagnes*, leurs génériques, leurs réalisateurs, acteurs et cascadeurs.

Solet, Bertrand. 2003. *Le roman historique : invention ou vérité ?* Paris : Éditions du Sorbier. 143 p. (La littérature jeunesse, pour qui, pour quoi ?).

Un outil pédagogique tentant de définir le roman historique, notamment son association entre réel et fiction), tout en présentant un état des lieux, les périodes historiques les plus abordées et sa portée pédagogique et idéologique. Une approche simple et structurée proposant de nombreuses pistes de lecture de ce type de roman pour la jeunesse de la préhistoire au 20e siècle.

Vanoosthuyse, Michel. 1996. *Le roman historique : Mann, Brecht, Doblin.* Paris : Presses universitaires de France. 359 p. (Perspectives germaniques).

La première partie de l'étude est consacrée à la critique du discours dominant sur le genre (surtout chez Lukács). La seconde partie s'emploie à définir le cadre théorique à l'intérieur duquel une approche descriptive est possible. Une troisième partie teste la validité de ce cadre sur trois romans historiques allemands dits de l'exil : *Le roman d'Henri IV* (Mann), *Les affaires de Monsieur Jules César* (Brecht) et *Novembre 1918.*

Veyrat-Masson, Isabelle. 2000. *Quand la télévision explore le temps : l'histoire au petit écran, 1953-2000.* Paris : Fayard. 567 p.

Une étude, solidement documentée, sur les relations entretenues entre l'histoire et la télévision en France. Par le biais d'émissions comme *La caméra explore le temps* et *Les dossiers de l'écran*, les Français ont appris l'histoire à la télévision autant qu'à l'école. Mais aujourd'hui, la télévision se désintéresse de l'histoire. L'auteure s'interroge sur cette situation et propose plusieurs réponses éclairantes.

Vindt, Gérard. 1991. *Les grands romans historiques : l'histoire à travers les romans* / Gérard Vindt et Nicole Giraud. Paris : Bordas. 256 p. (Compacts ; 27).

Plus de 200 romans appartenant à cette formule. Classement chronologique incluant la période 1914 à nos jours et traitement par aires géographiques.

2. Quelques numéros spéciaux de périodiques

« Littérature de la Première Guerre mondiale, La », *L'École des lettres*, 1er juillet 1995. 136 p. ; 1er mai 1997. 160 p.

« Polar et l'histoire, Le », *Polar*, 7 (1992), p. 9-130.

Sommaire : Du péplum au P.38, par Jean-Pierre Deloux ; Lupin rencontre l'Histoire, par Jean-Louis Touchant ; James Cain et la guerre de Sécession, par François Guérif ; Koenigsmark ou l'enquête inopinée, par René Réouven ; Le roman noir et la guerre d'Algérie, par Hervé Delouche et Jean-Jacques Languetrif ; Ellis Peters contre Umberto Eco, le match des siècles, par Jean-Pierre Deloux ; La vie, par-dessus les tombeaux, par Michel Abescat ; Nouvelles du temps qui passe, par Eric Libiot ; Le Gibet ou l'histoire en suspens, par Michel Lebrun ; ... Et châtiment (nouvelle), par Stuart Kaminsky ; Entretien avec Jean-Tulard, par Eric Libiot ; Correspondance, par Jean-Bernard Pouy et Eric Kristy.

« Problèmes du roman historique » / Textes réunis par Aude Déruelle et Alain Tassel. *Revue Narratologie*, 7. Paris : L'Harmattan, 2008. 418 p.

Débat autour du roman historique. Survol des diverses formes que prend la représentation du passé. Analyse des frontières du genre, ses caractéristiques, le personnage historique, l'appareil théorique qui vise à le légitimer. Sommaire : Si l'histoire m'était contée, par Claudie Bernard ; La focalisation interne dans le roman historique, par Marie Parmentier ; Roman historique, roman dramatique, par Agathe Lechevalier ; Romans historiques et historiens professionnels, par Laurent Broche ; La théorie du roman héroïque, par Camille Esmein ; Pour une narration cinématographique de l'histoire, par Bérénice Bonhomme… etc.

« Racontez-moi l'Histoire », *Nuit blanche*, 22 (février-mars 1986), p. 40-70.

Sommaire : Le roman historique, par Denis Saint-Jacques ; Jeanne Bourin : La Renaissance, c'est le XIIe siècle ; Michener et Clavell : le syndrome de Dumas et la défroque de Balzac, par Jean Lefebvre ; Saint Arnaud Caron : des actes notariés à la fiction, par Jacques Guay ; Les sagas islandaises, par Maurice Pouliot ; Annie Cohen Solal : le statut précaire du biographe, par Francine Bordeleau ; L'histoire par la bande, par Catherine Saouter-Caya et Philippe Sohet ; La marée montante, par Sylvie Chaput.

« Roman historique, Le », *Caliban* XXVIII, 1991.

Sommaire : Marcienne Rocard. « Un romancier qui refuse toute étiquette » : Interview de Robert Merle ; James R. Thompson. « Categories of Human Form » : Some notes on E.L. Doctorow and Historical Consciousness in American Fiction since 1960 ; Pierre Morère. Histoire et Récit dans *Redgauntlet* de Walter Scott ; Roger Decap. *Barry Lyndon :* Thackeray et « l'ailleurs » ; Marcienne Rocard. Le difficile mariage de l'histoire et de la fiction dans *The 158-Pound Marriage* de John Irving ; Georges Lamoine. Le début du roman historique au XVIIIe siècle ; Cassilde Tournebize. *Plexippus* (1790) de Richard Graves : l'illusion d'avoir découvert le roman historique ; Marie-Claire Hamard. William Harrison Ainsworth, romancier historique (1802-1882) ; Michel Durand. L'engagement religieux des romans victoriens des premiers siècles chrétiens (1840-1856) ; Serge Cottereau. Le *Romola* de George Eliot: trop d'histoire, ou trop peu ? ; Étienne de Planchard. « Contes et mécontes » du roman historique chez G. W. Cable ; Anne Foata. Roman historique, roman de moeurs, *The Long Night* de Andrew Lytle ; Michel Hardy. *The Sot-Weed Factor* de John Barth: roman préhistorique ; Yvonne Munnick. L'utilisation allégorique du roman historique chez André Brink : *An Instant in the Wind* et *A chain of Voices.*

« Roman historique, Le », *La Nouvelle Revue Française*, 238 (1972). 264 p.

Numéro spécial regroupant les réflexions de 15 personnalités qui ont touché le genre comme romanciers, historiens ou critiques. Document important et très riche à consulter sur ce sujet. Sommaire : Le romancier hors les murs, par Claude Mettra ; Le Grand Ferré, par Daniel Boulanger ; Saint-Just à Marchienne, par Marguerite Yourcenar ; Valmy ! par Jacques-Pierre Amette ; Une mort sale, par Pierre-Jean Rémy ; Un interprète privilégié du mythe d'Alexis : Georges de La Tour, par Jean d'Ormesson ; Ton et langage dans le roman historique, par Marguerite Yourcenar ; La dimension mythologique, par Michel Tournier ; Le roman et l'histoire, par Zoé Oldenbourg ; L'histoire dans le roman, par Pierre-Jean Rémy ; Naissance du roman historique au XIIe siècle ? par Jacques

Le Goff ; L'image de Rome, par Roland Auguet ; Les Celtes contre l'histoire ou l'histoire contre les Celtes ? par Jean Markale ; Des romans égarés, par Geneviève Bollème ; Lukács et la théorie du roman historique, par Jacques Ménard ; Pommes d'or, mécaniques orange, par Roger Lewinter ; L'imagination du vrai, par Roger Judrin ; De l'histoire innocente à l'histoire impure (entretien recueilli par Claude Mettra et Jacques Bersani), par Pierre Barbéris.

« Roman historique, Le. », *Revue d'histoire littéraire de la France*, 75, 2-3 (1975), p. 195-444.

Vaste ensemble de quinze articles classés selon la publication chronologique. La vénérable revue demeure dans le cadre littéraire mais se permet de toucher Zévaco. Sommaire : Qu'est-ce que le roman historique ? par J. Molino ; Le roman historique et l'histoire, par A. Daspre : L'illusion historique : l'enseignement des préfaces (1815-1832), par Cl. Duchet ; De l'usage du nom propre : le roman historique au XVIIIe siècle, par R. Démoris ; Roman historique et roman d'amour : lecture du « Dernier Chouan », par P. Barbéris ; Gringoire, ou le déplacement du roman historique vers l'Histoire, par J. Seebacher ; Histoire, épopée et roman : les Misérables à Waterloo, par R. Desné : « Quatre-vingt-treize », ou la critique du roman historique, par G. Rosa ; Flaubert, l'histoire et le roman historique, par J.-P. Duquette ; Balzac et le roman historique : notes sur quelques projets, par R. Guise ; La politique dans le roman historique des années 1820-1840 : l'exemple de Théophile Dinocourt, par Th. Gretton ; Quelques aspects de la Révolution française dans le roman-feuilleton, par A. Leoni et R. Ripoll ; Michel Zévaco : éléments pour une bibliographie, par R. Guise et C. Noiriel ; Temps historique et temps romanesque dans « La semaine sainte », par S. Ravis-Françon ; « La condition humaine », roman historique ? par J. Leblon et Cl. Pichois.

« Roman policier historique, Le, première partie », *Enigmatika* (Juin 2000).

Sommaire : *Les précurseurs* : De l'autre côté de la porte, par Jean-Pierre Croquet ; Le juge Ti de Robert H. van Gulik, par Michel Soupart ; John Dickson Carr romancier historique, par Roland Cacourbe ; La fille du temps de Josephine Tey, par Michel Soupart ; Jeremy Sturrock, par Jacques Baudou ; Richard Falkirk, par Jacques Baudou ; Henry Winterfield, par Jacques Baudou. — *Les contemporains* : Notes sur Ellis Peters, par Jacques Baudou ; Cadfael, par Jean-Jacques Schléret ; Le nom de la rose de Umberto Eco, par Michel Soupart ; Jean Stubb et la trilogie Lintott, par Roland Lacourbe ; Paul C. Doherty ou l'histoire dans tous ses états, par Philippe Fooz ; Kate Ross ou le dandy détective, par Jacques Baudou ; Mort d'une garce ou l'aventure du détective hospitalisé, par Jean-Pierre Croquet ; Caleb Carr ou l'histoire appliquée de la psychanalyse criminelle, par Vincent Bourgeois ; Anne Perry, première approche, par Jacques Baudou ; Viviane Moore ou l'évocation colorée de la France du siècle des Croisades, par Vincent Bourgeois. — La collection Le Gibet, par Jacques Baudou ; Les anthologies de nouvelles policières historiques, par Jacques Baudou ; Riccardo Freda, le maître du film historique, par Jean-Jacques Schléret et Jean-Paul Schweighaeuser ; Moisson noire, par Jean-Jacques Schléret et Jean-Paul Schweighaeuser.

« Roman policier historique, Le, seconde partie », *Enigmatika* (Juin 2001).

Sommaire : Dictionnaire des auteurs de romans policiers historiques, par Jacques Baudou ; Abécédaire des auteurs français, par Jacques Baudou ; Robert Hültner, le conteur, par Jean-Paul Schweighaeuser ; Sharan Newman, par Delphine Kresge-Cingal ; L'assassin rôde dans l'impasse de T. H. Huff, une ripper story à découvrir, par Jean Pierre Croquet ; Elizabeth Eyre, par Philippe Fooz ; Edward Marston, par Philippe Fooz ; John Maddox Roberts, par Vincent Bourgeois ; Bruce Alexander et Sir John Fielding, par Michel Soupart ; Regard sur l'uchronie, par Roland Lacourbe ; Hubert Prolongean et les romans de l'encyclopédie, par Jean-Jacques Schleret ; Olivier Seigneur : du Pékin de la fin du XIXe siècle au Versailles du Roi-Soleil, par Jean Jacques Schleret ; Les anthologies de nouvelles policières historiques.

« Romans de l'histoire, Les » *Liberté* 147, 1983, p. 140-158.

Le poids de l'histoire dans la littérature québécoise ; la conception d'un roman historique ; le paradoxe du roman historique (Examen de trois parutions québécoises récentes : « Les pays étrangers », de Jean Éthier-Blais, « La corne de brume », de Louis Caron et « Moi Pierre Leroy, prophète, martyr et un peu fêlé du chaudron », de Victor-Lévy Beaulieu) ; témoignage du romancier Louis Caron.

3. Extraits de livres

« Autour de la Seconde Guerre mondiale : Résistance, témoignages, fictions ». 1991. Dans : *L'École des lettres* II, 15 juillet 1991. 226 p. Textes de Julien Gracq, Vialatte, Vercors, Antelme, Lévi, Sartre, Aymé, Tournier, Pérec, Moriano.

Backès, Jean-Louis. 1996. « L'idolâtrie du réel ». Dans : *La littérature européenne*. Paris : Belin, p. 327-333.

Baudou, Jacques. 2001. *Présentation de Petits crimes du temps jadis*. Paris : Éditions du Masque, p. 7-14 et *Dictionnaire des auteurs*, p. 473-490.

Boisdeffre, Pierre de. 1985. « Le roman et l'histoire ». Dans : *Histoire de la littérature française, des années 1930 aux années 1980.* Paris : Librairie académique Perrin, Tome I, chap. VIII, p. 691-717.

Bourdier Jean. 1996. « De la géographie à l'histoire ». Dans : *Histoire du roman policier.* Paris : Éditions de Fallois, p. 311-314.

Bujnicki, Tadeusz. 1981. « Roman historique du XIXe siècle : problèmes de structure ». Dans : *Le genre du roman, les genres de romans.* Paris : Presses universitaires de France, p. 69-79.

« Le cinéma historique ». 1976. Dans : *Encyclopédie Alpha du cinéma*, 4. Lausanne : Éditions de Grammont, p. 147-280.

Durand-Leguern, Isabelle. 2004. « Roman d'aventures et roman historique : des aventures très "orientées" ». Dans : *Poétiques du roman d'aventures.* Nantes : Éd. Cécile Dufaut, p. 97-108.

Filippini, Henri. 1992. *Dictionnaire thématique des héros de bandes dessinées, tome 1, Histoire, western.* Grenoble : Glénat, p. 151-366.

Guillaume, Marc. 2004. « La préhistoire dans la fiction », dans *Poétiques du roman d'aventures.* Nantes : Éd. Cécile Dufaut, p. 85-95.

Golinsky, Marie-Françoise. 1988. « Le Mouron rouge ». Dans : *La Littérature et la Révolution au XXe siècle.* Paris : Flammarion, p. 66-74.

Lacassin, Francis. 1992. « Le masque de fer, ou inventaire successoral d'une légende défunte ». *Passagers clandestins.* Paris : Julliard, 1992, p. 13-52.

Marcel, Jean. 1996. *Fractions 1.* Montréal : L'Hexagone. p. 32-35.

Madelgnat, Daniel. 1996. « Roman historique ». *Dictionnaire des littératures de langue française : Oeuvres.* Paris : Bordas, p. 2137-2140.

Murciaux, Chistian. 1962. « Défense du roman historique ». *Les fruits de Canaan.* Paris : Plon, p. 225-255.

Rey, Pierre-Louis. 1992. « Roman et histoire », chapitre 1 de *Le roman.* Paris : Hachette, p. 11-37. (Contours littéraires).

« Le roman historique ». 1992. Dans : *Lettres européennes.* Paris : Hachette, p. 585-587.

Rouland, Norbert. 1999. « Pour un nouveau roman historique », postface de *Les lauriers de cendre : roman.* Arles : Actes Sud ; Montréal : Leméac, p. 419-425. (Babel ; 394).

Roy-Reverzy, Éléonore. 1998. « L'histoire et la fiction », ch. 4 de *Le roman au XIX*e *siècle*. Paris : S.E.D.E.S., p. 63-75.

Spehner, Norbert. 2005. « Écrivains réels et enquêteurs fidèles »; note sur un sous-genre du polar historique. *Alibis*, 16, p. 97-115.

4. Articles et préfaces

Amiel, Monique. 1983. « Le roman historique : le passé a de l'avenir devant lui ». *Christiane*, 398, sept., p. 14-16.

Amelin, Michel. 1995. « Histoire de crimes ». *813*, 53, oct., p. 33-36.

Berger, Gilles. 1992. « Romans, cinéma, théâtre... historiques ». *Traces*, 30 (1), janv.-févr., p. 41-42.

Bertrand, Jacques A. 1985. « Louis XIV, bébé soleil ». *Magazine littéraire*, 223, oct., p. 83.

Bordeleau, Francine. 1991-1992. « La nostalgie des origines ». *Lettres québécoises*, 64, hiver, p. 5-7.

Brégeon, Jean-Noël. 1993. « Où en est le roman historique ? ». *Historama*, spécial no 36, sept., p. 94-96.

Carmona, Michel. 1982. « Les femmes investissent l'histoire ». *Historia*, 432, nov., p. 44-49.

Cazeneuve, Jean. 1985. « Grande et petite histoire ». *Historia*, 462, juin, p. 4-9.

Chandernagor, Françoise. 1989. « Quand l'historien se fait romancier (suite) » / Françoise Chandernagor, Claude Grimmer et Orlando Rudder. *Le Débat*, 56, sept.-oct., p. 19-36.

« Considérations sur le roman historique ». 1982. *Notes bibliographiques* 8, p. 917-923.

Ezine, Jean-Louis. 1992. « La littérature à l'estoc ». *Le Nouvel observateur*. 1440, 11 juin, p. 51-52.

Gamarra, Pierre. 1995. « Roman et histoire ». *Europe*, janv.-févr., p. 172-176.

Garcia-Debanc, Claudine. 1991. « Lire le Moyen Âge, ou quels critères pour différencier roman historique et écrit d'historien ». *Pratiques*. 69, mars, p. 7-42.

Goimard, Jacques. 1971. « Janus ou le roman historique ». *Le Monde*, 31 déc., p. 18.

Golinsky, Marie-Françoise. 1988. « Le Mouron rouge ». *La littérature et la Révolution au XXe siècle*. Paris : Flammarion, p. 66-74.

« Grandeurs et ambiguïtés du roman historique ». 1979. *Les Nouvelles littéraires*, 2680, p. 17-22.

Grenaud, Pierre. 1974. « Faut-il condamner les romans historiques ? ». *Les Nouvelles littéraires*, 2457, p. 6-7.

Hersant, Yves. 1988. « La révolution francienne ». *Littérature de la Révolution au XXe siècle*. Paris : Flammarion, 1988, p. 34-47.

Jauss, Hans Robert. 1989. « L'usage de la fiction en histoire ». *Le Débat*, 54, p. 89-113.

Landes, David S. 1989. Levi, Jean, Monteilhet, Hubert. « Quand l'historien se fait romancier » / David S. Landes, Jean Levi et Hubert Monteilhet. *Le Débat*, 54, mars-avril, p. 144-166.

Lapierre, René. 1983. « Les romans de l'histoire » / René Lapierre, Jacques Foch-Ribas, Robert Melançon et Louis Caron. *Liberté*, 147, juin, p. 140-158.

Laurent, Jacques.1985. « Le romancier peut-il se servir de l'Histoire ? ». *Historia*, 457, janv., p. 4-8.

Marian, Michel. 1986. « L'histoire saisie par la biographie ». *Esprit*, 8-9, août-sept., p. 125-131.

Monteilhet, Hubert. 1989. « L'historien et le romancier ». *Le Débat*, 54, mars-avril, p. 158-166.

Mirandette, Marie-Claude. 2007. « Small is beautiful ! » / Propos de Jean d'Aillon recueillis par Alibis, 21, p. 77-89.

Nord, Pierre. 1969. « Le roman dans l'histoire : de l'Odyssée au récit d'aventures modernes ». *Annales-Conférencia*, 227, p. 5-19.

Pierrard, Pierre. 1992. Jacques Duquesne et Catherine Paysan. « Le roman historique » / Pierre Pierrard, Jacques Duquesnes et Catherine Paysan. *Panorama*, 266, janv., p. 66-69.

Pomian, Krzyoztof. 1989. « Hitoire et fiction ». *Le Débat*, 54, mars-avril, p. 114-137.

Pouliot, Suzanne. 1996. « Le roman historique, lieu idéologique et identitaire ». *Lurelu*, 18 (3), hiver, p. 6-11.

______. 1995. « Le roman historique ». *Québec français*, 98, été, p. 49-53.

______. 1995. « Le roman historique, lieu de développement d'habiletés langagières spécifiques ». *Québec français*, 98, été, p. 34-35.

« Quand l'historien se fait romancier ». 1989. *Le Débat*, 54, p. 144-166 ; 56, p. 19-36.

« Racontez-moi l'Histoire ». 1986. *Nuit blanche*, 22, févr.-mars, p. 40-70.

Renard, Dominique. 1997-1998. « Spartacus, du mythe à l'histoire » / Dominique Renard et Danielle Salles. *L'École des lettres (collèges)*, 7, p. 1-27 ; 8, p. 71-83.

« Roman historique, Le ». 1979. *Le Bulletin du livre*, 382, p. 24-32.

« Roman historique, coucou le revoilà ». 1981. *Les Nouvelles littéraires*, 2785, p. 36-41.

« Roman historique, une bibliographie commentée, Le ». 2000. *Notes bibliographiques* 7, 2000, p. 94958 ; 8/9, p. 1133-40.

Simard, Louise. 1993. « Les romancières de l'histoire : le Québec en fiction ». *Recherches féministes*, 6 (1), p. 69-83.

Thérive, André. 1956. « Le roman historique contre l'histoire ». *La Table ronde*, 102, p. 55-58.

Thévenon, Patrick. 1984. « Des capes et des épées ». *Express*, no 1723, juill., p. 14-16.

Troyat, Henri. 1982. « L'histoire et le "vécu" au service du roman ». *Historia*, 424, mars, p. 87-94.

______. 1975. « Le roman historique, histoire vivante ». *Le Figaro littéraire*, 1507, 29 juill., p. 16-17.

« La vogue du roman historique ». 1981. *Lire*, 66, p. 7-36.

Wanegffelen, Thierry. 1992. « Histoire des historiens, histoire du grand public : le malentendu ». *Études*, nov., p. 481-489.

Witta, Michèle. 2003. « Histoire et polar ». *Dictionnaire des littératures policières*, Tome I, Nantes : Joseph K, p. 887-888.

5. Livres, articles et préfaces sur un auteur

Balzac, Honoré de

Bernard, Claudie. 1989. *Le Chouan romanesque : Balzac, Barbey d'Aurévilly, Hugo.* Paris : Presses universitaires de France. 324 p. (Écriture).

Gascar, Pierre. 1985. Préface de *Les Chouans* d'Honoré de Balzac. Paris : Gallimard, p. 7-15. (Folio ; 84).

Gay, François. 1987. « Les Chouans d'Honoré de Balzac ». *L'École des lettres*, nos 5 à 8.

Guise, René. 1975. Préface de *Les Chouans* d'Honoré de Balzac. Paris : Le livre de poche, p. v-xxvi. (Le livre de poche ; 705).

Kanbar, Maxine Maria Stoeger. 1970. *Balzac et Walter Scott.* Besançon : Université de Besançon. 216 p.

Ménard, Maurice. 1988. Introduction de *Les Chouans* de Honoré de Balzac. Paris : Garnier-Flammarion, p. 7-41.

Rey, Pierre-Louis. 1990. Préface de *Les Chouans* de Honoré de Balzac, Paris : Presses Pocket, p. 5-18. (Presses Pocket ; 6064).

Barbey d'Aurévilly

Bernard, Claudie. 1989. *Le Chouan romanesque : Balzac, Barbey d'Aurévilly, Hugo.* Paris : Presses universitaires de France. 324 p. (Écriture).

Bourin, Jeanne

Grangié, Marianne. 1979. « Jeanne Bourin réconcilie le roman et l'histoire ». *Bulletin du livre*, 382, p. 25-26.

Caron, Louis

Falardeau, Erick. 1996. « La mise en fiction d'une histoire : *Les fils de la liberté* de Louis Caron ». *Québec français*, 101, printemps, p. 77-80.

Carpentier, Alejo

Blanzat, Jean. 1977. Préface de *Le siècle des Lumières* de Alejo Carpentier. Paris : Gallimard, p. 9-16. (Folio ; 981).

Carr, John Dickson

Medawar, Tony. 1997. « Histoire et mystère » / Préface de *Les romans historiques* de J. D. Carr. (Tome 5 de l'Intégrale). Paris : Librairie des Champs-Élysées. Le Masque, p. ix-xxiii. (Les intégrales du Masque).

Cendrars, Blaise

Leroy, Claude. 1991. *L'or de Blaise Cendrars*. Paris: Gallimard. 220 p. (Foliothèque ; 13).

Christie, Agatha

Constantin-Weyer, Maurice. 1945. Préface de *La mort n'est pas une fin* d'Agatha Christie. Paris: Librairie des Champs-Elysées. (Collection Club des masques).

Defoe, Daniel

Mollaret, Henri H. 1982. Préface de *Journal de l'année de la peste* de Daniel De Foe. Paris : Gallimard, p. 7-25. (Folio ; 1372).

Dickens, Charles

Gattegno, Jean. 1989. Préface de *Un conte de deux villes* de Charles Dickens. Paris : Gallimard. (Folio ; 2106).

Doyle, Arthur Conan

LeBris, Michel. 1995. « Un cousin de Walter Scott », préface de *La compagnie blanche* de Arthur Conan Doyle. Paris: Phébus, p. 9-17. (D'Aujourd'hui. Étranger).

Tulard, Jean. 1990. .Préface de *Le Brigadier Gérard* de A. C. Doyle. Paris : Laffont, p. 1-3. (Bouquins).

Druon, Maurice

Druon, Maurice. 1988. « Les rois maudits ont réhabilité les parias ». *Figaro littéraire*, 11 avril, p. 22.

Dumas, Alexandre

Différentes sources sur Dumas sont également accessibles dans plusieurs périodiques : *Le Monde, Le Devoir, La Presse, Le Nouvel Observateur, Le Point, L'Express*, particulièrement *Le Magazine littéraire, Lire* et *Notes bibliographiques*.

Alexandre Dumas, une lecture de l'histoire. 2003. Sous la dir. de Michel Arrous. Paris : Maisonneuve et Larose. 617 p.

Aziza, Claude. 2006. Préface de *Mémoires d'Horace : écrits par lui-même*. Paris : Belles-Lettres.

______. 1998. Préface de *Les trois mousquetaires ; Vingt ans après...* Paris : Omnibus, p. i-x.

______. 1984. Introduction à *Acté* / Alexandre Dumas. Paris: Pocket, p. 7-12. (Pocket ; 2291).

Bertière, Simone. 1989. Introduction et annotations de *Vingt ans après*. Paris : Le Livre de poche, p. 5-29. (Le livre de poche ; 736. Classique).

Biét, Christian. 2002. *Alexandre Dumas, ou Les aventures d'un romancier* / Christian Biet, Jean-Paul Brighelli et Jean-Luc Rispail. Paris : Gallimard. 160 p. (Découvertes Gallimard ; 12).

Blondin, Antoine. 1993. « Un bahut Renaissance » [re: Trilogie du XVIe siècle], *Certificats d'études : essais*. Paris : La Table Ronde, p. 111-130. (La petite Vermillon ; 8).

Bouvier-Ajam, Maurice. 1973. *Alexandre Dumas ou Cent ans après*. Paris : Éditeurs français réunis. 227 p.

Bretagne, Jean-Marie. 1989. Introduction à *La comtesse de Charny*. Paris : Le Livre de poche, p. 5-8. (Le livre de poche ; 6647).

Clouard, Henri. 1955. *Alexandre Dumas*. Paris : Albin Michel. 437 p.

Dantzig, Charles, éd. 1997. *Le grand livre de Dumas*. Paris : Les Belles Lettres. 269 p.

Fernandez, Dominique. 2003.. Préface de *Vingt ans après*. Paris : Gallimard. (Folio ; 2818. Classique).

______. 1999. *Les douze muses d'Alexandre Dumas*. Paris : Grasset. 325 p.

Fernandez, Ramon. 1981. « Retour à Dumas père : plaidoyer pour l'aventure ». Dans : *Messages*. Paris : Grasset, p. 268-273.

Filmographie d'Alexandre Dumas. 1974. Dans : *Travelling*, 41, p. 41-50.

Goimard, Jacques. 1998. Préface de *Les trois mousquetaires*. Paris : Pocket, p. v-xlvii. (Pocket ; 6048. Classiques).

______. 2004. « La bande des farceurs : l'humour ». Dans : *Les trois mousquetaires* ». *Univers sans limites. Critique des genres*. Paris : Pocket, p. 327-337. (Pocket ; 6048. Classiques).

Hamel, Réginald. 2004. *Dictionnaire Dumas du bicentenaire : index analytique et critique et des situations dans l'œuvre du romancier ; supplément de mise à jour.* Montréal : Guérin. lxix, 169 p.

______ 1990. *Dictionnaire Dumas : index analytique et critique et des situations dans l'œuvre du romancier* / Réginald Hamel et Pierrette Méthé. Montréal : Guérin. 979 p.

______ 1988. *Dumas... insolite*. Montréal : Guérin. 124 p. (Carrefour).

Henry, Gilles. 1999. *Les Dumas : le secret de Monte Cristo*. Paris : France Empire.

Jan, Isabelle. 1973. *Alexandre Dumas, romancier*. Paris : Éditions ouvrières. 166 p. (La butte aux cailles).

Josselin, Jean-François. 1973. Préface de *La reine Margot*. Paris: Gallimard. (Folio ; 411).

Jougné, Serge. 1974. « Histoire et fiction chez Alexandre Dumas ». *Europe*, juin, p. 94-100.

Léoni, Anne et al. « Feuilleton et Révolution : Ange Pitou ». *Europe*, juin, p. 101-118.

Maurois, André. 1966. *Les trois Dumas*. Paris : Hachette. 499 p.

Mombert, Sarah. 1995. « Alexandre Dumas entre l'histoire et l'aventure ». *Dramaxes*, ENS, p. 131-144.

Morand, Paul. 1982. Préface de *Le vicomte de Bragelonne*. Dans : *Mon plaisir – en littérature*. Paris : Gallimard, p. 133-138. (Folio ; 464).

Nimier, Roger. 1983. Préface de *Les trois mousquetaires*. Paris : Gallimard, p 7-19. (Folio : 526-527).

Perret, Jacques. 1967. Préface de *Joseph Balsamo*. Paris : Le Livre de poche. (Le Livre de poche classique ; 2132-2133 ; 2149-2150).

Schopp, Claude. 1997. *Alexandre Dumas, le génie de la vie*. Paris : Fayard. 622 p.

Schopp, Claude. 1990. Préface générale de *Mémoires d'un médecin (1), Joseph Balsamo*, etc., Laffont, p. i-xcv. (Bouquins).

Sigaux, Gilbert.1989. « L'affaire du collier ». Préface de *Le collier de la reine*. Bruxelles : Complexe, t. 1, p. vii-xvii.

______. 1989. « Le vrai visage de Joseph Balsamo ». Préface de Joseph Balsamo. Bruxelles : Complexe, t. 1, p. vii-xix.

Tadié, Jean-Yves. 1997. Préface de *Le vicomte de Bragelonne*. Paris : Gallimard. (Folio ; 3023-3025).

Tulard, Jean. 1993. Préface de *La reine Margot*. Paris : Gallimard. (Folio ; 411).

Viennot, Eliane. 1994. « De la reine Marguerite à *La reine Margot* : les lectures de l'Histoire d'Alexandre Dumas ». *École des lettres*, 13-14, p. 81-106.

Zimmermann, Daniel. 1993. *Alexandre Dumas le Grand : biographie*. Paris : Julliard. 736 p.

Dossiers – Dumas

L'Arc, 71 (1978).

Sommaire : *Dumas et le roman mythique*, par Jean Molino ; *Un roman de Dumas*, par R.-L. Stevenson ; *Où le lecteur découvre...*, par Jacques Bonnet ; *Du fait divers au mythe*, par Gilbert Sigaux ; *Ethopées :*

Dumas et Nadar, par Roger Greaves ; *Mangez-moi et adorez Dieu*, par Jean-Jacques Brochier ; *Vingt ans après*, par Bernard Pingaud.

Magazine littéraire, 72 (1973).

Sommaire : *Il m'est arrivé d'être ingrat*, par Jacques Laurent ; *Dumas, l'Histoire, l'imaginaire et le diable*, par Claude-Michel Cluny ; *Les héros de Dumas*, par Michel Grisolia ; *Balsamo, la magie et le XVIIIe siècle*, par Gilbert Sigaux ; *Dumas fantastique*, par Pierre-André Touttain ; *Le château de Monte-Cristo*, par Pierre-André Touttain ; *La maison Dumas et Comopagnie*, par Pascal Pia.

Magazine littéraire, 412 (sept. 2002), p. 20-65.

Sommaire : Dumas au-delà de sa légende, entretien avec Claude Schopp ; Première approche vers le Panthéon, par Yves-Marie Lucot ; Une vie théâtrale et romanesque, par Claude Schopp ; Dumas dans le miroir, par Pietro Citati ; Pourquoi j'aime Alexandre Dumas, par Juliette Benzoni ; Dumas ou l'insolence de la fiction, par Georges-Olivier Châteaureynaud ; La forêt maternelle, par Yves-Marie Lucot ; En chasse et... à table, par Jean-Jacques Brochier ; Dumas-sur-Mer, par Patrick Rambaud ; La cuisine d'Alexandre tient au corps et à l'esprit, par Hervé Jaouen ; L'invention du drame moderne, par Fernande Bassan ; Céleste et Alexandre, une amitié particulière, par Pierre-Robert Leclercq ; Un écrivain voyageur, par Serge Moussa ; Les deux Siciles d'Alex–andre Dumas, par Jean-Pierre Pouget ; Deux lettres inédites, présentation par Claude Schopp ; ... Et Dumas inventa presque le cinéma, par Didier Decoin ; Le comte de Monte Cristo à l'heure d'Internet, par Simone Arous ; De la créolité américaine, par Réginald Hamel ; L'attrait du fantastique, par Jean-Baptiste Baronian ; Pour une bibliothèque du bicentenaire, par Yves-Marie Lucot ; Un diamant noir, par Michel Delon.

Eco, Umberto

Verhulst, Gilliane. 2000. *Étude sur Umberto Eco : Le nom de la rose*. Ellipses. 94 p. (Résonances).

Erckmann-Chatrian

Berger, Yves. 1977. Préface de *Histoire d'un conscrit de 1813* de Erckmann-Chatrian. Paris : Le Livre de poche. (Le livre de poche classique ; 4883).

Erckmann-Chatrian. 1997. *Europe*, No spécial (jan.-fév.), 3-113.

Féval, Paul

Constans, Ellen. 1997. Présentation, notes et bibliographie de *Le Bossu*, de Paul Féval. Paris : Flammarion. (GF ; 997).

Flaubert, Gustave

Aziza, Claude. 1996. « Flaubert dans les ruines de Carthage ». *L'Histoire*, 197, mars, p. 8-9.

Suffel, Jacques. 1964. Chronologie et préface de *Salammbô* de Gustave Flaubert. Paris : Garnier-Flammarion, p. 7-23. (GF ; 22).

Thomas, Henri. 1974. Préface de *Salammbô* de Gustave Flaubert. Paris : Gallimard, p. 7-14. (Folio ; 608).

France, Anatole

Blancquart, Marie-Claire. 1989. Préface de *Les dieux ont soif* d'Anatole France. Paris : Gallimard. (Folio ; 2080).

Citti, Pierre. 1989. Préfacee de *Les dieux ont soif* d'Anatole France. Paris : Le Livre de poche, p. 5-26. (Le livre de poche ; 6687. Classique).

Gautier, Théophile

Aziza, Claude. 1991. Préface de *Le roman de la momie et autres récits antiques* de Théophile Gautier. Paris : Presses Pocket, p. 5-15. (Presses Pocket ; 6049).

______. 2002. Préface et commentaires de *Le Capitaine Fracasse* de Théophile Gautier. Paris : Presses Pocket, p. 7-15. (Presses Pocket ; 6100).

Boschot, Adolphe. 1964. Introduction à *Le roman de la momie : précédé de trois contes antiques* de Théophile Gautier. Paris : Garnier.

Eigeldinger, Marc. 1985. Préface de *Le roman de la momie* de Théophile Gautier. Paris : Le Livre de poche, p. 5-11. (Le livre de poche ; 6099).

Fernandez, Dominique. « Théophile le fracassant ». *Figaro littéraire*, 1312, 1990, p. 81.

Fontaine, M. 1989. Préface de *Le capitaine Fracasse* de Théophile Gautier. Dans : *Aventures pour tous les temps*. Paris : Laffont, p. 637-640. (Bouquins).

Gardair, Jean-Michel. 1986. Préface de *Le roman de la momie* de Théophile Gautier. Paris : Gallimard. (Folio classique ; 1718).

Van der Bogaert, Geneviève. 1966. Chronologie et préface de *Le roman de la momie* de Théophile Gautier. Paris : Garnier-Flammarion, p. 5-23. (GF ; 118).

Gogol, Nicolas

Aucouturier, Michel. 1991. Préface de *Tarass Boulba* de N. Gogol. Paris : Gallimard. (Folio ; 2285).

De Grève, Claude. 1990. Introduction de *Tarass-Boulba* de Gogol. Paris : Flammarion, p. 9-50. (GF ; 577).

Haraucourt, Edmond

Guichard, Geneviève. 1996. Présentation de *Daâh, le premier homme* de Edmond Haraucourt. Paris : Arléa, p. 7-28. (Arléa-poche ; 9).

Hugo, Victor

Bernard, Claudie. 1989. *Le Chouan romanesque : Balzac, Barbey d'Aurévilly, Hugo*. Paris : Presses universitaires de France. 324 p. (Écriture).

Body, Jacques. 1967. Chronologie et préface de *Quatre-ving-treize* de Victor Hugo. Paris : Garnier-Flammarion, p. 5-21. (GF ; 59).

Bordier, Roger. 1990. Préface de *Quatrevingt-treize* de Victor Hugo. Paris : Messidor, 1990, p. 11-17.

Cellier, Léon. 1967. Chronologie et préface de *Notre-Dame de Paris* de Victor Hugo. Paris : Garnier-Flammarion, p. 5-24. (GF ; 134).

Chevalier, Louis. 1974. Préface de *Notre-Dame de Paris* de Victor Hugo. Paris : Gallimard, p. 7-26. (Folio ; 549).

Gengembre, Gérard. 1998. Préface de *Quatre-vingt-treize* de Victor Hugo. Paris : Presses Pocket, p. 7-19. (Presses Pocket ; 6110).

Gohin, Yves. 1979. Préface de *Quatre-vingt-treize* de Victor Hugo. Paris : Gallimard, p. 7-26. (Folio ; 1093).

Malandain, Gabrielle. 1989. Préface de *Notre-Dame de Paris* de Victor Hugo. Paris : Presses Pocket, p. 7-19. (Presses Pocket ; 6004).

Maurel, Jean. 1972. Introduction à *Notre-Dame de Paris* de Victor Hugo. Paris : Le Livre de poche. (Le livre de poche ; 1698. Classique).

Quatre-vingt-treize de Victor Hugo. 2002. Présenté par Pierre-Louis Rey. Paris : Gallimard. 197 p. (Foliothèque ; 107).

Kircher, Daniel

Aziza, Claude. 1985. Dossier historique et littéraire de *Attila, le maître des steppes* de Daniel Kircher. Paris : Presses Pocket, p. 553-572. (Presses Pocket ; 2503).

Leseleuc, Anne de

« *Les calendes de septembre* d'Anne de Leseleuc ». 1997-1998. *L'École des lettres* (collèges), p. 87.

Lytton, Edward Bulwer

Aziza, Claude. 1988. Introduction, notes et commentaires de *Les derniers jours de Pompéi* de E. Bulwer-Lytton. Paris : Presses Pocket, p. i-xii. (Presses Pocket ; 2237).

______. 2002. Présentation de *Pompéi, le rêve sous les ruines*. Paris : Omnibus, p. i-xiv.

Manzoni, Alessandro

Calvino, Italo. 1982. « Les fiancés : le roman du rapport de forces ». Dans : *Les fiancés* de Manzoni. Le Chemin Vert, p. 9-16.

Macchia, Giovanni. 1995. Préface de *Les Fiancés* d'A. Manzoni. Paris : Gallimard. (Folio ; 2527).

Mérimée, Prosper

Josserand, Pierre. 1977. Préface de *Chronique du règne de Charles IX* de Proper Mérimée. Paris : Gallimard, p. 7-32. (Folio ; 982).

Mathe, Roger. « L'illusion historique dans *La chronique du règne de Charles X* de Prosper Mérimée ». Europe, 557 (1975).

Merle, Robert

Rocard, Marcienne. 1991. « Un romancier qui refuse toute étiquette : interview de Robert Merle ». *Caliban*, XXVIII, p. 7-15.

Mitchell, Margaret

Riess, Curt. 1967. « Autant en emporte le vent (M. Mitchell) ». Dans : *Naissance des best-sellers*. Paris : Éditions de Trévise, p. 126-137.

Neumann, Alfred

Fragonard, Marie-Madeleine. 1987. Dossier historique pour *Le diable* de A. Neumann. Paris : Presses Pocket, p. 425-457. (Presses Pocket ; 2811).

Oldenbourg, Zoé

Desnues, R. M. 1965. « Zoé Oldenbourg, romancière du Moyen Âge », *Livres et lectures*, p. 437-442.

Massalovitch, Sophie. 1997. *Zoé Oldenbourg*. Monaco : Éditions du Rocher. 115 p.

Orczy, baronne Emuska

Dumont, Hervé. « Le Mouron Rouge à l'écran ». *Travelling*, 49 (1977), p. 47-54, 61-62.

Pouchkine, Alexandre

Cadot, Michel. 1989. Introduction de *La fille du capitaine* de Pouchkine. Paris : Flammarion, p. 9-38. (GF ; 539).

Troyat, Henri. 1997. Préface de *La fille du capitaine* de Nicholas Pouchkine. Paris : Le Livre de poche. (Le Livre de poche ; 3138).

Romain, Jules

Jules Romains face aux historiens contemporains. 1990. Paris : Flammarion. 258 p. (Cahiers Jules Romains ; 8).

Rosny, J. H.

Baronian, Jean-Baptiste. 1985. Présentation, documents, chronologie et bibliographie de *Romans préhistoriques* de J.-H. Rosny. Paris : Laffont, p. 7-14, 687-716. (Bouquins).

Hughes, Monique. 1987-1988. Préface de *La guerre du feu* de J.-H. Rosny. Paris : L'École des lettres, p. 1-4.

Roth, Joseph

Spielmann, Luc. 1990. *La marche de Radetsky de Joseph Roth : essai d'interprétation.* Paris : CNRS. x, 305 p.

Scott, Walter

Cespedès, Françoise. 1997-1998. « Quentin Durward de Walter Scott ». *L'École des lettres* (collèges), 8, p. 35-48 ; 9, p. 25-46.

Crouzet, Michel. 1981. « Walter Scott et la réinvention du roman ». Dans : *Waverley/Rob Roy/La fiancée de Lammermoor* de Walter Scott. Paris : Laffont, p. 7-44. (Bouquins).

Hartland, Reginald W. 1975. *Walter Scott et le roman frénétique.* Genève : Slatkine. 266 p. (Bibliothèque de la Revue de littérature comparée ; 52).

Kanbar, Maxine Maria Stoeger. 1970. *Balzac et Walter Scott.* Besançon : Université de Besançon. 216 p. Voir Balzac.

Parvillez, Alphonse de. 1932. « De Walter Scott et du roman historique », *Études*, 20 oct., p. 218-234.

Sienkiewicz, Henrik

Beauvois, Daniel. 1983. Introduction de *Quo vadis ?* de Henryk Sienkiewicz. Garnier-Flammarion, p. 5-35. (GF ; 362).

Joncaviel, Kinga. 2005. *Quo vadis ? Contexte historique, littéraire et artistique de l'oeuvre de Sienkiewicz.* Toulouse : Presses Universitaires du Mirail.

Montherlant, Henry de. 1971. Préface de *Quo vadis ; roman des temps néroniens* de H. Sienkiewicz. Paris : Le Livre de poche, p. 5-10. (Le livre de poche ; 3161).

Mohrt, Michel. 1992. Préface de *Par le fer et par le feu* de Sienkiewicz. Paris : Phébus p. 9-14.

Mortier, Daniel. 1985. Introduction de *Les chevaliers teutoniques*, de H. Sienkiewicz. Paris : Presses Pocket, p. 7-21. (Presses Pocket ; 2385, 2387).

Slaughter, Frank Gill

Aziza, Claude. 1992. Présentation et dossier historique de *Les caravelles de l'aventure* de Frank G. Slaughter. Paris : Presses de la Cité, p. i-x, 1331-1339. (Omnibus).

Soulié, Frédéric

Cantégrit, Claude. 1978. Préface de *Les deux cadavres* de Frédéric Soulié. Paris : Garnier, p. vii xii. (Classiques populaires).

Stevenson, Robert Louis

Lacassin, Francis. 1983. « Le roman historique selon R. L. Stevenson », préface de *La flèche noire* de R. L. Stevenson. Paris : Union générale d'éditions, p. 7-20. (10/18 ; 1570).

Soupel, Serge. 1989. Introduction de *Le maître de Ballantrae* de R. L. Stevenson. Paris : Flammarion, p. 9-34. (GF ; 561).

Stowe, Harriet Beecher

Mohrt, Michel. 1986. Préface de *La case de l'oncle Tom* de H. Beecher-Stowe. Paris : Le Livre de poche. (Le livre de poche ; 6136).

Riess, Curt. 1967. « La case de l'oncle Tom (H. Beecher Stowe) ». Dans : *Naissance des best-sellers*. Paris : Éditions de Trévise, p. 11-25.

Tolstoi, Léon

Oldenbourg, Zoé. 1973. Préface de *Guerre et paix* de Tolstoï. Paris : Gallimard, p. 7-16. (Folio ; 287-288).

Thieulin, Jean. 1972. Préface de *Guerre et paix* de Tolstoï. Paris : Le Livre de poche, p. 9-23. (Livre de poche ; 1016, 1919).

Troyat, Henri

Ganne, Gilbert. 1966. « Henri Troyat ». Dans : *Messieurs les best-sellers*. Paris : Perrin, p. 107-124.

Tuchman, Barbara W.

Gallo, Max. 1979. « Le temps de la peste noire ». *L'Express*, 1475, 20 oct., p. 28-29. (sur le roman *Un lointain miroir*).

Verne, Jules

Lahalle, Bruno-André. 1979. *Jules Verne et le Québec, 1837-1889 : Famille-sans-nom*. Sherbrooke : Naaman. 188 p. (Études ; 21).

Vigny, Alfred de

Gascar, Pierre. 1980. Préface de *Cinq-Mars* d'Alfred de Vigny. Paris : Gallimard, p. 7-16. (Folio ; 1205).

Wallace, Lewis

Aziza, Claude. 1991. Introduction, notes et commentaires de *Ben-Hur : un récit messianique* de Lew Wallace. Paris : Presses Pocket, p. i-v. (Presses Pocket ; 2231).

Waltari, Mika

Aziza, Claude. 1993. Présentation de *Les amants de Byzance* de M. Waltari. Paris : Presses Pocket, p. 7-9. (Presses Pocket ; 2270).

Fragonard, Madeleine. 1987. Dossier historique et littéraire pour *L'escholier de Dieu* et *Le serviteur du prophète* de Mika Waltari. Paris : Presses Pocket, p. 561-595. (Presses Pocket ; 2758).

Wiseman, Nicolas

Aziza, Claude. 1984. Introduction de *Fabiola* de N. Wiseman. Paris : Presses Pocket, p. 5-9. (Presses Pocket ; 2278).

Yourcenar, Marguerite

Julien, Anne-Yvonne. 1993. *L'œuvre au noir de Marguerite Yourcenar*. Paris : Gallimard. 207 p. (Foliothèque ; 26).

Levillain, Henriette. 1992. *Les d'Hadrien de Marguerite Yourcenar*. Paris : Gallimard. 252 p. (Foliothèque ; 17).

Zévaco, Michel

Bastaire, Jean. 1988. « Pour saluer Zévaco ». *Nouvelle Revue Française*, 426-427, p. 150-159.

Sur plusieurs auteurs

Goimard, Jacques. 2004. « Le film historique américain au tournant des années soixante ». Dans : *Univers sans limites. Critique des genres*. Paris : Pocket, p. 338-348. (Agora ; 252).

Sève, André. 1984. « Les Juifs depuis 2000 ans ». *Panorama aujourd'hui*, 180, mars, p. 69.

FILMOGRAPHIE

Ne sont répertoriés ici que les films ou téléfilms en version française qui ont été adaptés des romans cités.

Allée du roi (L') (F. Chandernagor). France, 1995 / Nina Companeez (TV).

Ambre (Forever Amber) (K. Winsor). États-Unis, 1947 / Otto Preminger.

Année des Français (L') (T. Flanagan). Grande-Bretagne/France, 1980 / Michael Garvey (TV).

Anthelme Collet (G. Coulonges). France, 1980 / Jean Paul Carrère (TV).

Auberge de la Jamaïque (L') (Jamaïca Inn) (D. Du Maurier). Grande-Bretagne, 1939 / Alfred Hitchcock.

Autant en emporte le vent (Gone With the Wind) (M. Mitchell). États-Unis, 1939 / Victor Fleming.

Aventure vient de la mer (L') (Frenchman's Creek) (D. Du Maurier). États-Unis, 1944 / Mitchell Leisen.

Ayla, l'enfant de la terre (The Clan of the Cave Bear) (J. M. Auel). États-Unis, 1985 / Michael Chapman.

Barabbas (P. Lagerkvist). Suède, 1953 / Alf Sjoberg.

Barabbas (P. Lagerkvist). Italie, 1962 / Richard Fleischer.

Beaux messieurs de Bois-Doré (Les) (G. Sand). France, 1978 / Bernard Borderie (TV).

Ben Hur (L. Wallace). États-Unis, 1959 / William Wyler.

Bleus et les Gris (Les) (The Blue and the Gray) (J. Leekley). États-Unis, 1982 / Andrew V. McLaglen (TV).

Bossu (Le) (P. Féval). France, 1944 / Jean Delannoy - France, 1959 / André Hunebelle - France, 1967 / JeanPierre Decourt (TV). France, 1997 / Philippe de Broca.

Calice d'argent (Le) (The Silver Chalice) (T. Costain). États-Unis, 1947 / Henry King.

Capitaine de Castille (Captain from Castile). États-Unis 1948 / Henry King.

Capitaine Fracasse (Le) (T. Gautier). France, 1942 / Abel Gance ; *Le voyage du capitaine Fracasse.* France/Italie, 1991 / Ettore Scola.

Case de l'oncle Tom (La) (Uncle Tom's Cabin). Italie-Yougoslavie, 1965 / Geza von Radvanyi.

Chambre des dames (La) (J. Bourin). France, 1982 / Marcel Camus (TV).

Charge victorieuse (La) (The Red Badge of Courage (S. Crane). États-Unis, 1951 / John Huston.

Chevalier de Maison-Rouge (Le) (A. Dumas). France, 1962 / Claude Barma (TV).

Chevalier d'Harmental, (Le) (A. Dumas). France, 1966 / Jean-Pierre Decourt (TV).

Chevaliers teutoniques (Les) (H. Sienkiewicz). Pologne, 1960 / Alexander Ford.

Chevaux du soleil (Les) (J. Roy). France, 1982 / François Villiers (TV).

Chouans (Les) (H. de Balzac). France, 1946 / Henri Calef.

Cinq-Mars (A. de Vigny). France, ? / Jean-Claude Brialy (TV).

Cœur vaillant (Brave Heart). États-Unis, 1995 / Mel Gibson.

Colorado Saga (Centennial) (J. Michener). États-Unis, 1979 / Virgil Vogel (TV).

Compagnons de Jéhu (Les) (A. Dumas). France, 1971 / Yannick Andréi (TV).

Comtesse de Charny (La) (A. Dumas). France, 1989 / Marion Sarrault (TV).

Couronne du diable (La) (Devil's Crown) (K. Miles). États-Unis, 1981 / Alan Cook.

Dame de Monsoreau (La) (A. Dumas). France, 1967 / Yannik Andréi (TV).

Dernière tentation du Christ (La) (N. Katzansaki). États-Unis, 1988 / Martin Scorsese.

Derniers jours de Pompéi (Les) (E. Bulwer-Lytton). France/Italie, 1948 / Marcel L'Herbier.

Désirée (A. Selinko). États-Unis, 1954 / Henry Koster.

Élisabeth R (T. Coppens). Grande-Bretagne, 1971 / Claude Whatam (TV).

Enfant des lumières (L') (F. Chandernagor). France, 2002 / Daniel Vigne (TV).

Épingle noire (L') (D. St-Alban). France, 1980 / Maurice Frydland (TV).

Esclave libre (L') (Band of Angels) (Robert Penn Warren). États-Unis, 1957 / Raoul Walsh.

Fabien de la Drôme (J. D. Roob). France, 1981 / Stellio Lorenzi (TV).

Fabiola (C. Wiseman). Italie-France, 1947 / Alesandro Blasetti.

Fanfan la Tulipe. France, 1952 / Christian Jaqne.

Fiancés de l'Empire (Les) (J. Doniol-Valcroze). France, 1979 / Jacques Doniol-Valcroze (TV).

Fils de la liberté (Les) (L. Caron). France-Québec, 1978 / Claude Boissol (TV).

Flash royal (Royal Flash) (G. McDonald Fraser). Grande-Bretagne, 1975 / Richard Lester.

Flèche noire (La) (The Black Arrow) (W. Scott). États-Unis, 1948 / Gordon Douglas.

Gaston Phébus (G. de Béarn). France, 1978 / Bernard Borderie (TV).

Guerre du feu (La) (J. H. Rosny). France, 1981 / Jean-Jacques Annaud.

Guépard (Le) (T. di Lampedusa). Italie/France, 1963 / Luschino Visconti.

Guerre et paix (L. Tolstoï). Italie/États-Unis, 1956 / King Vidor. Russie, 1967 / Serguei Bondartchouk.

Ivanhoe (W. Scott). Grande-Bretagne, 1952 / Richard Thorpe.

Jésus de Nazareth (A. Burgess). États-Unis, 1977 / Franco Zeffirelli (TV).

Joseph Balsamo (A. Dumas). France, 1973 / Adnré Hunebelle(TV).

Jour où le Christ mourut (Le) (The Day the Christ Died) (J. Bishop). États-Unis, 1980 / James Calan Jones (TV).

Larron (Le) (P. Festa Campanile). Italie-France, 1979 / Pasquale Festa.

Légende et les aventures d'Ulenspiegel (La) (Till l'espiègle) (C. de Coster). France, 1956 / Joris Ivens.

Lorna Doone (R. Blackmore). États-Unis, 1951 /E Phil Karlson.

La lumière des justes (H. Troyat). France, 1978 / Yannick Andréi (TV).

Maître de Ballantrae (Le) (The Master of Ballantrae) (R. L. Stevenson). États-Unis, 1953 / William Keighley. Grande-Bretagne, 1984 / Douglas Hickkox (TV). *Mandingo* (K. Onstott). États-Unis, 1975 / Richard Fleischer.

Marco Polo (K. Miles). États-Unis/Italie, 1982 / Juliano Montaldo (TV).

Marquis de Saint-Evremond (Le) (A Tale of Two Cities) (C. Dickens). États-Unis, 1935 / Jack Conway.

Masque de fer (Le) (L'Uomo della maschera di ferro) (A. Dumas). France-Italie, 1962 / Henri Decoin.

Massada (E. Gann). États-Unis, 1981 / Boris Segal (TV).

Mayerling (C. Anet). France, 1936 / Anatole Litvak. France/Grande-Bretagne, 1968 / Terence Young.

Miracle des loups (Le) (H. Dupuy-Mazel. France, 1961 / André Hunnebelle.

Moi, Claude, empereur (I, Claudius) (R. Graves). Grande-Bretagne, 1976 / Herbert Wise (TV).

Mouron Rouge (Le) (The Scarlet Pimpernel) (E. Orczy). Grande-Bretagne, 1935 / Harold Young. Grande-Bretagne, 1982 / Clive Donner (TV).

Nom de la rose (Le) (U. Eco). France/Italie, 1986 / Jean-Jacques Annaud.

Notre-Dame de Paris (The Hunchback of Notre-Dame) (V. Hugo). États-Unis, 1939 / William Dieterle. France/Italie, 1957 / Jean Delannoy.

Oeuvre au noir (L') (M. Yourcenar). Belgique, 1987 / André Delvaux.

Par le fer et par le feu (H. Sienkiewicz). Italie/France, 1961 / Fernando Gerchio.

Pavillons lointains (The Far Pavillions) (M. M. Kaye). Grande-Bretagne, 1983 / Peter Duffell.

Pharaon (B. Prus). Pologne, 1965 / Jerzy Kawalerowicz.

Pont du roi Saint-Louis (Le) (The Bridge of San Luis Rey) (T. Wilder). États-Unis, 1944 / Rowland V. Lee.

Pontcarral (A. Cahuet). France, 1942 / Jean Delannoy.

Quentin Durward (W. Scott). États-Unis, 1955 / Richard Thorpe. France, 1970 / Gilles Grangier (TV).

Quo Vadis ? (H. Sienkiewicz). États-Unis, 1951 / Mervyn Le Roy. Italie, 1988 / Francesco Rossi (TV).

Racines (Roots) (A. Haley). États-Unis, 1977 / David Greene (TV).

Reine Margot (La) (A. Dumas). France, 1954 / Jean Dréville. France, 1993 / Patrice Chéreau.

Restauration (Le don du roi) (R. Tremain). États-Unis, 1995 / M. Hoffman.

Retour à Cold Mountain (Cold Mountain) (C. Frazier). États-Unis, 2003 / Anthony Minghella.

Retour de Martin Guerre (Le) (N. Z. Davis). France, 1981 / Daniel Vigne.

Rob Roy (W. Scott). Grande-Bretagne, 1953 / Harold French. États-Unis, 1995 / M. Caton-Jones.

Rois maudits (Les) (M. Druon). France, 1971 / Claude Barma (TV).

Roman d'Henri IV (Le) (Le roi qui vient du sud) (H. Mann). France/Allemagne, 1978 / Marcel Camus et Heinz Schinck (TV).

Saint-Germain ou la négociation (F. Walder). France-Belgique, 2003 / Gérard Corbiau (TV).

San Felice (La) (Luisa Sanfelice) (A. Dumas). Italie/France, 2004 / Paolo et Vittorio Tavani, 2004 (TV).

Sentiers de la gloire (Les) (Paths of Glory) (H. Cobb). États-Unis, 1957 / Stanley Kubrick.

Shogun (J. Clavell). États-Unis, 1980 / Jerry London (TV).

Sinouhé l'Égyptien (The Egyptian) (M. Waltari). États-Unis, 1954 / Michael Curtiz.

Spartacus (H. Fast). États-Unis, 1960 / Stanley Kubrick.

Talisman (Le) (King Richard and the Crusaders / Richard Cœur de Lion) / W. Scott). États-Unis, 1954 / David Butler.

Tarass Boulba (N. Gogol). États-Unis, 1962 / Jack Lee Thompson.

Treizième guerrier (Le) (The Thirteenth Warrior). États-Unis, 1999 / John McTiernan.

Trois mousquetaires (Les) (The Three Musketeers / The Four Musketeers) (A. Dumas). Grande-Bretagne, 1974-1975 / Richard Lester.

Tunique (La) (The Robe) (L. C. Douglas). États-Unis, 1953 / Henry Koster.

Un nommé Cervantès (Young Rebel / Cervantès) (B. Frank). France/Italie/Espagne, 1967 / Vincent Sherman.

Vicomte de Bragelonne (Le) (D'Artagnan) (A. Dumas). France, 1968 / Claude Barma (TV).

Vicomte de Bragelonne (Le) (Il Visconte di Bragelonne (A. Dumas). France-Italie, 1954 / Fernando Cerchio.

INDEX DES AUTEURS

Cet index présente les auteurs dans l'ordre alphabétique. L'année de naissance et celle du décès d'un auteur sont signalées lorsqu'elles sont connues. Si l'année de naissance seulement est fournie, l'information est suivie d'un trait d'union et de quelques espaces pour signifier que l'auteur, en principe, n'est pas décédé.

Sous chaque auteur, les titres sont présentés dans un ordre chronologique séquentiel, de la date de parution du titre le plus récent à celle du titre le plus ancien. Si, pour une même année, plusieurs titres ont été publiés, ils sont classés dans l'ordre alphabétique. Les articles initiaux dans les titres ne sont pas considérés pour leur classement alphabétique.

Pour faciliter le reperage, l'année de parution et le nom de l'éditeur sont fournis, suivi d'un ou plusieurs renvois au corpus de l'ouvrage.

Vengeance au palais de Jade (Jade Palace Vendetta), 1999, 10/18, 132
La promesse du samouraï (Death at crossroads), 1998, 10/18, 132

FURST, ALAN
Les soldats de la nuit (Night Soldiers), 1988, Alizés, 188

FYFE-MARTEL, NICOLE
Hélène de Champlain (1. *Manchon et dentelle*), 2003, Hurtubise HMH, 126

GABALDON, DIANA (ÉTATS-UNIS)
Un tourbillon de neige et de cendres, 2005, Libre Expression / J'ai lu, 193-194
La croix de feu (The Fiery Cross), 2001, Libre Expression / J'ai lu, 193-194
Les tambours de l'automne (Drums of Autumn), 1997, Libre Expression / J'ai lu, 193-194
Le voyage (Voyager), 1994, Libre Expression / J'ai lu, 193-194
Le chardon et le tartan (Outlander), 1991, Libre Expression / J'ai lu, 193-194
Le talisman (Dragonfly in Amber), 1991, Libre Expression / J'ai lu, 193-194

GABRIEL-ROBINET, LOUIS (1909-1975)
Une certaine Diane, 108

GAGE, NICOLE
La pourpre déchirée, 1984, La Table ronde, 50

GAINES, DIANA
Un automne éclatant (Nantucket Woman), 1979, Trévise, 140

GALANGAU, NICOLAÏDÈS
Un amour de Delphine, 1985, Orban, 151

GALEANO, EDUARDO (1940-)
Mémoire du feu (Memoria del fuego) (1. *Les naissances* - 2. *Les visages et les masques* - 3. *Le siècle du vent*), 1985-1988, Plon, 194

GALL, ANNIE
Adieu donc, belle Eugénie, 1983, Stock, 174

GALLO, MAX (1932-)
La croix de l'Occident (1. *Par ce signe tu vaincras* – 2. *Paris vaut bien une messe*), Fayard, 2005-2007, 108
Les Romains (1. *Spartacus, la révolte des esclaves* - 2. *Néron, le règne de l'Antéchrist* - 3. *Titus, le martyre des juifs* - 4. *Marc-Aurèle, le martyre des chrétiens* - 5. *Constantin le Grand, l'empire du Christ*), 2005-2007, Fayard, 34
César imperator, 2003, XO / J'ai lu, 36
Morts pour la France (1. *Le chaudron des sorcières* - 2. *Le feu de l'enfer* - 3. *La marche noire*), Fayard / J'ai lu, 2003, 181
Les chrétiens (1. *Le manteau du soldat* - 2. *Le baptême du roi* - 3. *La croisade du moine*), 2002, Fayard / Livre de poche, 56
Bleu, blanc, rouge (1. *Mariella* - 2. *Mathilde* - 3. *Sarah*), 2000, XO/Pocket, 193
Napoléon (1. *Le chant du départ* - 2. *Le soleil d'Austerlitz* - 3. *L'empereur des rois* - 4. *L'immortel de Sainte-Hélène*) 1997, Laffont / Pocket, 156
Que passe la justice du roi : vie, procès et supplice du chevalier de La Barre, 1987, Laffont, 145
La route Napoléon, 1987, Laffont / Livre de poche, 156

GAMARRA, PIERRE (1919-)
La fabuleuse aventure de Cristobal Colon, 1991, Messidor, 95

GANIVET, ANGEL (1865-1898)
La conquête du royaume de Maya, 1992, Phébus, 101

GANN, ERNEST (1910-1991, ÉTATS-UNIS)
Massada (The Antagonists), 1970, J'ai lu, 44

GARCIN, JÉRÔME (1956-)
C'était tous les jours tempête, 2001, Gallimard, 151

GARDEL, LOUIS (1939-)
Grand-Seigneur, 1999, Seuil (Points), 105
L'aurore des bien-aimés, 1997, Seuil (Points), 105

GARDIAN, FRANK (1965-)
Bélisaire ou le mendiant de Sainte-Sophie, 200I, Gaia, 58

GARDNER, JOHN (1933-1982, ÉTATS-UNIS)
Grendel, 1971, Denoël, 58
Le naufrage d'Agathon (The Wreckage of Agathon), 1970, Denoël, 29

GARDNER, JOHN E. (1926- , ANGLETERRE)
The Secret Families, 1989, Putnam, 188
The Secret House, 1988, Putnam, 188
The Secret Generation, 1985, Putnam, 188

JENNINGS, GARY (1928-1999, ÉTATS-UNIS)
Sang aztèque (Aztec Blood), 2004, Éd. du Rocher, 100
L'automne aztèque (Aztec Autumn), 1998, Éd. du Rocher, 100
Azteca (Aztec), 1980, Livre de poche, 100
JENSEN, JOHANNES V. (1873-1950, DANEMARK)
Le long voyage (Der Longe Rejse), 1908-1921, 190
JERPHAGNON, LUCIEN (1921-)
La louve et l'agneau, 2007, Desclée de Brouwer, 50
Caius, le dernier verdict, 1988, Tallandier, 50
JOBERT, MICHEL
Vandales, 1990, Albin Michel, 52
JOHNSON, BARBARA FERRY (1923- , ÉTATS-UNIS)
Belle Fontaine (Homewards Winds the River), 2003, Presses de la Cité, 173-174
Le talisman du Viking (Tara's Song), 1978, Presses de la Cité, 63
Mississipi (Delta Blood), 1975, Presses de la Cité, 173-174
JOHNSON, EYVIND (1900-1976, ALLEMAGNE)
Les nuages sur Métaponte (Molnen Over Metaponte), 1974, Esprit ouvert, 198
JONES, EDWARD (1950-)
Le monde connu (The Known World), 2003, Albin Michel, 172
JONES, ELLEN
La couronne maudite (The Fatal Crown), 1991, Pygmalion / Livre de poche, 71
JONG, ERICA (1942- , ÉTATS-UNIS)
Fanny ou La véridique histoire des aventures de Fanny Troussecottes-Jones (Fanny Being the True History of the Adventures of Fanny Hackabout-Jones), 1980, J'ai lu, 142
JOURAT, STÉPHANE
Le journal intime de la duchesse de Chevreuse, 1993, Albin Michel, 118
JOURDAN, ÉRIC
Le songe d'Acibiade, 2006, Editions H&O, 30
JULLIAN, MARCEL (1922-2004)
Charlemagne, 1993, Flammarion, 61
Je suis François Villon, 1987, Denoël, 89
Le maître de Hongrie, 1980, Livre de poche, 80
JULLIEN, VINCENT
Les ombres de la Place Royale, 2006, Stock, 122

KABAK, AARON ABRAHAM (1880-1944, ISRAËL)
Sur un sentier étroit, Jésus, 1937, Éd. du Cerf, 39
KADARÉ, ISMAÏL (1936- , ALBANIE)
La pyramide, 1992, Fayard/Livre de poche, 22
Les tambours de la pluie, 1970, Gallimard (Folio), 88
KAHN, MICHÈLE (1940-)
Moi, reine de Saba, 2004, Bibliophane, 20
La pourpre et le jasmin, 2001, Éd. du Rocher, 20
KAÏKÔ, TAKESHI (1930-1989, JAPON)
La muraille de Chine, récit d'un fugitif, 2004, Picquier, 38
KALOGRIDIS, JEANNE
Captive des Borgia (The Borgia Bride), 2005, Éditions du Rocher, 94
KANTOR, MACKINLAY (1904-1977, ÉTATS-UNIS)
Andersonville, 1955, France-Empire, 173
KAST, PIERRE (1920-1984)
La mémoire du tyran : treize miroirs pour l'empereur Tibère, 1981, Presses de la Cité, 46
KASTNER, JORG (1962- , ALLEMAGNE)
La couleur bleue (Die Farbe Blau), 2005, Lattès, 129
KATCHA, VAHÉ (1928-2003)
Un poignard dans ce jardin, 1981, Pocket, 182
KATUSZEWSKY, JACQUES
La trahison de Frédégonde, 1986, Grasset, 59
KAYE, MARY MARGARET (1908-2004, ANGLETERRE)
Pavillons lointains (The Far Pavilions), 1978, J'ai lu, 171
L'ombre de la lune (Shadow of the Moon), 1956, Albin Michel, 171
KAZANTZAKI, NIKOS (1885-1957, GRÈCE)
Dans le palais de Minos, 1984, Plon, 29
La dernière tentation, (Ho telentaios peirasmos), 1951, Pocket, 39
KEEFE-FOX, CLAIRE
Le ministre des moussons, 1998, Plon, 131
KENDALL, PAUL MURRAY (1911-1973, ÉTATS-UNIS)
Mon frère Chilpéric : chronique des rois aux cheveux longs, 1979, J'ai lu, 59
KENT, ALEXANDER (1924-)
Une mer d'encre (The Darkening sea) 1993, Phébus, 163

Petits meurtres entre moines, 2004, Fayard, 60
Un beau captif, 2001, Fayard, 150
La jeune fille et le philosophe, 2000, Fayard, 143
Les princesses vagabondes, 1998, Lattès, 154
Mademoiselle Chon du Barry ou les surprises du destin, 1996, Laffont, 143
L'odyssée d'Abonnaparti, 1994, Laffont, 157

LENTÉRIC, BERNARD
Hiram, le bâtisseur de Dieu, 2003, Plon / Le livre de poche, 20

LENTZ, SERGE
La stratégie du bouffon, 1990, Laffont / Pocket, 91

LEPELTIER, FRANÇOISE
Marguerite et la Nouvelle-France, (1. *Les bâtisseurs*), 2004, Plon, 126

LEPÈRE, PIERRE (1944-)
La dame de Provins, 2004, L'Achipel, 74
Les lèvres de la Joconde, 2003, L'Achipel, 97
La gloire est un éclat de verre, 2002, L'Achipel, 118

LE PORRIER, HERBERT (1913-1977)
Le médecin de Cordoue, 1974, Seuil (Points), 69

LE QUINTREC, CHARLES (1926-)
La saison du bourreau, 2001, Albin Michel, 112
La querelle de Dieu, 1992, Albin Michel / Livre de poche, 112

LERA, ANGEL MARIA DE (1912-1984, ESPAGNE)
Les derniers étendards (Las últimas banderas), 1967, Albin Michel, 187

LE ROUGE, GUSTAVE (1867-1938)
La dame noire des frontières, 1905, 10/18, 184

LEROY, THIERRY
Le baptiseur, 1998, Albin Michel, 41
Le testament de saint Luc, 1996, Albin Michel, 44

LESAGE, MIREILLE
Clémence (1. *L'envol de Clémence* - 2. *Clémence et le Régent* - 3. *Clémence à l'heure du choix*), 2004, Pygmalion, 136
Bel Ange, 2000, Pygmalion, 112
La salamandre d'or, 1998, Pygmalion, 99
Les amours masquées, 1996, Pygmalion, 120
Le vent se lève, 1994, Pygmalion, 120
Les ailes du matin (1. *Les ailes du matin* - 2. *Les noces de Lyon* - 3. *Les chemins de l'espérance* - 4. *Les feux du crépuscule*), 1988-1992, Pygmalion, 115

LESELEUC, ANNE DE
Le secret de Victorina, 2003, L'Archipel, 54
Les vacances de Marcus Aper, 2003, 10/18, 53
Le trésor de Bouddica, 1996, 10/18, 53
Les calendes de septembre, 1995, 10/18, 53
Marcus Aper et Laureolus, 1994, 10/18, 53
Marcus Aper chez les Rutènes, 1993, 10/18, 53
Éponine, 1985, Seuil, 53
Le douzième vautour, 1983, Seuil, 59

LESPÉRANCE, JOHN (1838-1891)
Les Bastonnais, 1876, Deux Mondes, 141

LESTIENNE, VOLDEMAR (1932-)
Fracasso, 1973, Livre de poche, 117
Furioso, 1971, Livre de poche, 117

LETORT-TRÉGARO, JEAN-PIERRE (1944-)
Galéran de Malestroít, 1987, Ouest-France, 69

LÉTURMY, MICHEL
Les tribulations de Jacob, 1987, Gallimard, 18
Abraham a vu mon jour, 1982, Gallimard, 18

LÉVI, JEAN (1948-)
Le rêve de Confucius, 1989, Albin Michel / Livre de poche, 38
Le grand empereur et ses automates, 1985, Albin Michel / Livre de poche, 38

LÉVIS-MIREPOIX, ANTOINE DE (1884-1891)
Montségur, 1924, Albin Michel, 73

LEWIS, ROY (1919-1996)
Pourquoi j'ai mangé mon père (What We Did to Father), 1960, Actes Sud / Babel, 16

LEYS, SIMON (1935-)
La mort de Napoléon, 2005, Plon, 162

LIBOUREL, JEAN-CLAUDE
Quand Marie s'appelait Myrian, 2001, Albin Michel, 44

LINDGREN, TORGNY (1938-)
Bethsabée (Bat Seba), 1984, Actes Sud / Babel, 20

LISS, DAVID (1935-)
Une conspiration de papier (A Conspiracy of Paper), 2000, Lattès / 10/18, 135

De terre et de sang, 1992, Fixot, 70
L'enfant de la Toussaint (antérieurement Gueules et sable) (1. *La bague au lion* - 2. *La femme de sable* - 3. *L'homme à la licorne* - 4. *Cyclamor*), 1987-1991, Fixot / Pocket, 81

NAJEAN, YVES (1931-)
Era ou la vie d'une femme à l'aube du néolithique, 2001, L'Harmattan, 15
Albilla, servante gauloise, 1999, L'Harmattan, 54

NATOLI, LUIGI (1857-1941)
Histoire des Beati-Paoli (I Beati Paoli) (1. *Le bâtard de Palerme* - 2. *La mort à Messine* - 3. *Coriolano*), 1921, Métaillé, 134

NAUDIN, PIERRE (1923-)
Cycle de Gui de Clairbois (1. *Les fureurs de l'été* - 2. *L'étrange chevauchée* - 3. *Les chemins de la honte* - 4. *Le bâtard de Clairbois* - 5. *Le champ clos de Montendre* - 6. *Le secret sous les armes* - 7. *Le bourbier d'Azincourt*), 1999-2005, Aubéron / Pocket, 82
Cycle d'Ogier d'Argouges (1. *Les lions diffamés* - 2. *Le granit et le feu* - 3. *Les fleurs d'acier* - 4. *La fête écarlate* - 5. *Les noces de fer* - 6. *Le jour des reines* - 7. *L'épervier de feu*), 2000-2001, Aubéron / Pocket, 81
Cycle de Tristan de Castelrang (1. *Les amants de Brignais* - 2. *Le poursuivant d'amour* - 3. *La couronne et la tiare* - 4. *Les fontaines de sang* - 5. *Les fils de Bélial* - 6. *Le pas d'armes de Bordeaux* - 7. *Les spectres de l'honneur*), 1996, Aubéron / Pocket, 82

NAVARRO, CASTILLO
Le charnier natal, 1963, Seuil, 187

NEBOT, DIDIER
Le dernier commandement, 1995, Anne Carrière, 192

NÉGRI, MICHÈLE
Le roman de Pythagore, 1991, Buchet-Chastel, 30

NÉRAUDAU, JEAN-PIERRE
Le mystère du jardin romain, 1992, Belles Lettres, 46
Les louves du Palatin, 1988, Belles Lettres, 47

NÉRY, GÉRARD
Le lys écarlate, 1983, Grasset, 151

NEUMANN, ALFRED (1895-1952, ALLEMAGNE)
Le diable (Der Teufel), 1926, Livre de poche, 89

NEVIN, DAVID (1927-)
Le rêve californien (Dream West), 1963, Belfond, 174

NEWMAN, JOHN HENRY (1801-1890, ANGLETERRE)
Callista, 1856, Ardant, 50

NEWMAN, SHARAN
La porte du diable (The Devil's Door), 1994, Livre de poche, 67
Meurtres dans la basilique (Death comes as an epiphany), 1993, Livre de poche, 67

NEZELOFF, PIERRE
Le fils de l'Aigle, 1955, Marabout, 161

NICOLE, CHRISTOPHER (1930- , ANGLETERRE)
Les mémoires secrets de Lord Byron (The Secret Memories of Lord Byron), 1982, Buchet-Chastel, 165

NIMIER, ROGER (1925-1962)
D'Artagnan amoureux ou Cinq ans avant, 1962, Gallimard (Folio), 116

NISKANEN, PENTTI
Barlas, cavalier de la garde de Genghis Khan, 1999, L'Asiathèque, 78

NIZAN, GEORGES
Le duc de Naxos, 1988, Balland, 104

NOIR, LOUIS (1837-1901)
Surcouf : le roi de la mer, 1880, Garnier, 166

NOKOVITCH, MILENA (1934-)
Pluie d'or sur Samarkand, 1993, Delville, 85

NOLIN, THIERRY
L'ordalie, 1987, Flammarion, 68

NOLLIER, INÈS
Le magicien de Montpellier, Raymond Lulle, 1990, Éd. du Rocher, 77

NORD, PIERRE (1900-1985)
Un vrai secret d'État, 1959, Fayard, 117

NORDHOFF, CHARLES ET JAMES NORMAN HALL
Les révoltés de la Bounty (The Mutiny of the Bounty), 2002, Phébus, 155
Dix-neuf hommes contre la mer (Men Against the Sea), 1946, Phébus, 155
Pitcairn (Pitcairn's Island), 1946, Phébus, 155

Le cauchemar de d'Alembert, 1998, Librairie des Champs-Elysées, 143
L'œil de Diderot, 1998, Librairie des Champs-Elysées, 143
La nièce de Rameau, 1995, Librairie des Champs-Elysées, 143

PROULX, GUSTAVE
Le combat magnifique, 1973, Garneau, 168

PRUD'HOMME, EVA
Le testament du Titien, 2001, Flammarion, 110
Meurtre à la Saint-Barthélémy, 1999, Flammarion, 107

PRUS, BOLESLAW (1847-1912, POLOGNE)
Pharaon, 1898, Orban/Atalante, 26

PUJADE-RENAUD, CLAUDE
Le jardin forteresse, 2002, Actes Sud, 31
Platon était malade, 1999, Actes Sud / Babel, 30
La nuit la neige, 1996, Actes Sud / J'ai lu, 135

PUZO, MARIO (1920-1999)
Le sang des Borgia (The Family), 2001, L'Archipel / Livre de poche, 94

QUENEAU, RAYMOND (1903-1976)
Les fleurs bleues, 1965, Gallimard (Folio), 198

QUIGNARD, PASCAL (1948-)
Les tablettes de buis d'Apronenia Avitia, 1984, Gallimard (L'imaginaire), 52

RACHET, GUY
Les larmes d'Isis (1. *Le seigneur des serpents* - 2. *Les rois pasteurs* - 3. *Le triomphe d'Horus*), 2006-2007, L'Archipel, 23
Massada, les guerriers de Dieu, (Réédité sous le titre : *Pleure, Jérusalem : Massada*, Éd. du Rocher, 2004), 1991, Lattès, 44
Le roman des pyramides (1. *Khéops et la pyramide du soleil* - 2. *Le rêve de pierre de Khéops* - 3. *La pyramide inachevée* - 4. *Khefren et la pyramide du sphinx* -5. *Mykerinos et la pyramide divine*), 1997-1998, Éd. du Rocher/Livre de poche, 22
Cléopâtre, le crépuscule d'une reine, 1994, Critérion, 28
Le jardin de la rose, 1989, Radio Monte Carlo, 81
Duchesse de la nuit (1. *Le sceau de Satan* - 2. *Le lion du Nord* - 3. *Les chemins de l'aurore*), 1986-1988, Laffont / J'ai lu, 115
Le soleil de Perse, 1988, Table ronde / Gallimard (Folio), 55
Le signe du Taureau, 1987, Mercure de France / Gallimard (Folio), 94
Le roi David, 1985, Orban / Gallimard (Folio), 19
Néfertiti, reine du Nil, 1984, Laffont / Livre de poche, 24
Théodora, 1984, Orban, 57
Guillaume le conquérant, 1982, Éd. du Rocher, 64
Le prêtre d'Amon, 1981, Laffont / Livre de poche, 25
Les vergers d'Osiris, 1981, Éd. du Rocher / J'ai lu, 26
Vers le bel Occident, 1981, J'ai lu, 26

RACINE, BRUNO (1951-)
Terre de promission, 1986, Grasset, 118
Le gouverneur de Morée, 1982, Livre de poche, 134

RACIONERO, LUIS (ESPAGNE)
Le troubadour alchimiste (El alquimista trobador), 2003, Mazarine, 77

RAGON, MICHEL (1924-)
Un amour de Jeanne, 2003, Albin Michel / Livre de poche, 87
Un si bel espoir, 1998, Albin Michel / Livre de poche, 171
La louve de Mervent, 1985, Albin Michel / Livre de poche, 167

RAGUENEAU, PHILIPPE (1917-2003)
Les marloupins du roy, 1989, Pré aux clercs, 100

RAMBAUD, PATRICK (1946-)
Le chat botté, 2006, Grasset, 157
L'absent, 2003, Grasset / Livre de poche, 161
Il neigeait, 2000, Grasset / Livre de poche, 160
La bataille, 1997, Grasset / Livre de poche, 159

RANSMAYR, CHRISTOPH (1954- , ALLEMAGNE)
Le dernier des mondes (Die Letzte Welt), Flammarion / Livre de poche, 37

RAPPE, CLAUDE
Samson et Dalila, 2000, Éd. du Rocher, 20
Dieu le veut, 1999, Albin Michel, 66

STEAD, CHRISTIAN KARLSON (1932-)
Mon nom était Judas (My Name was Juda), 2006, City, 42
STECYK, IRÈNE
Mazeppa, prince d'Ukraine, 1981, Balland, 134
STEENS, EULALIE ET JEAN
La belle cordière, 1984, Les Presses de la Cité, 108
STEINBECK, JOHN (1902-1968, ÉTATS-UNIS)
La coupe d'or (Cup of Gold), 1929, Gallimard (Folio), 125
STERN, HORST (ALLEMAGNE)
L'homme d'Apulie (Mann aus Apulien), 1986, Hachette, 75
STERN, MARIO RIGONI
L'année de la victoire (L'anno della vittoria), 1998, Laffont, 181
STEVENS, ROSEMARY
La tabatière empoisonnée (The Tainted Snuffbox), 2001, Labyrinthes, 170
La mort sur un plateau d'argent (Death of a Silver Tray), 2000, Labyrinthes, 170
STEVENSON, ROBERT LOUIS (1850-1894, ANGLETERRE)
Le maître de Ballantrae (The Master of Ballantrae), 1889, 10/18, 139
La flèche noire (The Black Arrow), 1886, 10/18, 88
STOCKWIN, JULIAN
Enrôlé de force (Kydd), 2001, Presses de la Cité, 164
SUE, EUGÈNE (1804-1857)
Les mystères du peuple, 1849-1856, Deforges, 190
Jean Cavalier, 1840, Crémille, 133
Latréaumont, 1837, Garnier, 122
SUFFRAN, MICHEL
Les vendanges de Brumaire, 1989, Presses de la Cité, 153
La nuit de Dieu, 1986, Albin Michel, 115
SURGET, ALAIN (1948-)
Chamula, 1987, Messinger, 191
SUSSAN, RENÉ (1925-)
Les renégats de l'an mil, 1992, Denoël, 62
SWANN, THOMAS BURNETT (1928-1976)
Au temps du Minotaure (Day of Minotaur), 1965, Opta, 29
SWENNEN, RENÉ (1942-)
Le roman du linceul, 1991, Gallimard (Folio), 83
Palais Royal, 1983, Julliard, 150
SWERLING, BEVERLY
La saga de New York (1. *Le secret des Turner* (Legacy) - 2. *La cité des rêves* (City of Dreams - 3. *De toute éternité* (City of Glory), 2001-2006, Presses de la Cité, 195
Les flammes de la tourmente (Shadowbook) (1. *Aigues-Brunes* 2. *La rivière de sang*), 2004, Presses de la Cité, 140
SWINDELLS, MADGE
Edelweiss, 1993, Laffont / Pocket, 187
SZENTKUTHY, MIKLOS (1908-1988, HONGRIE)
Le bréviaire de Saint Orphée (1. *En marge de Casanova* - 2. *Renaissance noire* - 3. *Escorial* - 4. *Europa Minor*), 1939-1941, Phébus, 200

TABARY, PHILIPPE
Terre courage, 1997, Le Cherche-Midi, 190-191
TAIBO II, PACO IGNATIO (1949- , ESPAGNE)
Le trésor fantôme (La lejania del tresoro), 1992, Rivages, 174
TALBOT, MICHAEL (1937-1992)
Les Australiens (To the Ends of the Earth) (1. *Les aventuriers du bout du monde* - 2. *La terre promise*), 1986, Presses de la Cité, 195
TARD, LOUIS-MARTIN (1921-1998, QUÉBEC)
Il y aura toujours des printemps en Amérique, 1987, Libre Expression, 196
TAURIAC, MICHEL
Les années créoles (1. *La catastrophe* - 2. *La fleur de la passion* - 3. *Sangs mêlés*), 1982-1984, La Table Ronde, 177
TEDESCO, OLIVIER (1955-)
Le diable et le condottiere, 1992, Grasset, 91
TÉTREAU, JEAN (1923- , CANADA)
Journal de marche d'un officier romain, 1994, Leméac, 36
TEULÉ, JEAN
Je, François Villon, 2006, Julliard, 89
TEY, JOSÉPHINE (1896-1952, ÉCOSSE)
La fille du temps (The Daughter of Time), 1951, 10/18, 202

INDEX DES TITRES

Les titres sont classés dans l'ordre alphabétique, sans tenir compte des articles initiaux (le, la, les, un, une, des). Pour faciliter la lecture, l'article initial dans un titre est placé après les termes significatifs.

INDEX DES SUJETS